L'HOMME

A TRAVERS LES AGES

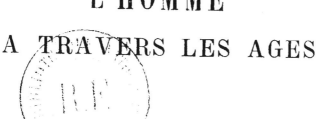

OUVRAGES DE M. ANDRÉ LEFÈVRE.

POÉSIE.

La *Flûte de Pan*, 1861.
  Seconde édition augmentée, 1863, in-18, Hetzel (épuisé).
La Lyre intime, 1864, in-18, *ibid.*
Virgile et Kalidâsa. (Les *Bucoliques* et le *Nuage messager*), 1865, in-18, Hetzel.
L'Epopée terrestre, 1867, in-18, Marpon.
De la Nature des Choses, traduction en vers français du poëme de Lucrèce, avec Introduction et Sommaires, 1876, grand in-8°, Fischbacher.

VOYAGES ET ARTS.

La Vallée du Nil, en collaboration avec M. Henri Cammas, 1862, in-18, Hachette.
Les Merveilles de l'Architecture, 5ᵉ édition augmentée, in-18, Hachette.
Les Parcs et les Jardins, 2ᵉ édition, in-18, Hachette.

CRITIQUE.

(COLLECTION JANNET-PICARD.)

Les Lettres persanes, texte revu d'après les éditions originales, avec Préface, Notes, Variantes, Index, 1873, 2 vol. in-16, Lemerre.
Les Contes de Perrault, texte de 1697, Introduction, Essai sur la Mythologie dans les contes, Notes, Variantes, Bibliographie, 1875, 1 vol. in-16, *ibid.*
Voltaire, Dialogues et Entretiens philosophiques, publiés dans un ordre nouveau, avec Introductions, Notes et Index philosophique, 1878-1880, 3 vol. in-16, *ibid.* (Les deux premiers ont paru.)
Diderot, chefs-d'œuvre, Introduction et Notes, 1879-80. 4 vol. in-16, *ibid.* (Les deux premiers sont en vente.)
Louis Asseline, tirage à part de l'Avant-propos du tome II de Diderot.

HISTOIRE.

Les Finances de Champagne aux treizième et quatorzième siècles, 1858, in-8°.
Les Baillis de la Brie, broch. in-8°.
(Histoire de France Bordier-Charton) : Charles V, Charles VI, Charles VII, Louis XI, Napoléon Iᵉʳ.
Le Vrai Napoléon Iᵉʳ, nouv. édition, 1877, in-16, Decaux.
Les Finances particulières de Napoléon III, d'après les papiers des Tuileries, 1874, in-18, Rouquette.

PHILOSOPHIE.

La Pensée nouvelle, 2 vol. gr. in-8, 1867-1869 (en collaboration avec Louis Asseline, A. Coudereau, Ch. Letourneau, P. Lacombe, Yves Guyot, etc.)
Essais de critique générale, 1876-1877 :
  I. *Religions et Mythologies comparées*, 2ᵉ édition, in-18, Ern. Leroux.
  II. *Etudes de Linguistique et de Philologie*, in-18, *ibid.*
La Philosophie, 1 vol. de la *Bibliothèque des sciences contemporaines*, in-18 de plus de 600 pages, 1878, Reinwald.

Paris. — Typographie A. HENNUYER, rue d'Arcet, 7.

L'HOMME

A TRAVERS LES AGES

ESSAIS DE CRITIQUE HISTORIQUE

PAR

ANDRÉ LEFÈVRE

Auteur de *la Philosophie*.

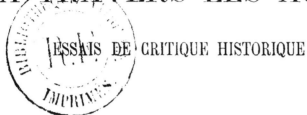

PARIS

C. REINWALD, LIBRAIRE-ÉDITEUR

RUE DES SAINTS-PÈRES, 15

—

1880

Tous droits réservés.

INTRODUCTION

Les civilisations, d'abord isolées, puis parallèles, puis combinées, se sont progressivement étendues jusqu'à se fondre dans une civilisation générale : de même l'homme s'est élevé du troupeau à la tribu nomade ou sédentaire, à la cité, à la nation, finalement à la conception de l'humanité. Mais quelle part, décisive ou secondaire, revient, dans ce mouvement plein de flux et de reflux, aux races, aux peuples, aux individus, quelle part aux migrations, aux guerres, aux industries et aux arts, aux langues et aux idées ? Dans quel ordre ou quel désordre apparent, par quelles transitions insensibles, par quelles révolutions d'autant plus brusques et imprévues qu'elles ont été plus lentement préparées, s'est accomplie cette marche du confus et du complexe vers le simple et le général, dont la réalité déconcerte toutes les théories bibliques et métaphysiques ? Comment tant de traverses, de sinuosités incertaines et contraires sont-elles venues d'âge en âge, pareilles aux affluents d'un fleuve, se jeter dans quelques routes principales plus directes et plus rapides et, par elles, dans la voie définitive ?

Ces questions, l'expérience seule peut les résoudre,

l'expérience libre de tous les préjugés accumulés par l'ignorance ou l'intérêt; encore ne doit-elle pas oublier que l'histoire est, par excellence, la science en marche, la science qui n'est jamais achevée. L'observateur, ici, poursuit un objet mouvant, vivant, qui grandit à mesure qu'on l'approche et dévoile indéfiniment des particularités nouvelles, des faces et des aspects inconnus. Les conditions mêmes de l'histoire expliquent sa longue enfance.

Hérodote, le premier, presque le seul dans l'antiquité, par l'intuition d'un heureux génie, conçut la véritable méthode. Quand il recueillait avec tant de soin les traditions des anciens peuples et, avant de mettre en scène les nations et les hommes, décrivait les pays et les mœurs, il comprenait que les milieux naturels et acquis fournissent aux actes leurs mobiles et aux évènements leur raison d'être. En nous privant d'une foule d'indications précieuses, le mépris des Grecs et des Romains pour les étrangers leur a dérobé à eux-mêmes la notion de leurs origines et des affinités sur lesquelles ils auraient pu fonder pour jamais leur empire. Plus tard, le chaos féodal jeta dans les esprits un trouble, une sorte de brouillard qui interceptait toute vue d'ensemble. La doctrine chrétienne, à elle seule, se chargeait d'altérer le sens historique. Hostile à toute curiosité périlleuse, elle entendait substituer à l'enchaînement naturel une volonté divine. Dès lors, à quoi bon les recherches et la critique? Le plus grand effort d'une sagacité orthodoxe n'allait qu'à transformer en plan judicieux, à conformer à une raison préalablement égarée par la

foi le souverain caprice d'une providence exclusivement chrétienne. Cette illusion stérile a séduit Bossuet. C'est à elle que notre littérature est redevable
de ce brillant recueil de morceaux choisis connu sous
le nom de *Discours sur l'histoire universelle.*

Déjà cependant, Colomb et ses émules, en doublant
la surface de la terre, avaient révélé, au-delà de
l'étroit horizon catholique, des peuples ignorés de
Jéhovah lui-même, et dont le triple dieu des chrétiens avait négligé les destinées. Déjà la Renaissance
avait multiplié les essais de tout genre sur les institutions, les langues, les mœurs, les monuments. Mais
l'histoire d'apparat aurait cru déroger en utilisant
ces informations nouvelles. Grande dame, du bout du
doigt elle effleurait ces paperasses, secouant sa manchette, de peur qu'une poussière incongrue ne vînt
à ternir le poli de ses périodes.

L'histoire resta donc, jusqu'au dix-huitième siècle,
un récit convenablement arrangé des hauts faits accomplis par les personnes bien nées. A force de se
répéter, elle sommeillait en endormant. Voltaire la
tira de cette torpeur. Dans son *Essai sur les mœurs
des nations*, il reprit à sa manière la voie ouverte par
le vieil Hérodote. C'en était fait de l'histoire officielle
et convenue. Il ne fut plus loisible à l'historien digne
de ce nom d'omettre toutes ces circonstances, extérieures et intérieures, qui expliquent les évènements
parce qu'elles les commandent. Enfin, le prodigieux
essor de sciences longtemps considérées comme
accessoires permit aux Augustin Thierry, aux Michelet (nous ne parlons que pour la France), de pein-

dre en pied et sous toutes ses faces une époque, une nation, un personnage.

Toutefois, les monuments élevés en ce siècle critique subiront, eux aussi, l'épreuve du temps et vieilliront à leur tour. Déjà fléchissent les systèmes qui ont fait l'orgueil de nos aînés, les explications trop sommaires de la féodalité par la conquête, des iniquités du moyen âge par le choc de deux races et de deux droits, race et droit latins, race et droit germaniques. Combien tombera quelque jour cette admiration des Barbares qui a tenu tant de place dans les conceptions modernes ! combien d'autres lieux communs sur les bienfaits de l'unité catholique, sur les services rendus à la culture intellectuelle par les monastères ! combien de malentendus entre l'école révolutionnaire et l'école évolutionniste !

L'histoire, aujourd'hui, est en plein renouvellement, mais aussi en plein morcellement. Et qui s'en étonnerait ? Recherches dans toutes les directions, déchiffrements, textes critiques, notices sur une institution, une ville, un homme, une pierre, une médaille, un dieu ; quelques ouvrages plus étendus, mais bornés encore à un sujet que l'auteur peut traiter de première main : tel est l'aspect que présente le champ historique. L'activité y règne ; le mouvement s'y propage de pays en pays; au premier abord le regard se perd, l'esprit se déconcerte dans ce chantier où chacun travaille de son côté, où tous les temps, tous les noms, toutes les langues s'agitent à la fois. Quelle tête encyclopédique non seulement aura pu dévorer, mais encore digérer et condenser

les monographies et les traités spéciaux, les documents
fournis par les géographes et les anthropologistes, les
témoignages des langues et des littératures, des industries, des arts, et encore tout le droit et toute
l'économie politique ? Il y faudrait cent vies. A notre
goût pour les générations hâtives a succédé un impérieux besoin de lentes et complètes certitudes. De là
ces recherches dans toutes les directions, ces études
fragmentaires, minutieuses, parfois arides, qui habituent l'esprit à se rendre compte des parties compo-
santes du plus petit comme du plus grand fait, à
descendre en un mot jusqu'à l'atome.

Rien de plus nécessaire. Mais l'analyse a ses excès :
elle dépasse son droit lorsqu'elle proscrit la synthèse.
Sitôt qu'une vue d'ensemble se fait jour, les spécia-
listes crient à la légèreté, à l'arbitraire, voire à la
métaphysique. Quand ils ont prononcé cet arrêt :
Œuvre de seconde main ! il semble que tout soit dit.
Mais à quoi donc serviraient leurs travaux de première main s'il fallait chaque jour les recommencer ?
Amassent-ils des matériaux qui ne doivent entrer
dans aucune construction ? Mineurs, bon gré, mal
gré, vous travaillez pour l'architecte. Tous, en vos
fouilles laborieuses, vous recueillez les éléments de
l'histoire universelle ; vous fournissez à la philosophie
ces fidèles réductions de la réalité observée et con-
trôlée, d'où il lui appartient de dégager les lois générales qui, correspondant aux relations de l'homme
avec l'univers et avec ses semblables, résument sa
destinée tout entière. Il ne s'agit plus que d'ordonner
vos recherches éparses ; en vain elles prétendraient

toutes au premier plan : elles n'ont leur valeur véritable qu'à leur rang dans la série.

Et voyez, la perspective se déroule et s'éclaire jusqu'en ses profondeurs.

Dans les continents et dans les îles, au penchant
des montagnes, sur les bords des ruisseaux, des lacs
et des fleuves, le long des vastes plages ou dans les
dentelures des golfes et des baies, çà et là, partout où
le milieu se prête à l'éclosion de la vie, la végétation
humaine sort de terre ; elle se développe sous l'empire de mille fatalités combinées : nature et configuration du sol, sécheresse ou humidité de l'air,
chaleur ou froidure, hauteur des monts, abondance
et direction des eaux ; sans compter l'essence de la
plante, la race, qui, si elle n'est pas originelle, est
du moins la résultante de toutes les circonstances
accumulées, de la sélection et de l'hérédité.

Quelques milliers d'ans ont passé.

Une croissance inégale et confuse a semé la terre
de taches diversement réparties. Là, sur les océans
et dans les déserts s'espacent, comme les touffes de
laine sur la tête des nègres, d'humbles broussailles
rabougries ; là, d'épais et uniformes taillis pullulent
dans le limon des côtes marécageuses ; ailleurs,
s'élèvent des groupes mieux doués ; de vrais arbres,
peu à peu, se dégagent de la mêlée inférieure, qu'ils
étouffent de leur ombre. On aperçoit distinctement
au-dessus de la forêt leurs cimes victorieuses ; on suit
les vicissitudes de leur existence, l'épanouissement
de leurs rameaux en fleur, les promesses accomplies
ou l'espérance avortée de leur fructification, leurs

maladies et leurs guérisons, leur jeunesse robuste ou leur vieillesse prématurée.

Les plus précoces ne sont pas les plus vivaces. Combien portent en eux ou ont reçu le germe mortel ! combien sont victimes de voisinages envahissants ! Rongés au pied par quelque vice congénital, minés par les parasites, frappés de foudre, épuisés de leur effort, ils meurent l'un après l'autre, l'un sur l'autre, ils tombent, écrasant de leur chute, obstruant de leurs ruines, mais aussi fécondant de leur poussière de vastes espaces de la forêt. La futaie s'éclaircit, et dans l'air conquis montent enfin librement les rois de la terre ; ils sont vingt peut-être, puis dix, puis trois qui résistent aux orages, qui brisent le flot des invasions, et survivent aux intrus semés par le vent, apportés de loin par la tempête. N'en demeurât-il qu'un seul, la terre ne sera pas stérile, le monde ne sera pas vide ; celui-là, florissant et fécond, répand au loin sa graine et repeuple l'univers à son image.

De l'ombre où s'étiolent depuis les temps quaternaires les héritiers de la sauvagerie primitive, les peuples tour à tour se détachent ; ils montent au jour à mesure qu'ils prennent la direction d'une région plus ou moins vaste, d'une époque et d'une aire de la civilisation. Tout au bout de l'Asie, c'est la Chine, dont la précocité a épuisé la force : elle a inventé trop tôt pour innover ; les rudiments de l'écriture, des arts, des sciences et du gouvernement sont demeurés pour elle le dernier effort de l'esprit humain, le terme du progrès; et depuis quatre mille ans peut-être, elle tourne dans un cercle fermé avant l'heure. A l'autre

bout, c'est l'Egypte, vieille de soixante siècles, première institutrice de la Syrie et de la Grèce, et dont
le génie atrophié par le despotisme théocratique, dont
la vie absorbée par l'idée de la mort, s'éteignent au
moment même où le monde n'a plus besoin de ses
leçons.

Au centre se succèdent les Élamites mystérieux ;
les Sumériens, qui n'ont laissé pour vestiges que des
syllabes obscures gravées et traduites par leurs vainqueurs sur des tablettes de terre cuite ; les Chaldéens,
observateurs et adorateurs des astres, associant au
culte de la lumière les emblèmes de la fécondité ob-
scène, legs possible des peuples de Sumer et d'Accad ;
puis les Assyriens, Sémites à la barbe nattée, bâtis-
seurs de villes et de palais, dont les arts et les
croyances ne furent étrangers ni au développement
des Sémites de l'Ouest et du Midi, ni à l'éveil du
génie hellénique.

Serrés entre les tribus flottantes des Arabes, des
Moabites, des Iduméens et les comptoirs de la Phénicie, les Hébreux vivaces élaborent péniblement leur
monothéisme national, traversé d'incohérents souvenirs où l'exégèse commence à faire la part de
l'Egypte, de l'Assyrie et de la Perse. Avec les Phéniciens débute la civilisation méditerranéenne ; leurs
colonies mercantiles, quelques-unes guerrières et con-
quérantes, animent le contour du grand lac, portant
de rivage en rivage, avec des légendes qui se sont
fondues dans les mythologies postérieures, avec la
monnaie qui crée le commerce en allégeant l'échange,
le véritable instrument de la pensée, l'alphabet, cette

merveilleuse simplification de l'hiéroglyphe égyptien.

Tandis que l'Orient édifie empires sur empires ou lance les Sémites agiles à la conquête des denrées utiles et des métaux précieux, des races que l'érudition et l'anthropologie exhument à peine, autochtones ou immigrées, s'étendent ou s'établissent, se refoulent ou se superposent dans la vieille Europe : Finnois, Ibères, Ligures, Celtes, Sicanes, Sicules, Pélasges, Etrusques, attendant pour se renouveler ou disparaître, pour vivre ou mourir, l'avènement de populations mieux armées, mieux douées, qui déposeront dans le chaos occidental le germe de l'ordre et le ferment du progrès.

Ils viennent, ces peuples, ils s'avancent, poussés par l'expansion d'autres peuples, chassés de leur berceau par leur propre croissance. Un temps immémorial a précédé leur départ. Entre l'Oxus et l'Iaxarte, ils ont lentement construit une langue régulière et abondante, capable de coordonner des idées nettes, une religion où la raison humaine est associée par une brillante poésie aux aspects et aux forces de la nature, un régime domestique fondé sur la monogamie : triple bienfait qu'ils apportent à l'univers. Sont-ils une race ou le mélange de plusieurs sangs? On leur a donné le nom d'Aryas. Quelques-uns sont-ils restés fidèles à la patrie antique? Et ceux-là, si on les retrouve dans quelque vallée du Pamir, presque rendus à la sauvagerie d'où s'étaient dégagés leurs aïeux, représenteront-ils bien ces poètes guerriers qui ont conquis le monde et fait le tour de la terre?

Donc les Aryas sont en marche vers les régions

lointaines, hésitant d'abord entre trois directions ; la place même où se sont condensées leurs tribus détermine leur choix. Celles qui habitent aux confins occidentaux, en face des espaces les plus libres, se détachent les premières ; elles atteignent de proche en proche et contournent la Caspienne et l'Euxin : les unes, pour s'infléchir à gauche, ce sont les Hellènes et les Latins ; d'autres, courant droit devant elles à travers la Germanie, le long du Danube jusqu'au Rhin, jusqu'à l'Océan, jusqu'aux Iles-Britanniques, ce sont les Gaulois ; d'autres encore, montant vers la Baltique et la Scandinavie, ce sont les Goths et les Germains, tandis qu'en arrière et sur la droite les Scythes, les Sarmates, les Slaves, les Lithuaniens remplissent l'immense Russie et la Germanie, des Carpathes à l'Elbe, de la mer Noire au Volga, limite du monde finnois et ougrien. La patrie primitive n'est pas vide encore : deux groupes qui s'écartent avec lenteur occupent, celui-ci les sources de l'Indus, celui-là le Turkestan d'aujourd'hui, la Sogdiane et la Bactriane. Le premier, contenu au nord par les montagnes auxquelles il s'adosse, attiré par son fleuve, descend entre les rivières du Pendjab, chantant les hymnes du *Véda* pour charmer sa longue route ; vers le douzième siècle peut-être, il boira les eaux saintes de la Djamouna et du Gange ; au dixième, il atteindra les bouches de l'Indus ; puis, se répandant à travers la grande péninsule indienne, il la couvrira de royaumes vaguement dessinés ; il établira ses prêtres, ses guerriers, sa langue et son culte au milieu des Dravidiens, réduits en castes inférieures ; content de son plantureux séjour, il s'isolera de l'univers pour rêver, sous les figuiers épais, des philosophies étranges, sceptiques et mystérieuses, coupées d'accès délirants, de distractions littéraires, grammaticales ; et, quand il tentera de s'éveiller, l'énervement de l'extase le livrera, incapable d'action, à la fureur des Sémites et des Mongols, à l'exploitation de ses petits-cousins, Portugais, Français, Anglais, qui ne soupçonneront pas en lui le frère aîné de leurs ancêtres. Le dernier faisceau, le groupe iranien, s'est aussi décidé : il se déploie en éventail, de la rive droite de l'Indus aux montagnes de l'Asie Mineure ; à l'orient se cantonnent les tribus afghanes, à l'ouest glissent les Parthes sur les rives méridionales de la Caspienne, les Ossètes du Caucase, les Arméniens de l'Ararat et du Pont ; au centre, les Bactriens, les Mèdes, les Perses se fixent dans les pays qui ont gardé leurs noms, échelonnés de l'Aral au golfe Persique. Sur leur route, ils ont recouvert les vieilles couches d'Élam, d'Accad, la Chaldée et l'Assyrie ; enfin, franchissant les monts de la Cilicie et de la Cappadoce, ils brisent les empires de Lydie, de Syrie, d'Egypte, et viennent, sur les côtes d'Ionie, de Thrace et de Grèce, se heurter aux Hellènes, leurs parents inconnus, oubliés. Le choc est terrible. La force d'impulsion l'emportera-t-elle sur la force de résistance ? Est-ce à la religion morale et nue des Perses qu'est réservée l'éducation de l'Occident ? Le despotisme sacré du grand roi va-t-il étouffer la liberté et l'avenir de la civilisation européenne ? Jamais heure ne fut plus solennelle.

Athènes a vaincu à Marathon et à Salamine. Dès lors l'Hellade, entraînée par son triomphe, laissant à Rome naissante l'Occident tout entier, reflue vers l'Orient. Pour son malheur, certainement pour le nôtre, lancée à contre-voie par Alexandre, elle s'épuise à englober des civilisations inférieures qui pénètrent sa pensée et troublent sa raison. Elle y perd une avance de dix siècles. Corrompue, elle corrompt à son tour les Romains qui l'absorbent avec toutes ses conquêtes asiatiques. Sans doute elle les éduque, elle les polit, mais elle leur soutire cette énergie qui, d'une seule ville, a fait la souveraine du monde connu ; elle les empoisonne de mystagogies subtiles ou grossières, virus oriental dont elle s'est complu à extraire la quintessence.

Aux peuples démarqués par le voleur romain, annulés et aplatis sous le joug de la cité reine, aux multitudes serviles, esclaves, affranchis, sans droit, sans nation, à la plèbe mendiante, un ascète annonce la fin de l'humaine misère et la félicité dans la patrie céleste. Ses disciples vont dans les bas-fonds, semant le mépris de la vie, l'amour de la mort. C'est de quoi séduire les désespérés. Pour les lettrés et les délicats, la nouvelle mythologie se frotte de métaphysique platonicienne et alexandrine. Elle chemine, elle monte, elle gagne les hauteurs sociales. Voici qu'elle siège dans Rome, au centre du monde. Les Césars, clairvoyants par accès, la proscrivent, la traquent, mais en vain. Elle est l'héritière désignée de l'empire; Constantin l'y associe; en adoptant ses dogmes, il essaye de lui emprunter sa puissance. Il l'appelle à

soutenir l'édifice qu'elle ruine. C'est une force dissolvante. Le faisceau éclate ; les frontières s'ouvrent et
l'empire croule.

Le christianisme a été la revanche des Sémites,
revanche pour eux sans profit, mais terrible à leurs
vainqueurs. Par chance, la lignée des Aryas n'est pas
épuisée. Les Barbares, que les saints appellent comme
des envoyés de Dieu, sont encore, pour la plupart,
des retardataires de la grande odyssée indo-européenne. Saisis à leur arrivée, séduits, morigénés,
exploités par l'Eglise, ils sont enserrés des mille liens
de la casuistique, disciplinés par les clercs, détournés
vers des expéditions insensées et lointaines. Ils payent
de mille ans de désarroi social et intellectuel le bienfait d'une religion de paix et d'amour. Mais en eux
réside une force initiale qui tardivement les mène à
la délivrance. Dans l'incohérence du moyen âge, des
nations nouvelles se dessinent ; des langues, les unes
filles du latin vulgaire, les autres descendues d'autres sources aryennes, se forment, s'assurent et
s'éclaircissent; les racines de la civilisation antique
poussent des rejetons dans un sol réchauffé d'une
pluie de sang ; et, compensation étrange, c'est l'invasion triomphante d'une nouvelle foi sémitique, d'un
frère ennemi du christianisme, qui, rejetant sur l'Occident ce qui restait du génie hellénique dans l'esprit
byzantin, détermine la Renaissance.

Un moment débordée par l'impétueuse et brillante
expansion des Arabes, entamée à plusieurs reprises
par les hordes intruses des Huns, des Mongols et des
Turcs, l'Europe au quinzième siècle reprend, pour ne

la plus quitter, la direction du monde, de la terre entière, révélée par les Colomb et les Gama ; elle se déverse sur les continents nouveaux, sur les îles ; par un de ces retours qui ont séduit les Grecs d'Agésilas, les Macédoniens d'Alexandre, les Romains de Scipion, de Pompée et de César, les bandes de Pierre l'Hermite et de Godefroi, elle reflue sur la vieille Asie, elle occupe les côtes, remonte les fleuves et s'avance vers le cœur de l'ancien monde. Ainsi les Aryas reporteront la civilisation aux lieux mêmes d'où elle est partie.

Les rivalités des grandes nations novo-latines, germaniques, slaves, la France, l'Italie, l'Espagne, l'Angleterre, l'Allemagne, aboutissent à une sorte d'équilibre instable, qui permet à la civilisation de s'étendre, à la science de restreindre le domaine de l'inconnu, c'est-à-dire des religions. Dans ce grand travail, toutes ont leur part ; chacune revendique la principale ; elles rappellent leurs épreuves, leurs services, leurs grands hommes. La France est justement fière de sa longue durée, de sa profonde unité nationale, attestée déjà par la *Chanson de Roland*, de sa vitalité persévérante ; elle cite ses penseurs, ses poètes, elle invoque l'influence ininterrompue de sa riche littérature, depuis l'épopée féodale jusqu'à la critique du dix-huitième siècle, le génie de Villon, de Ronsard, de Régnier, de La Fontaine, de Corneille, de Molière, le libre esprit d'Abailard, de Rabelais, de Montaigne, de Montesquieu, de Diderot, de Voltaire. L'Italie a Dante, Arioste et Galilée, Michel-Ange, l'impérissable éclat de la Renaissance ; l'Angleterre a les deux Bacon

et Shakspeare, Cromwell, la poésie, la pensée, l'énergie indomptable. L'Allemagne prend de sa gloire un
soin si excessif, qu'il nous dispense d'insister ici sur
ses titres. Bien d'autres peuples encore, la Hollande,
la Suisse, le Danemark et la Suède, ont donné au
monde de grands exemples et concouru à l'œuvre de
la civilisation. Mais, quel que soit le mérite respectif
des divers groupes aryas, il en est un qu'on ne peut
dénier aux races latines : c'est d'elles que procède la
culture moderne ; c'est à elles que les Germains et les
Slaves doivent l'éducation sans laquelle ils n'auraient
pu développer leurs qualités natives.

L'heure approche enfin où l'organisme factice et
funeste que la Royauté, l'Eglise et le Privilège ont
conçu à leur profit pour l'exploitation des peuples,
sapé par les hérésies et la Réforme, mais bien plus
sûrement par la science et la philosophie, incompatible avec les notions de justice et de liberté, suc-
combera, lentement ou brusquement, sous l'assaut des
forces qu'il a comprimées. Les guerres de religion,
les révolutions d'Angleterre, l'exemple de la Suisse
et de la Hollande, la fondation des Etats-Unis, la Révolution française sont les phases les plus célèbres,
les évènements les plus décisifs de la guerre libéra-
trice. La lutte n'est pas terminée. De cruelles péripéties auront marqué les étapes de la race aryenne
vers la liberté individuelle, l'égalité civile et la République laïque. Mais, tôt ou tard, les peuples attardés
nous joindront, et les Aryas pacifiés, achevant de
concert leur marche prodigieuse, rattacheront au
monde civilisé ce qui subsiste encore de nations

vieillies ou de peuples enfants, les multitudes noires
de l'Afrique, peut-être même la fourmilière chinoise
qui, lasse d'étouffer dans son immense domaine, répand déjà dans les îles et dans le continent américain,
au grand souci des Indo-Européens, ses colonies
industrieuses. Le monde terrestre est connu, ou va
l'être. Il ne semble pas qu'il existe encore quelque
race capable de recommencer l'histoire. Le gouvernement du globe incombe aux Aryas, et, du moins
dans cette période géologique, ils n'auront point de
successeurs.

Bien des fois, depuis vingt ans que nous suivons
toutes les branches de l'histoire, géographie, ethno-
graphie, linguistique, mythologie, philosophie, littérature, bien des fois il nous a hanté, ce raccourci de
nos destinées. Il faudra quelque jour que nous trans-
portions notre esquisse rapide dans un cadre étendu,
où, conformément aux lois de la perspective, se grou-
peront, avec leurs actions et leurs conséquences proches et lointaines, les personnages collectifs ou
individuels et les évènements qui ont déterminé et
dirigé le cours de l'histoire.

Aujourd'hui notre ambition est moindre. Des mille
chemins qui sillonnent le vaste champ, nous n'en
avons suivi qu'un seul, — le plus long, il est vrai,
puisqu'il joint les deux bouts du développement humain, — celui qui, *à travers les âges*, court des
sources de l'Oxus et de l'Indus antiques à cet îlot de
la Seine d'où Paris a rayonné sur l'univers.

L'histoire, si l'on écarte les isolés et les excentriques,
si l'on fait abstraction des peuples disparus, dont pro-

cèdent peut-être les caractères distinctifs des nations, l'histoire, dis-je, apparaît comme l'évolution de deux grandes races, les Sémites et les Aryas, évolution successive, parallèle, connexe, inégale, contrariée et coupée à plusieurs reprises par l'intrusion de quelques groupes secondaires, tour à tour absorbés ou éliminés. Après d'infinies vicissitudes, l'élément sémitique lui-même, réduit à l'état de corps étranger et de *caput mortuum*, s'est effacé devant la culture aryenne; il y a bien trois mille ans que les Aryas dirigent les destinées humaines.

N'allez pas croire que le travail des siècles se soit anéanti. Il est un fait constant, ce qu'on appelle une loi, qui s'observe aussi bien dans le monde moral que dans l'ordre physique, la conservation de la force. Rien ne s'est perdu, le mort a saisi le vif. Les guerres et les échanges, les contacts violents ou pacifiques ont été des greffes par approche qui infusaient dans les rameaux voisins la sève riche ou viciée des végétations condamnées. La décomposition des arbres abattus a nourri les racines des survivants. Depuis les peuplades infimes qui, frappées d'un arrêt de développement cinquante ois séculaire, vont s'éteignant sur quelque terre du Pacifique, jusqu'à l'antique Égypte, momifiée dans le bitume, depuis les vieilles couches chaldéo-phéniciennes recouvertes par les laves intermittentes du génie sémitique, jusqu'aux éphémères éruptions des Huns et des Mongols, tous les peuples éteints ou amoindris sont pour quelque chose, pour beaucoup parfois, dans la constitution physique et intellectuelle de leurs successeurs; ne leur ont-ils pas

transmis chacun ses industries, ses arts, ses idées, ses
énergies et ses faiblesses :

Et, quasi cursores, vitaï lampada tradunt ?

Les races victorieuses, en se provignant de proche
en proche, ressèment, animés d'une vie nouvelle, les
germes qu'elles ont assimilés. Toute civilisation dominante résume les civilisations antérieures, qui ont été
sa raison d'être, et qui restent son patrimoine. En ce
sens, on peut dire que le groupe aryen porte aujour-
d'hui dans son sein l'humanité passée, présente et
future.

C'est à ce type, doué d'une vitalité supérieure, que
nous nous sommes attaché ; mais en parcourant sa
carrière si vaste, pour abréger la route, nous nous
sommes arrêté seulement à quelques épisodes du
grand voyage. A mesure que les Aryas remplissaient
l'univers, nous avons encore restreint notre course,
renonçant aux directions latérales, fidèle aux représentants les plus directs de la race civilisatrice, aux
Grecs, aux Romains, aux Latins et, dans les temps
modernes, au peuple français.

Si fragmentaires que puissent paraître ces études,
choisies entre cent, elles sont reliées par une doctrine
générale, qui, pensons-nous, en fait un livre :

D'une liberté précaire dont la force est l'unique
mesure, l'homme, par les divers degrés d'une liberté
que garantit plus ou moins une hiérarchie de privilèges, s'élève à une liberté que l'égalité assure et que
le droit seul limite.

Telle est, nous semble-t-il, la formule la moins con-

testable du progrès. Vraie pour l'ensemble de l'espèce
humaine, elle l'est pour les cités et les nations comme
pour l'individu. En l'acceptant comme une loi d'expérience, nous demeurons libre de tout système. Loin
de nous la théorie du progrès ininterrompu ; l'histoire la dément à chaque page ; non, un état postérieur n'est point nécessairement en avance sur celui
qui l'a précédé, le moyen âge sur l'antiquité, la Rome
d'Auguste sur l'Athènes de Périclès. Il y a eu des flux
et des reflux, des reculs définitifs, des arrêts momen-
tanés, des recommencements. Tel peuple en est resté
à l'égalité dans la servitude, tel autre à une hiérarchie
de privilèges ; tel autre est mort en pleine barbarie,
avant même d'avoir pu raisonner ses aspirations in-
stinctives. Mais tous ceux qui ont survécu ont tendu
et tendent encore vers la *fin* que nous avons essayé
de définir : c'est à la fois la condition et l'effet de
leur vitalité. Ils vivent parce qu'ils ont en eux,
parce qu'ils ont acquis la force qui les guide, mais
aussi parce qu'ils la conservent, parce qu'ils la déve-
loppent en l'exerçant. Nous ne partageons donc pas
non plus ce pessimisme ou optimisme, les deux se
valent, qui abandonne à la fatalité générale le progrès ou la décadence également inévitables. Tout se
détermine chemin faisant, rien n'est déterminé
d'avance ; l'activité a sa part dans la destinée, une
part qui s'accroît chaque jour, à mesure que l'homme
se subordonne le milieu où il s'agite. *Laboremus.*

L'HOMME

A TRAVERS LES AGES

I.

LES ANCIENS HABITANTS DE L'EUROPE.

La Genèse biblique et la science. — L'âge de pierre. — Les Cy-
clopes. — Les Atlantes : Ibères et Libyens, Sicanes et Sardes. —
Les Pélasges-Tursànes et les Étrusques.— Les Indo-Européens :
Thraces, Ligures, Sicules ; Grecs, Ombro-Latins et Gaulois. —
Nouvelle conception de l'histoire universelle.

Le temps n'est pas loin de nous, où toute opinion, toute
hypothèse relative aux hommes et aux choses antérieurs
à l'histoire se fondait sur les vagues traditions consignées
dans la Genèse. L'humanité descendait d'Adam par Noé ;
l'arche avait sauvé du déluge les germes de toutes les races
et de tous les peuples ; des montagnes de l'Arménie, sur
la terre rasée par les eaux vengeresses, s'étaient avancées
en tous sens les postérités de Sem, de Cham et de Japhet ;
l'une avait couvert l'Asie, l'autre l'Afrique, la troisième
l'Europe. La découverte de l'Amérique et de l'Océanie fut
une première atteinte à la thèse northodoxe ; cependant on
rattacha tant bien que mal aux généalogies bibliques les
populations indigènes des nouveaux continents ; elles venaient de l'Ararat, les unes par le Kamtchatka et le détroit de Behring, les autres par les îles de la Sonde. Plus
tard on s'aperçut, non sans inquiétude, que plusieurs peuples, les Chaldéens, les Indiens, les Chinois, les Egyptiens,

1

plaçaient leurs origines bien au-delà de la date assignée au déluge de Noé. Mais on allégua, non sans vraisemblance, les incertitudes de la chronologie et les exagérations de la vanité nationale. Toutefois, l'esprit critique était éveillé et ne se rendormit plus; avant même que la linguistique et l'archéologie lui eussent fourni des armes sûres, il était parti en guerre contre le système reçu; et, réduit à ses seules forces, la logique et l'ironie, il avait ébranlé, ruiné l'autorité des livres saints.

Aujourd'hui, la science achève, en l'amendant, l'œuvre du dix-huitième siècle. Elle est en possession de documents certains et décisifs. La restitution de la famille et de la langue indo-européennes a permis de reporter à quelques centaines de lieues à l'est et au nord de l'Arménie le point de départ et le berceau d'une grande race qui s'est superposée, en Asie et en Europe, à des couches ethniques plus anciennes. L'égyptologie, à son tour, a démontré, pièces en main, qu'une civilisation puissante et déjà vieille existait sur les rives du Nil quatre mille ans avant notre ère. Bien plus, d'accord avec l'assyriologie et l'exégèse, elle a fixé, en la rapprochant de quelques siècles, la date où les Hébreux sortirent d'Egypte, les débuts de leur histoire, la provenance de leurs traditions, l'âge de leurs livres. L'Exode eut lieu au quatorzième siècle avant notre ère; les plus anciennes parties de la Genèse ne sont guère antérieures au dixième; totalement refondues sous les rois piétistes, remaniées encore après la captivité de Babylone, elles ne renferment que les connaissances et les conjectures mêlées des Egyptiens, des Chaldéens et des Sémites. Encore ces traditions ont-elles été accommodées à l'état du monde et à la distribution des peuples connus des Hébreux dans la période comprise entre le quatorzième et le dixième siècle Elles n'en sont pas moins précieuses; au contraire, leur autorité gagne

en précision ce qu'elle perd en étendue. Elles n'ont ni
plus ni moins de valeur aux yeux de l'historien que les
indications transmises par Homère et par Hésiode, par les
hiéroglyphes d'Egypte ou les cunéiformes d'Assyrie.

Enfin, d'une part, les observations des voyageurs révèlent une infinie variété de types humains, que la foi seule
peut faire rentrer dans le cadre étroit imaginé par les fils
d'Israël; Sem, Cham et Japhet, puisque les habitudes de
l'éducation et du langage ont consacré ces noms mythiques, n'ont pas suffi à peupler l'univers. D'autre part,
l'archéologie préhistorique a retrouvé dans le sol et classé
les débris de races disparues, épaves de plusieurs âges
terrestres que la géologie ose à peine évaluer en chiffres,
tant ils reculent dans la nuit des temps. Bien avant qu'Elo-
him ou Jahvé songeât à emprunter une côte à Adam, à
faire alliance avec Noé, Abraham, Jacob ou Moïse, ces
peuples occupaient l'Europe. Ils ont vécu en France. On
découvre en maints endroits leurs armes, leurs ossements,
les restes de leurs aliments, de leurs industries, de leurs
arts rudimentaires, leurs amulettes et certains insignes de
commandement. En interrogeant ces muets témoins dans
l'ordre indiqué par la succession des terrains qui les ont
conservés, on parvient à déterminer leur antiquité relative, à diviser en périodes l'énorme durée nécessaire aux
progrès infiniment lents de ces premiers habitants de l'Occident et probablement du monde, car les régions les plus
diverses ont gardé les traces non équivoques des mêmes
outils, des mêmes usages et du même état social. Quelques groupes appartenant à cette vieille humanité subsistent encore dans certains cantons du globe tardivement
explorés, mais ils vont s'éteignant au contact de la civilisation. Ceux qui habitaient l'Europe au moment où des
races mieux douées y ont introduit l'usage du bronze et
du fer, des chariots, des maisons et de l'agriculture, ont

dù se fondre plus lentement avec les conquérants; leur
souvenir, en effet, s'est perpétué dans des légendes plus
ou moins fidèles. Mais ces hommes de la pierre polie, que
nos plus lointains ancêtres ont connus, avaient succédé à
d'autres, hommes de la pierre taillée et de la pierre écla-
tée, parmi lesquels on a distingué plusieurs types domi-
nants, rarement purs, déjà croisés. On voit, sans que nous
insistions, combien d'éléments divers ont concouru à la
formation de ce qu'on nomme les races européennes, et
cela en des âges qui échapperont toujours à l'histoire proprement dite, puisqu'il n'existait alors ni monuments ni
écriture, et que les langues bégayées dans les cavernes ou
sur les pilotis des lacs ont péri sans retour.

En quittant le domaine du géologue et de l'anthropolo-
giste, nous arrivons à l'époque indécise et variable où des
peuples nouveaux, encore vivants, et dont on sait les noms,
sont venus du dehors, à plusieurs reprises, se fixer en
Russie, en Allemagne, en Grèce, en Italie, en Gaule et en
Espagne. Ce sont les Ibères, les Pélasges, les Etrusques,
les Ligures, les Scythes, les Thraces, les Germains, les
Slaves, enfin les Grecs, les Latins et les Gaulois. Tous, ils
ont eu une existence nationale, ils ont fondé des empires,
des cités, livré des batailles, conclu des traités, créé des
institutions religieuses, sociales, politiques, toutes choses
qui appartiennent à l'histoire. La plupart, il est vrai, per-
dant leur autonomie, ont été absorbés par quelques-uns
d'entre eux, plus habiles et plus forts. Comment suivre
leurs routes, conjecturer leurs origines, tracer les limites
de leurs établissements, mesurer leur expansion et leur
recul, évaluer leur part dans la population des pays qu'ils
ont occupés, faire enfin la somme des biens et des maux
qu'ils ont apportés à l'Europe? En s'adressant à ceux qui
furent à la fois leurs contemporains et leurs successeurs;
en lisant, à ce point de vue spécial, les vieux poètes, les

historiens, les compilateurs dignes de foi. A ne considérer
que l'insuffisance des notions géographiques et le dédain
bien connu des Grecs et des Romains pour les peuples
qu'ils traitaient de barbares, ce sont là des auxiliaires bien
hasardeux, mais ce sont les seuls; leurs renseignements
vagues ne vaudront jamais les informations directes et de
toute nature que MM. F. Lenormant et Maspéro ont mises
en œuvre dans leurs travaux sur les anciens peuples de
l'Asie antérieure et de l'Afrique septentrionale.

Quoi qu'il en soit, l'incertitude des résultats n'a pas
arrêté M. d'Arbois de Jubainville. La question controversée des origines celtiques ou gauloises, sur laquelle il
nous promet un livre impatiemment attendu, l'a conduit
naturellement à étudier l'état de l'Occident avant l'arrivée
des Celtes ou des Gaulois (il ne paraît pas douter que ces
deux noms, d'aspect très divers, n'aient désigné le même
peuple); et ses notes préliminaires, grossies des induc-
tions qu'elles lui ont suggérées, ont formé tout un volume,
plein d'une érudition scrupuleuse autant que hardie. Il y
a traduit, groupé et commenté mille indications qu'on ne
trouverait pas réunies ailleurs. Son ouvrage, fruit d'une
lecture immense, remplace toute une bibliothèque. On lui
reprochera d'avoir négligé les ressources de l'archéologie,
le secours des monuments figurés. Mais qui peut tout embrasser? M. d'Arbois s'en est tenu à ce qu'il sait, et bien
peu savent plus, et plus solidement. On complétera, on
rectifiera son livre; mais on ne lui ravira pas l'honneur
d'avoir le premier, si l'on en croit de bons juges (*Revue
historique* de mai-juin 1877), « recueilli et analysé dans
un tableau d'ensemble tous les témoignages des anciens
sur l'apparition et les vicissitudes des premiers habitants
de l'Europe (1) ».

(1) *Les Premiers Habitants de l'Europe*, d'après les auteurs de

Les beaux vers de Lucrèce sur la vie primitive et sur la succession de la pierre, du bronze et du fer (liv. V), la mention des autochthones que Virgile place dans la bouche d'Evandre, au livre VIII de l'*Enéide*, et des passages concordants d'Homère, d'Eschyle, de Platon, d'Aristote, établissent que les anciens se sont fait une juste idée des hommes des cavernes. Au reste, Diodore et Strabon en ont constaté l'existence dans les Baléares et la Sardaigne au premier siècle avant notre ère. Mais les antiques occupants de la Sicile, de la Crète, de l'Arcadie n'ont laissé qu'un souvenir trop sommaire et trop vague, pour qu'on puisse, avec M. d'Arbois, les assimiler pleinement aux Cyclopes d'Homère, « sans maisons, sans charrues, sans chevaux, sans étoffes, sans navires ». Plusieurs groupes préhistoriques ont connu le cheval et s'en sont nourris; d'autre part, les Cyclopes paraissent intimement liés aux origines de la métallurgie. Il paraît probable que beaucoup de traits réels, mais non du même temps et de la même race, sont entrés dans un type légendaire.

Aux sauvages autochthones ont succédé à l'occident les Ibères, les Pélasges à l'orient, premiers civilisateurs de l'Europe, constructeurs de villes, de palais, d'enceintes fortifiées. L'auteur s'efforce, non sans succès, d'éclairer les destinées de ces deux peuples, dont l'existence est aussi certaine que leur histoire est problématique. Il rattache aux Ibères, outre la plupart des habitants de l'ancienne Espagne, qui est restée la Péninsule ibérique, de la Gaule occidentale et des Cassitérides ou Iles-Britanniques, les mystérieux Sicanes qui ont couvert l'Italie et la Sicile, et les Sordes ou Sardes, conquérants de la Sardaigne, dont

l'antiquité et les recherches les plus récentes de la linguistique, par H. d'Arbois de Jubainville, correspondant de l'Institut. Paris, J.-B. Dumoulin, 1877.

les noms figurent probablement dans un document égyptien du quatorzième siècle; aux Pélasges, les Tursànes,
Tyrrhéniens ou Etrusques, et toutes les tribus que les
Thraces, les Hellènes et les Ligures trouvèrent établies
dans la Turquie d'Europe et l'Italie méridionale.

L'empire des Ibères aurait duré, avec des fortunes diverses, du cinquantième siècle au cinquième avant notre
ère. A partir de l'an 2000, le Rhône ou Eridan (?) aurait
marqué la limite de leurs possessions. Peu à peu refoulés
vers les deux versants des Pyrénées, ils y auraient conservé jusqu'à nos jours, sous le nom de Basques, une
individualité qui tend à disparaître. La thèse n'est pas
nouvelle, mais elle s'appuie bien plus sur la probabilité
historique que sur la philologie. Les inscriptions attribuées aux Ibères, et les noms locaux où on veut voir les
débris de leur langue, si tant est qu'elle fût unique, sont
trop rares et trop obscurs pour autoriser des rapprochements sérieux avec le basque. Maintenant, d'où venaient
ces Ibères? De l'extrême Occident. Comme chrétien, par
un respect inoffensif pour l'orthodoxie qu'il ruine, M. d'Arbois leur attribue, dans son *Résumé*, une antique origine
asiatique; mais, comme savant, et c'est ce qui importe
ici, il les tire des pays de l'Atlas, du Maroc, des Canaries,
finalement de l'Atlantide Il admet, avec Platon et Théopompe, l'écrivain du quatrième siècle, la tradition qui
plaçait au-delà des colonnes d'Hercule un continent immense, englouti par l'océan Atlantique. La géographie est
loin de repousser une telle hypothèse ; elle incline à considérer les îles comme des prolongements des terres émergées
ou comme les sommets de régions abîmées dans les flots.

« Du fond des océans, écrit **M.** Maxime du Camp (1),

(1) Page 129 de son intéressant recueil, *Histoire et Critique,*
in-18, Paris, Hachette, 1877.

sort une voix qui réclame la paternité de toute civilisation ;
c'est celle des Atlantes, de nos aïeux de l'Atlantide, de ce
vaste continent dont les prêtres de Saïs parlèrent à Solon
et dont le souvenir était resté vivant parmi les Incas du
Pérou et les Aztèques de Mexico. » Chassés par les eaux,
les Atlantes, ne laissant derrière eux que les Guanches
des Canaries, de Madère et des Açores, se seraient trans-
portés, en corps de nation, sur la côte d'Afrique, peut-être
contiguë à leur patrie primitive ; puis, divisés en deux
armées immenses, ils auraient, sous le nom de Libyens,
conquis l'Afrique méditerranéenne jusqu'à l'Egypte, et
sous le nom d'Ibères, Tartesses, Cunètes, Sicanes, etc.,
toute l'Europe occidentale. Platon, d'après les prêtres de
Saïs, attribuait à cette fabuleuse invasion une antiquité
de neuf mille ans. Le chiffre importe peu ; mais il faut
qu'elle ait précédé l'immigration des Egypto-Berbers, proches parents des Sémites.

Les Pélasges, très postérieurs aux Ibères, viennent
d'Asie Mineure, vers 2500 ; ils envahissent successivement la Thrace, la Macédoine, l'Epire, descendent en
Grèce, occupent le Péloponnèse, la Crète et toutes les îles
de l'Archipel, qui restèrent en leur pouvoir jusqu'au cinquième siècle environ. Platon leur attribue la gloire d'avoir
les premiers contenu la puissance des Ibères. Athènes se
vantait d'avoir été le centre de l'empire pélasgique. Mais
ni leurs masses compactes ni leurs flottes guerrières ne
purent les soustraire au joug des Assyriens en Asie Mineure, des Egypto-Phéniciens dans les îles et sur les côtes.
La Thrace, l'Illyrie et la Grèce leur furent enlevées par
les Indo-Européens.

M. d'Arbois range parmi les populations pélasgiques
les Cariens, les Mysiens, les Teucriens de Troade et de
Macédoine, les Méoniens et Péoniens, les Courètes d'Acarnanie et de Crète ; Tantale et Pélops représentent les Pé-

lasges de l'Asie Mineure, chassés de la Paphlagonie et de
la Lydie par les Rutennes des inscriptions égyptiennes,
c'est-à-dire par les Sémites d'Assyrie, qui, dans la personne d'Ilos (le dieu El), petit-fils de Dardanos, expulsè-
rent également les Teucriens de la Troade. Notre auteur
a employé tout son savoir à identifier les Pélasges avec
les Etrusques. Sur la foi de documents égyptiens du quatorzième siècle, en rapprochant certains passages de Thucydide, Théopompe, Aristomène, Néanthe, Myrsile, et
surtout de Sophocle, il leur attribue le nom générique de
Turses ou Pélasges-Tursânes. Nous ne sommes en état ni
de combattre, ni de soutenir cette opinion, très habilement
présentée; elle a pour elle un certain nombre de vraisemblances. Mais il en est une autre que nous avons plus de
peine à admettre : c'est celle qui attribue aux Pélasges
une origine chamitique, rapproche leur nom de celui des
Pelesta, les Philistins de la Bible, et leur donne pour
frères les Khéta ou Hétéens, les fameux Hyksos qui ré-
gnèrent en Egypte du vingtième au dix-huitième siècle
avant Jésus-Christ. Si la linguistique achève de rattacher
la langue étrusque à la famille indo-européenne, il faudra
ou renoncer à cette origine chamite des Pélasges, ou bien
les séparer des Tursânes, Tyrsènes ou Tyrrhéniens.

   Au reste, l'établissement des Etrusques en Italie est
très postérieur à la grande invasion pélasgique : il aurait
eu lieu vers le début du dixième siècle, en pleine époque
hellénique, à la suite de l'entrée des Hellènes en Thessalie. Leur puissance déclinait quand Rome chassa les
Tarquins; mais on entrevoit une durée de plusieurs siècles où ils dominaient depuis le Pô jusqu'au Garigliano.
Tout porte à croire qu'ils n'avaient fait que recouvrir des
populations insubriennes, ombres, latines et osques, dont
ils ne purent entamer la masse ni modifier le sang. Leur
langue même ne put s'imposer et disparut à la longue de-

vant celle des vaincus. En somme, ces Rhasenas (mot qui
pourrait bien avoir quelque rapport avec leur nom grec
et latin de *Thursènes*, *Tyrrhéniens*) n'ont laissé de traces
ethniques que dans la contrée où s'établit le gros de leur
race, entre l'Arno et le Tibre; et l'on est réduit à chercher
les témoignages de leur grandeur au fond des hypogées,
sous les ruines de villes antiques, jadis florissantes, et
couchées depuis mille ans dans les miasmes délétères de
la Maremme. Cette nation morte fut pourtant une des
institutrices de l'humanité, ayant fait l'éducation industrielle, surtout liturgique, de Rome. D'où venait-elle? de
Pannonie, de Thrace? d'Asie? Par terre ou par mer? On
ne le saura que du jour où la sagacité d'un Michel Bréal,
abordant les textes étrusques après les documents ombriens et cypriotes, restaurera un idiome dont il nous
reste plus de deux mille inscriptions, qu'on lit, mais où
l'on ne comprend encore que les noms propres. Pour
nous, en voyant les fraîches peintures des tombeaux de
Cœré, les beaux vases élancés ou ventrus, décorés de plis
réguliers ou de personnages légendaires, les formes de
l'architecture, les ornements de terre cuite peinte, enfin
le mouvement général des figures à demi couchées sur les
sarcophages, nous ne trouvons guère de raisons pour faire
des Etrusques un peuple sémitique. On y sent, dit-on,
une influence assyrienne, phénicienne; mais ni moindre
ni plus grande que dans les monuments de l'art grec ar-
chaïque. Les Etrusques peuvent bien être des Lydiens
sans être des Sémites; car le peu qu'on sait des anciens
habitants de l'Asie Mineure les apparente au moins autant aux Pélasges et aux Hellènes qu'aux Assyriens.

C'est bien avant cette époque que se place la période
égypto-phénicienne, 1700-1300. Les Phéniciens ont joué
un grand rôle dans l'histoire du monde; ils ont couvert
de leurs colonies le bassin de la Méditerranée; ils ont ar-

raché aux Ibères la domination de l'Espagne; ils ont enfin donné l'écriture à la Grèce et formé ses premiers philosophes. Athènes a été leur tributaire, et les jeunes filles envoyées au Minotaure de Crète étaient des victimes destinées à Moloch. L'Asie Mineure, la Crète, le Péloponnèse, les ont connus sous le nom de Lélèges, et Minos, s'il n'est pas un personnage historique, fut la personnification de leur empire maritime. Ils auraient été, selon M. d'Arbois, proches parents des Pélasges; et quand l'Hyksos Danaos, chassé d'Egypte par la dix-huitième dynastie nationale, vint se réfugier à Argos avec ses cinquante filles ou navires, il n'apportait dans ce pays ami ni une race ni une civilisation tout à fait étrangères. Il inaugura d'autant plus aisément dans le Péloponnèse et sur toutes les côtes de l'Egée la domination égypto-phénicienne.

Il n'a été jusqu'ici question qu'en passant des Indo-Européens; mais leur mouvement était depuis longtemps commencé. Les uns, Iraniens et Scythes, marchant de la Bactriane vers l'Arménie et le Caucase, avaient probablement déterminé la retraite des Pélasges vers l'Asie Mineure et la Grèce. Les autres, qui constituent le groupe européen proprement dit, suivaient, dès l'an 2000, à travers la Russie méridionale et la vallée du Danube, une route parallèle. Leur armée, s'il est permis de qualifier ainsi ce long et lent défilé de peuplades vagabondes, était divisée en trois corps principaux : les Ligures-Thraces-Illyriens, les Ombro-Latins, les Celtes et les Hellènes, et derrière eux les Germains et les Slaves. On ne sait rien des Germains ou Bastarnes avant l'année 182 avant Jésus-Christ, des Slaves ou Venèdes avant 77 de notre ère. Il y a lieu de penser que, jusqu'à la fin du quatrième siècle avant Jésus-Christ, ils ont subi la domination de leurs parents iraniens les Scythes, qui, dès le quinzième siècle, auraient couvert tout le pays entre la mer d'Azof et la

Baltique, jusqu'aux régions occupées par les Finnois, peut-être descendants des troglodytes préhistoriques.

L'apparition des Thraces est antérieure à celle des Scythes ; ceux-ci les ont trouvés installés, sous le nom de Cimmériens, sur le contour septentrional de la mer Noire, et les en ont expulsés difficilement, entre les temps d'Homère et ceux d'Hésiode. Laissant sur la rive gauche du Danube les Daces et les Gètes, deux de leurs tribus, les Thraces se sont rapidement étendus sur la Thrace, la Macédoine, la Thessalie, l'Attique, les îles, et en Asie Mineure sur la Bithynie et la Phrygie, portant partout avec eux leurs divinités nationales Dionysos et Déméter, la vigne et le blé, ou plutôt l'orge. Les mystères d'Eleusis, et les Eumolpides qui y présidaient, sont d'origine thrace. Mais les conquêtes des Assyro-Lydiens en Asie, des Hellènes en Europe, restreignirent le domaine de ces vainqueurs des Pélasges ; et les Grecs tinrent pour demi-barbare le peuple de Bacchus et d'Orphée, l'inventeur du pressoir et de la charrue.

A côté des Thraces, les Illyriens s'étaient cantonnés dans la région montagneuse qui rattache les Alpes aux Balkans et sur la côte orientale de l'Adriatique. Sans doute les Ligures, plus rapides, avaient déjà occupé les bouches du Pô, et de là, sous le nom de Sicules, poussant devant eux les Sicanes ibériens et les Œnotriens pélasges, s'étaient répandus jusqu'en Sicile. D'autres, les Ligures proprement dits, refoulaient les Ibères par-delà le Rhône, atteignaient peut-être la mer du Nord, et, enlevant aux Sardes les côtes de la Méditerranée, pénétraient momentanément jusqu'en Espagne.

Le système de M. d'Arbois prêterait à de nombreuses et importantes controverses sur la division linguistique des Indo-Européens en deux rameaux, oriental et occidental, sur la direction qu'il assigne à leurs différents groupes

et sur les tribus qu'il y rattache, sur l'extension qu'il accorde aux empires, assez hypothétiques, des Scythes, des
Thraces, des Ligures. Toujours est-il que des textes dignes
de foi attestent la présence de ces peuples, simultanée ou
successive, sur des points très divers et très distants.
Pressés de joindre enfin nos ancêtres directs, les Grecs,
les Italiens et les Celtes, nous ne pouvons que signaler
les beaux chapitres consacrés à l'état moral, social et industriel des Indo-Européens, à l'analyse linguistique des
mots qu'on peut rapporter aux Scythes, aux Thraces, aux
Ligures, aux Sicules, et l'interprétation curieuse du mythe
de Phaéton.

« La race hellénique n'a pas conservé le souvenir de
migrations antérieures à son arrivée dans le pays qui fut
sa patrie aux temps historiques. » Deucalion, l'ancêtre
commun, régnait sur la Locride ou la Phthiotide, aux environs du Parnasse et de l'Othrys. Cependant Hésiode
nous a conservé l'indication d'un séjour plus ancien et
plus septentrional, l'Hellopie, où est située Dodone.
« L'Hellade primitive, dit Aristote, était autour de Dodone, sur les bords de l'Achelôos : là habitaient les *Selloi*
et ceux qu'on appelait alors *Graïcoi* et qu'on nomme aujourd'hui Hellènes. » Passage doublement précieux : Il
contient le nom antique oublié par les Grecs et que les
Latins ont seuls retenu ; il témoigne d'un âge où les Grecs
n'avaient pas encore substitué une aspiration au *s* initial.
Selloi est la forme primitive d'*Hellènes*. Si, d'une part, la
note du philosophe favorise l'opinion reçue d'une étroite
et ancienne parenté entre les Grecs et les Latins, d'autre
part l'invocation d'Achille (*Iliade*, XVI) à « Zeus, maître
de Dodone et de la patrie des Pélasges », pourrait autoriser à faire des Grecs une tribu pélasgique. Ne se sont-ils
pas développés en pleine terre des Pélasges? N'est-ce pas
d'une ligne centrale joignant l'Epire aux Thermopyles

qu'Achaïvos et Iôn, Æolos et Doros, et Makédôn se sont
éloignés, à l'est, vers la Thessalie et la Macédoine; au
sud, vers l'Hellade et le Péloponnèse? Pourquoi les Pélasges ne seraient-ils pas les frères aînés, la souche commune
des Grecs et des Latins? Nous ne voyons rien qui s'oppose
à cette conjecture. Mais M. d'Arbois n'a pas été frappé de
sa vraisemblance; les Pélasges sont, on ne sait pourquoi,
des Chamites; les Hellènes viennent, non du Pont-Euxin
ou de l'Asie Mineure, mais du Nord « de la vallée bru-
meuse du haut Danube, où, avec les Celtes et les Ombro-
Latins, ils ne formaient qu'un peuple; ce fut en suivant
les côtes orientales de la mer Adriatique et de la mer
Ionienne (déjà occupées par les Illyriens et les Pélasges)
qu'ils gagnèrent le climat plus doux et le ciel pur de la
Grèce ». Il est fâcheux que les Grecs, pas plus que les
Latins, n'aient gardé le moindre souvenir de ce voyage.
Les Ioniens et les Eoliens, bientôt suivis des Achéens,
quittèrent les premiers les confins de la Thessalie; ils
trouvèrent dans l'Attique et dans le Péloponnèse les Pélasges opprimés par les Thraces d'Eleusis et gouvernés par
les Danaëns d'Argos. Après quelques luttes avec les maîtres et les sujets, ils dominèrent la Grèce entière, avant
le quatorzième siècle. Les Achéens, qui paraissent avoir
joué le premier rôle, donnèrent leur nom à toute la race;
elle le conserva longtemps; les derniers défenseurs de
l'indépendance nationale se formèrent en ligue achéenne,
et c'est sous le nom d'Achaïe que la Grèce fut réduite en
province romaine. Vers 1200, les Doriens s'ébranlent à
leur tour, et leur invasion détermine, vers le onzième siècle, l'émigration des Eoliens, Achéens et Ioniens sur la
côte d'Asie. Ils allaient y rejoindre sans doute des contingents grecs, soit venus d'Asie directement, soit déposés
par le vaisseau des Argonautes et la flotte d'Agamemnon.
Les siècles suivants virent le développement magnifique

de la civilisation grecque sur tout le pourtour de la Méditerranée. La conquête de l'Italie méridionale paraît postérieure aux temps d'Homère. Les Grecs y trouvèrent les débris des Pélasges œnotriens, puis les Sicules, déjà refoulés par les Osques et les Samnites, enfin l'avant-garde des Etrusques, maîtres de la vallée du Pô et de l'Italie occidentale jusqu'à la Campanie. Vers le douzième siècle, les Ombriens, qui avaient vécu à côté des Gaulois depuis le départ des Grecs, passèrent les Alpes, tel est du moins le système de l'auteur, et de la vallée du Pô s'étendirent progressivement jusqu'au centre de l'Italie. Les analyses très précises de la linguistique ont marqué définitivement la place des Ombriens parmi les groupes indo-européens: ils ne sont pas gaulois : ils sont, comme les Osques et les Latins, des Italiotes. On affirme volontiers que les Gaulois et les Italiotes ont toujours été plus liés entre eux qu'avec aucun autre membre de la grande famille ; et, bien que la perte presque totale de l'ancien gaulois nous prive d'un point de comparaison fort précieux, l'intimité originelle des deux peuples n'en paraît pas moins probable ; mais il ne faut pas oublier que les Latins sont également apparentés aux Grecs, et de plus près encore ; sans doute, dans le séjour commun que M. d'Arbois place sur le haut Danube, ils occupaient la région moyenne. Maintenant, les Latins, qui ont si complètement absorbé les Ombriens et les Osques, avaient-ils paru en Italie les premiers? On pourrait le croire, si on accordait quelque valeur à la légende sur laquelle Virgile a construit l'*Enéide ;* la fraternité du latin et du dialecte éolien, le fait constant de l'émigration étrusque au dixième siècle, beaucoup d'habitudes classiques, semblent bien militer en faveur de cette opinion, que notre auteur ne discute ni ne mentionne.

Les Gaulois, longtemps considérés comme l'antique

avant-garde de la race, ont atteint les derniers le pays
auquel est resté leur nom. C'est vers le septième siècle
avant Jésus-Christ qu'ils ont franchi le Rhin; mais ils
laissaient derrière eux de nombreuses tribus dans la vallée
du Danube; et lorsque, deux cents ans plus tard, Ambi-
gatos « le tout-puissant » (*biturix*) ou le « roi du monde »
les mena à la conquête de l'Europe centrale, leur empire
s'étendit rapidement de l'Espagne, devenue Celtibérie, et
des Cassitérides, devenues la Grande-Bretagne, à la mer
Noire, et de la Pannonie au Tibre.

Si, du seuil de l'histoire connue et datée, où nous sommes parvenus, nous nous retournons vers l'immense passé
que nous venons de parcourir, nous voyons se dérouler
un tableau infiniment complexe et varié, où les quelques
traits épars de la légende biblique ne tiennent presque
aucune place, où l'enchaînement des fatalités naturelles
se déploie librement, en dehors de tout plan providentiel,
et qui déborde de toutes parts le cadre, pourtant grandiose, de l'*Histoire universelle* accommodée par Bossuet
aux vaines imaginations de la foi. La science se rendra-
t-elle jamais la maîtresse de ce vaste champ? Nous ne
l'espérons pas. Du moins, M. d'Arbois de Jubainville vient-
il d'y planter des jalons qui peuvent guider les travailleurs.

II.

LES ORIGINES INDO-EUROPÉENNES.

Le peuple arya. — Sa patrie primitive doit être cherchée en Orient.
— La comparaison linguistique suffit à révéler ses mœurs et ses
idées. — La vie pastorale. — L'agriculture. — La guerre. —
L'amour de la gloire. — Les trois causes de la grandeur des
Aryas et de leur rôle dans le monde : monogamie, naturalisme,
langage.

Il est malaisé de peindre d'après nature. Mais rendre,
je ne dirai pas de mémoire, rendre sur ouï-dire, d'après
des témoignages incomplets ou des vestiges mutilés, res-
susciter enfin une physionomie, un monde disparus, créer
une image qui ne sera jamais confrontée avec l'original,
n'est-ce pas là un hasardeux effort? C'est aussi un travail
plein de séductions. Le public n'en juge que par le résultat, et cependant il en subit le charme ; il se sent transporté dans un temps évanoui, dans une vie inconnue dont
le mystère exerce un moment sa pensée ; et combien son
plaisir est inférieur à la volupté de l'artiste reconstituant
pièce à pièce un personnage, une époque tout entière !
Volupté qui a ses dangers : l'extrême spécialisme d'abord,
qui s'arrête à une base de colonne, à un chapiteau, d'une
moulure fait une montagne, et d'un évènement infime tire
un in-folio; puis l'entraînement contraire, la généralisa-
tion à outrance, l'illusion qui bâtit sur l'hypothèse et fait
entrer dans un plan préconçu des matériaux d'une valeur
inégale. L'érudit se défie de ces vastes machines; elles
plaisent au critique philosophe. L'analyse est le point de

2

départ, mais la synthèse est le but : il faut bien y venir. La construction est-elle prématurée, incomplète ou excessive? On en est quitte pour la reprendre en sous-œuvre, pour l'émonder ou la recommencer. Les sciences ne sont jamais achevées.

Ces réflexions nous venaient en lisant l'ouvrage de Pictet sur les *Origines indo-européennes* (1). Il a ses lacunes, ses erreurs, qu'une deuxième édition, posthume, n'a pas toujours fait disparaître. Des préjugés sincères, bibliques et métaphysiques, ont trop souvent détourné l'auteur d'une méthode qui, par elle-même, est excellente. Ce n'en est pas moins une noble et consciencieuse entreprise. Pictet a essayé, et sur bien des points il y est parvenu, de restituer l'image préhistorique de nos aïeux intellectuels, de ces conquérants qui, sous les noms d'Hindous, de Perses, d'Hellènes, de Latins, de Gaulois, de Germains et de Slaves, ont pris tour à tour la tête de l'humanité, auxquels est échue la direction définitive de l'univers terrestre.

Il y a cent ans, une pareille tentative eût été justement traitée de pure chimère. L'histoire, si loin qu'elle nous conduise, nous présente tous ces peuples comme des étrangers et des ennemis, et ils le sont encore partout où le voisinage et l'intérêt n'ont pas noué entre eux des relations plus ou moins intimes, plus ou moins précaires. Peu importe qu'une comparaison attentive ait découvert des analogies évidentes dans leur développement social et moral. La nature humaine, dit-on, est partout semblable à elle-même; partout les mêmes circonstances engendrent les mêmes conditions de vie et de pensée. L'anthropologie,

(1) *Les Origines indo-européennes, ou les Aryas primitifs. Essai de paléontologie linguistique*, par Adolphe Pictet. Deuxième édition, revue et augmentée. Trois volumes grand in-8. Paris, Sandoz et Fichbacher, 1878.

d'ailleurs, constate chez toutes les nations de l'Asie et de
l'Europe des mélanges infinis de races innombrables, qui
s'accordent mal avec l'hypothèse d'une primitive unité.
Enfin, on ne sait rien des Indiens avant Alexandre, des
Perses avant Cyaxare, des Grecs avant Danaüs; quel guide
peut nous conduire, à travers les temps fabuleux, en des
régions où il ne reste ni un monument, ni une inscription, ni un souvenir?

Ce guide existe. La linguistique résout ou écarte ces objections. Elle n'empiète pas, notez-le bien, sur le domaine
de l'anthropologie; elle ne songe aucunement à effacer
les différences, les caractères particuliers des peuples; elle
ne prétend pas qu'en un temps quelconque, que jamais,
les habitants de l'Asie antérieure, de l'Italie ou de la Germanie, aient eu un commun père et un même berceau.
Elle établit seulement qu'ils doivent à un groupe déterminé, quoique inconnu, et non au cours naturel des choses, leurs langues, leurs institutions, le germe de leur
destinée.

Sept familles d'idiomes jetés dans le même moule
grammatical, formés des mêmes éléments et par les
mêmes procédés, ne peuvent pas être nées isolément sur
les bords de l'Indus, de la Caspienne, du Pénée, du Tibre,
de la Seine, du Danube et du Dnieper. Plus on remonte
dans leur passé, plus elles se rapprochent et révèlent le
fonds unique où elles ont puisé. Ce sont les dérivations
d'une même source. Aussi certainement que l'entière
coïncidence des dialectes romans implique une langue
mère, la parenté originelle des idiomes indo-européens
révèle un idiome générateur. Mais une langue ne va pas
sans gosiers qui la modulent, sans cerveaux qui la retiennent, sans une société qui la parle; et toute agglomération
d'hommes, grande ou petite, suppose une région plus ou
moins étendue où ses membres se sont rencontrés, ont

vécu le temps au moins d'élaborer leur idiome, ou de
l'apprendre. Adolphe Pictet, avec tous les linguistes, est
donc fondé à affirmer l'existence d'un peuple indo-européen primitif, son établissement sur un point quelconque
du globe, et à chercher dans son vocabulaire l'empreinte
de ses idées, de ses industries et de ses mœurs.

Le latin n'est que mort, l'indo-européen a péri. Tous
les deux vivent cependant, dans les langues qui en sont
issues. Imaginez un moment que le latin n'a pas été écrit,
que la langue de Lucrèce et de Cicéron n'a laissé aucune
littérature ; il ne sera pas impossible de la retrouver en
partie dans l'italien, l'espagnol et le français. Dans la
même mesure, l'état le plus ancien du sanscrit, du zend,
du grec, du latin, du gaulois, du germanique et du slave,
permet de restituer les formes et la teneur d'un idiome
dont ils procèdent, ou, pour mieux dire, dont ils sont faits.
Il ne s'agit que de recueillir les mots communs à toutes
ces langues ou à la plupart, de les reconnaître sous les
déguisements que leur ont imposés les prononciations diverses, les contacts avec d'autres idiomes et les mutilations qui les ont défigurés ; cela sans oublier jamais que
« la probabilité d'un rapport réel entre les mots semblables qui désignent le même objet dépend essentiellement
du degré d'affinité des langues », et de leur conformité
rigoureuse aux lois phonétiques particulières à chaque
idiome. Nous n'avons pas à nous étendre ici sur les procédés de la paléontologie linguistique ; il suffit d'en faire
comprendre la légitimité, d'en indiquer la portée.

Maintenant, dans quel lieu du monde se sont constitués
le mécanisme et le vocabulaire indo-européens ? Où a vécu
le groupe humain qui les a portés à un haut degré de perfection bien avant de les transplanter çà et là depuis l'Himalaya jusqu'aux montagnes Rocheuses et à la Cordillère
des Andes ? Il semble qu'on pourrait s'en rapporter ici à

l'histoire et à la tradition, qui nous montrent les Gaulois, les Germains et les Slaves en marche vers l'Occident, les Perses descendant vers l'Asie antérieure, les Indiens se répandant du haut Indus au Gange et du Bengale à la pointe du Dékan. Dans toute autre direction n'apparaissent que des remous, des retours offensifs. Il suffit donc de tracer une vaste ellipse et de tirer des lignes convergentes à son foyer oriental; le point d'intersection marquera le berceau de la culture indo-européenne. Mais cette solution probable est combattue, nous ne savons trop pourquoi, par des irréguliers qui prétendent restituer à l'Europe un honneur jusqu'ici attribué à l'Asie. Ils obéissent, croyons-nous, à l'amour du paradoxe, sinon à l'orgueil national et à des préférences personnelles. Quoi qu'il en soit, la science du langage paraît apporter à l'opinion reçue un concours décisif. La grammaire était complète avant la séparation des idiomes. La loi même de leur développement, c'est l'altération progressive, constante, de l'organisme commun, qui, seul, rend compte de leurs métamorphoses. Aucun ne tend vers cet état organique; tous s'en écartent. Mais il en est qui, sans le garder intact, s'en rapprochent davantage : ce sont les deux langues du groupe oriental, le zend et le sanscrit. Placer en Europe la patrie primitive, c'est braver à la fois la certitude et la vraisemblance : d'une part, c'est renverser la loi du développement par altération, loi confirmée par l'histoire de chaque idiome, c'est avancer, à l'encontre de toute expérience, que le germanique, par exemple, ou le gaulois sont des formes rudimentaires et non des formes altérées du type indo-européen (et alors, au lieu de s'en éloigner, ils auraient dû y aboutir); c'est supposer, d'autre part, que les Indiens et les Perses, ou bien auraient emporté, des forêts de la Gaule et de la Germanie, leurs langues toutes faites, ou bien les auraient

poussées d'eux-mêmes à un degré de perfection relative.
Or, tout démontre que le groupe oriental a suivi la voie
commune, que les langues qui s'y rattachent sont des altérations successives d'un type originel; tout démontre aussi
que, dans l'ordre chronologique et logique, le zend et le
sanscrit védique sont antérieurs à l'état le plus ancien du
grec, du latin ou de l'allemand : toutes les langues indo-
européennes s'éclairent les unes les autres; mais, dans
une proportion de huit fois contre deux peut-être, c'est au
sanscrit qu'il faut s'adresser pour ramener à l'état organique les formes altérées des vocabulaires et des paradig-
mes occidentaux. Enfin, rien dans les souvenirs des Perses
et des Indiens ne favorise l'hypothèse d'une migration
d'Occident en Orient. L'*Eran* de l'Avesta est la Bactriane,
et les plus vieux hymnes du Véda ont été composés dans
le Pendjab, avant la conquête de la vallée du Gange. Pictet
reste donc dans la vraisemblance lorsqu'il établit les Indo-
Européens ou Aryas (nom qui appartient en commun aux
deux branches orientales) quelque part sur les rives de
l'Oxus, dans le Turkestan russe, entre le Pamir, l'Hindou-
Kouch et la Caspienne.

Les Aryas avaient depuis longtemps dépassé la période
de la pêche et de la chasse. Il est remarquable que les
noms mêmes de la chasse et du chasseur concordent surtout aux deux extrémités de l'échelle linguistique, en sanscrit et en irlandais : ce qui tendrait à prouver l'extrême
antiquité de l'émigration gauloise.

De longs siècles de vie pastorale avaient précédé la séparation des idiomes. Les noms du troupeau, du bœuf,
de la brebis, du cochon, du chien, du pâtre et du pâtu-
rage, de l'enclos et de l'étable, de la chair, de la laine, du
lait, du beurre, du fromage, présentent des concordances
frappantes; et de ces termes dérivent les mots qui désignent la richesse, la propriété, la famille, la jeune fille, le

maître, l'hôte. Le taureau et la vache sont les principaux
acteurs des mythes, l'enjeu des batailles célestes entre le
soleil et les nuages, la foudre et les vents. Bien que pasteurs, les Aryas n'étaient plus nomades; ils connaissaient
l'orge, le labourage, les semailles, la charrue, la mouture,
la farine et peut-être le pain. Ils mangeaient de la *soupe* (!)
et buvaient des boissons fermentées, de l'hydromel, peut-
être du vin. On comprendra que nous ne rapportions ici
que les résultats des comparaisons linguistiques si savantes et si consciencieuses qui remplissent les gros volumes
de Pictet.

En général, elles ne nous paraissent pas contestées.
Nous signalerons seulement la racine *ar*, qui a fourni
tous les noms du labour et de la charrue (*arotron*), et,
selon Kuhn et Müller, l'appellation même de la race. Les
Aryas seraient les laboureurs; mais le mot admet d'autres
explications.

La fabrication du char, de l'essieu et du joug, nécessi-
tait l'emploi du ciseau, du coin, de la hache, du couteau.
Il y avait des charpentiers et aussi des forgerons. L'en-
clume était de pierre. Rien ne permet d'affirmer que l'on
fondît le fer, tandis qu'il ne reste aucun doute sur la connaissance de l'or et de l'argent, et sur l'usage de l'airain.
L'industrie n'allait guère au-delà d'un filage et d'un tis-
sage grossiers. Le vêtement était cousu. Les pieds recevaient une chaussure dont il est difficile de déterminer la
forme; des anneaux et des bracelets ornaient les poignets
et le cou.

Les Aryas savaient sans doute construire ou plutôt
creuser des barques; le nom de la nef et celui de la rame
sont aussi vieux que nos langues; mais il n'est question
ni de quille, ni de mât, ni de voile. La mer était inconnue
ou lointaine, et la navigation ne s'opérait que sur des
rivières ou des lacs. Il fallait d'ailleurs des bateaux pour

passer les fleuves ; l'art du pontonnier était dans l'enfance,
ou plutôt les ponts n'étaient pas inventés.

La maison, qui, par son principal nom (*dama, domus*),
rappelle peut-être les poteaux liés en faisceau pour porter
la tente primitive, était le chef-d'œuvre du charpentier ; il
est peu probable que la maçonnerie concourût à la bâtisse, si ce n'est par un peu de chaux et de mortier. Le lit,
le siège, quelques pots, formaient le mobilier. De la table,
on ne sait rien. La maison était entourée d'un fossé, qui
semble avoir fourni la plupart des noms du pourpris, du
courtil et du jardin. Dans cette enceinte sans doute étaient
le puits ou la citerne, et le foyer où cuisaient et rôtissaient
les viandes. On peut aussi conjecturer que le feu était
allumé sous le toit, dans la cabane ; plusieurs des noms
de la maison semblent apparentés à une racine qui signifie brûler. La porte a gardé son nom à travers les âges
(*dvâr, thura, fores*, etc.) ; mais la clef ne paraît que chez
les tribus occidentales. Il semble bien que les maisons
n'appartenaient qu'à des familles, à des ménages, comme
nous dirions aujourd'hui ; une tribu, un clan, devaient
donc occuper un certain nombre de huttes qui formaient
des villages (*trapâ, tribus, thaurp, dorf*), ou même des
villes. Les Aryas n'étaient ni une nation, ni un peuple.
Les mots qui, dans les langues indo-européennes, répondent à ces idées, n'expriment que le nombre, la multitude,
auxquels l'usage a joint des dénominations relatives à la
famille. Ces pâtres sédentaires formaient de petits groupes, souvent réunis par les intérêts d'une défense commune, souvent séparés par des querelles intestines. La
guerre, pour ces barbares, était déjà l'action par excellence (*adji, adjma, agôn, agmen :* le combat, l'armée),
soit qu'il fallût livrer bataille en rase campagne, à cheval
avec le javelot, à pied avec le glaive, soit qu'on forçât l'enceinte, le burg où l'ennemi avait enfermé ses troupeaux

et son butin. Le héros (l'homme fort, le maître) combattait debout sur son char, ou monté sur son coursier, qui s'animait aux sons stridents de la corne, rude aïeule de la trompette. On pourrait écrire un livre sur les noms du cheval et du cavalier. Buffon sentait comme les anciens lorsqu'il écrivait : « La plus noble conquête que l'homme ait jamais faite... » Possesseur de chevaux, dompteur de chevaux, étaient les plus enviables des titres pour les Grecs, les Perses, les Gaulois; ceux-ci avaient donné au peuple chevalin une déesse, Epona.

L'ennemi vaincu était réduit en esclavage, et entrait en compte, dans la richesse du maître, avec le bétail. L'homme puissant s'appelait indifféremment *dampati*, *gôpati*, *dâsapati*, le maître de la maison, des bœufs, des captifs.

L'amour de la guerre, sans lequel il n'a jamais pu se former de peuples robustes et vivaces, implique l'amour de la gloire, le vrai mobile de toutes les actions courageuses et de toutes les grandes œuvres. On peut bien dire que jamais race ne l'a plus vivement senti que le groupe arya. Etre connu, être chanté, voilà un besoin inné aussi bien chez les Indiens que chez les Hellènes, chez les Perses que chez les Germains. Il y a une racine *kru*, *clu*, *çlu*, qui, tournée et retournée de cent façons, a fourni des noms aux peuples, aux hommes, aux dieux même; les *Slaves* sont les glorieux; tous les *slaf*, tous les *çravas*, tous les *klès*, tous les *chlu*, tous les *hruo*, Ladislas, Héraclès, *Satyaçravas*, Clovis et Louis, et Roland, ont été de glorieux hommes ou ont aspiré à justifier l'orgueil paternel qui les avait parés de ces noms retentissants.

Les tribus aryennes avaient des chefs de guerre et de paix, des rois, excepté peut-être les clans hellènes, qui n'ont guère employé la racine *rag* ou *reg*, commune à toutes les autres nations sœurs. Leur organisation sociale

était fondée sur la propriété individuelle et commune.
L'héritage était connu, mais borné sans doute à la maison, aux produits du travail et au butin de guerre. Les
bœufs servaient de monnaie. L'échange était l'unique
forme des rapports économiques. Il est impossible de refuser aux Aryas la notion de la *loi*, du *droit*, du jugement, de la dette, du délit, de la punition, des épreuves
judiciaires et de l'amende. La plupart des racines d'où
sont sortis les mots qui désignaient ces choses, laissent en-
trevoir l'origine toute matérielle des idées les plus abstrai-
tes et les plus hautes. On en peut dire autant de tous les
termes relatifs à la vie de l'esprit ; à l'âme, simple souffle
vital ; à la pensée, simple pouvoir de mesurer et de peser
les objets ; à la volonté, au souvenir, à la science, à la
numération. La danse et le rythme, le chant et la poésie,
le jeu, tenaient une grande place, une place prépondérante dans l'existence de ces races bien douées.

Jusqu'ici toutefois, nous ne voyons rien dans les facultés et dans les habitudes de l'esprit et du corps qui justifie
et présage les illustres destins de la famille indo-européenne. Si l'on reporte, comme il est juste de le faire, à
l'an 3000 avant Jésus-Christ, le départ des Aryas occidentaux, Gaulois, Gréco-Latins, Germains et Slaves, on
verra qu'à bien des égards, l'Egypte, la Chine, la Chaldée,
avaient atteint un niveau très supérieur à l'humble culture
de nos aïeux. De vastes Etats étaient fondés. Les arts et
l'industrie, l'écriture, florissaient sur les rives du Tigre et
du Nil. Les Aryas ont tout appris, ils n'ont rien inventé.
Comment se fait-il donc qu'ils aient dépassé de si loin
leurs maîtres et transformé les civilisations dont ils ont
hérité? Faut-il se borner à constater que le génie chaldéen
ou égyptien avait rapidement, trop rapidement peut-être,
réalisé son idéal, touché aux limites que certaines races
ne peuvent point franchir, et que les Aryas, plus jeunes

et plus neufs, après s'être assimilé tout ce qu'il y avait de durable dans le travail antérieur, ont plus patiemment et plus complètement développé toutes les ressources de la nature humaine? Et, en effet, tandis que les vieux peuples, épuisés par leur effort, tendaient à l'immobilité et à la mort, les nouveaux venus trouvaient dans l'héritage accumulé par les siècles un point de départ solide pour une activité supérieure. Ils bénéficiaient du travail, sans en éprouver la fatigue. Mais plusieurs peuples sont venus, après les Aryas, se ruer sur des civilisations établies et florissantes, les Hyksos, les Arabes, les Turcs, les Mongols; ils s'en sont pénétrés dans une certaine mesure, mais ils n'en ont pas profité; tous, après une période plus ou moins courte, ont atteint leur apogée; ils ont détruit sans fonder, ne laissant que le souvenir et la marque du désordre qu'ils ont apporté; trombes passagères, ils se sont effacés, ils ont disparu ou vont disparaître; et l'Arya couvre la terre, gouverne le monde : où sont les germes de sa grandeur, les causes de sa durée?

Pictet, qui donne trop à l'amour de tout écrivain pour ses héros, qui accorde complaisamment à ses chers barbares de l'Oxus toutes les vertus, toutes les sagesses, n'a pas mis en suffisante lumière trois faits capitaux d'où procèdent, à nos yeux, toute la gloire et toute la puissance des Indo-Européens : la monogamie, le panthéisme naturaliste, la langue; non qu'ils lui aient échappé, mais ils se perdent dans le nombre; ils ne sont pas tirés hors de pair; enfin, il en est un, le naturalisme, qu'il présente sous un faux jour, et qu'il ne peut comprendre.

Les Aryas donc n'ont apporté au monde ni l'art, ni l'industrie, ni le commerce, ni le gouvernement, la cité ou l'État; ils lui ont apporté une famille sainement organisée, fondée sur l'autorité du père, la dignité de la femme, et une juste hiérarchie de tous ses membres.

Ainsi résumé d'avance, le chapitre que Pictet consacre aux noms et aux fonctions du père, de la mère, de l'époux et de l'épouse, du frère et de la sœur, des ascendants et des collatéraux, reprend toute son importance et inspire un vif intérêt. Les Aryas ont-ils traversé les phases connues sous le nom de promiscuité, de matriarcat, de polygamie? C'est possible, probable même; mais leurs langues n'en ont conservé que de faibles vestiges. Elles nous apprennent bien que le fait de la reproduction et le développement d'une même souche en un même lieu a donné naissance à la tribu, *djanana, zanta, genna, gens, chunni;* mais elles nous montrent, au sein de cette tribu qui est le produit de la famille primitive, des groupes pour ainsi dire individuels, constitués dans la maison, autour du foyer domestique. Là règnent l'époux et l'épouse, maître et maîtresse de la maison, du bétail et des esclaves. Le père exerce l'autorité, la mère le gouvernement; l'un est protecteur et nourricier, l'autre créatrice, distributrice de la nourriture et de la tâche. Au-dessous, mais aussi à côté d'eux, se pressent le fils et la fille, l'un destiné à être le soutien de la maison, le *bhratar*, le frère; l'autre, si l'on en croit une étymologie attrayante, à suppléer la mère, à traire la vache. A l'entour paraissent à leur rang le beau-père et la belle-mère, l'aïeul et l'oncle, les vieillards honorés (*sana, sanaka, senex, Seneca,* etc.), puis les beaux-frères et belles-sœurs, et les collatéraux, plus vaguement désignés, puis le gendre et la bru, tous noms antiques, généralement bien conservés dans toutes les branches de la race, et qui prêtent aux plus curieux rapprochements et commentaires. Dans ses traits généraux, la famille n'a pas changé et ne changera pas. Chacun de nous se sent chez soi encore dans la maison de bois, sous le toit du pâtre bactrien. Cherchez le caractère le plus fondamental de tous les peuples qui ont duré et qui durent, vous trou-

verez la monogamie; c'est là le pivot de notre morale et
de notre statut personnel. Elle n'exclut évidemment ni le
concubinat, ni les éternels écarts du caprice et de la passion; mais elle est le plus puissant effort de l'homme pour
corriger la nature, pour établir l'ordre dans les sociétés
humaines. Voilà pourquoi ceux qui l'ont inventée et pra-
tiquée ont été les bienfaiteurs et les maîtres de l'humanité.

Bien souvent ailleurs (1), nous avons exposé le principe
et analysé la formation des mythologies indo-européennes.
Pictet n'ose s'y aventurer, il ne le veut pas, parce que son
siège est fait. Imbu de métaphysique et de biblisme, il
tient que toutes les religions sont des formes plus ou moins
altérées d'un monothéisme primitif. Il s'avise de chercher
l'*idée de Dieu* de M. Caro chez les adorateurs de Dyaus,
de Sourya, de Vayou, du ciel, du soleil, du vent et de tous
les aspects menus et grands de l'univers matériel. Il nous
dit que Dieu, chez les Aryas, avait un nom propre; qu'il
s'appelait *Déva, Bhaga*, et je ne sais quoi encore; or,
déva n'a jamais été qu'un adjectif dérivé qui signifie lumineux, brillant, et par extension un roi, un puissant, un
dieu; il y a un nombre infini de *dévas*. Sans insister sur
les croyances et les illusions qui, en somme, n'ont pas
plus manqué aux Aryas qu'aux Sémites ou aux Égyptiens,
reconnaissons que l'état vague et flottant de leurs dieux,
leur religion sans pratiques obscènes et cruelles, sans trace
de fétichisme et d'idolâtrie, ont laissé le champ libre à
l'imagination, et, par suite, à la pensée, à la science et à
la raison. Après avoir adoré les phénomènes de la nature,
ils les ont observés; aucune terreur insurmontable n'a en-
travé leur curiosité. Le monde leur doit cette liberté d'es-

---

(1) *Mythologies et religions comparées*, 2ᵉ édition, in-18, Ernest
Leroux.

prit qui a résisté à la tyrannie violente et impitoyable des
fanatismes sémitiques, qui l'a attaquée, réprimée, détruite, à laquelle enfin appartient la dernière victoire.

Mais le don de leur langue est leur plus grand bienfait.
Telle qu'ils l'ont répandue et fixée sur tout le parcours de
leurs migrations, elle se montre riche de formes et d'éléments tout élaborés déjà pour la dérivation. Sa grammaire
est complète, trop touffue seulement, et trop complexe.
Mais la pensée, l'ordre du discours, encore incertains,
avaient besoin d'un cadre rigoureux où chaque partie,
chaque proposition eût sa case et son signe distinctifs. Ce
n'est que par degrés que l'habitude du raisonnement a
rendu moins utiles, a abrogé les subtiles et ingénieuses
distinctions de la grammaire antique.

On sait qu'avant la séparation des idiomes, grâce à l'absence de toute écriture, la langue commune avait depuis
longtemps dépassé les périodes du monosyllabisme et de
l'agglutination. Surtout, et c'est là le fait le plus frappant,
elle s'était dépouillée de tout objectivisme grossier ; affi-
née, abstraite, elle avait simplifié le fonds linguistique ;
en le limitant à cinq cents racines qui expriment, non des
objets déterminés, mais des états et des caractères généraux, elle assurait à l'intelligence un instrument admirable pour saisir toutes les nuances présentes et à venir
de la pensée. L'avènement des langues à racines peu nombreuses et à dérivation indéfinie a été, dans l'histoire, une
révolution plus grande et plus féconde que l'invention de
l'alphabet. Il ne faut pas chercher ailleurs la raison de
la puissante expansion du parler indo-européen ; tous les
peuples qui l'ont connu l'ont adopté, et dans toutes les
régions où les Aryas sont passés, les anciens langages ne
sont restés qu'à l'état d'îlots sans cesse décroissants. Qui
dit langue dit pensée, mœurs, institutions ; le sang n'est
que le moindre élément de la race, et l'on peut sans er-

reur qualifier de civilisation indo-européenne la culture
occidentale, de peuples aryens tous ces groupes distincts
qui se dirigent, à travers mille vicissitudes, mille rivalités
sourdes ou violentes, vers une fédération lointaine et inévitable, retournant en somme à l'unité dont ils procèdent.

Malgré nos réserves et nos critiques, le livre de Pictet
demeure un trésor, le *compendium* de tous les renseignements qui peuvent concerner nos origines intellectuelles
et morales. On ne saurait assez louer la consciencieuse
érudition de l'auteur et sa juste intuition des âges lointains qu'il a tenté de rendre à l'histoire.

III.

HOMÈRE ET LA VIE HOMÉRIQUE.

I

Que la morale est une science historique. — L'*Odyssée* de M. Alexis Pierron. — M. Pierron et la critique moderne.

La morale naît des mœurs; les mœurs, comme les besoins et les intérêts, ont varié avec les conditions de la vie humaine. Vainement les métaphysiciens, oubliant que le biblique Adam lui-même n'a pas distingué le bien du mal avant d'avoir tâté d'un certain fruit, prétendent établir une loi morale absolue, universelle, innée aussi bien à Paris qu'aux îles Andaman ou à la Terre de Feu. Ils croient que les lois préexistent aux faits dont elles expriment uniquement les rapports. Pour eux, les témoignages des historiens et des voyageurs sont comme s'ils n'étaient pas. Qu'importe? Honorons leur courage, et passons.

Du troupeau à la tribu, à la cité, à la nation; de l'instinct à la raison, de la croyance à la science, de la force à la justice, l'homme s'est lentement élevé; en dépit des stagnations et des reculs, qu'il faut bien se garder de pallier, l'homme a monté, gardant, hélas! de chaque degré franchi, des souvenirs trop tenaces, déplorable bagage de sophismes religieux et sociaux; mais, pour juger de la distance parcourue, il suffit de comparer à la civilisation présente les divers étages historiques, et plus loin, dans

3

l'ombre, tout au bas de l'échelle, l'incurable enfance des peuples sauvages, contemporains de nos premiers aïeux. En retrouvant enfouis dans notre sol les armes et les ustensiles que manient encore l'Australien et le Papou, l'archéologie a sainement conclu d'une industrie semblable à un semblable état moral et intellectuel.

Il est utile, et nous ne nous en faisons pas faute, de mesurer l'abîme qui s'ouvre entre le point de départ et le point d'arrivée ; mais il est curieux aussi de suivre la route qui les relie ; de s'arrêter à une étape suffisamment définie dans le temps et dans l'espace, et d'y étudier le germe de nos vices et de nos vertus, de nos erreurs et de nos progrès. Plus la date se rapproche de nous, plus le peuple que l'on considère appartient à une race supérieure et perfectible, et moins les différences sont accusées. A première vue, les actions, les idées, surtout les sentiments et les habitudes morales d'un Romain ou d'un Grec paraissent tout à fait analogues aux nôtres ; et quoi d'étonnant ? Qu'est-ce que trois mille ans dans la vie de l'humanité, surtout lorsqu'il en faut encore défalquer mille ans de moyen âge ? Mais, au fond, un examen plus attentif découvre bien des nuances, même dans l'ordre affectif, dans les relations du mari avec l'épouse, de la mère et du père avec leurs enfants, dans cette constitution familiale qui ne fait défaut qu'aux races les plus infimes et les plus déshéritées. Et combien ces nuances s'accentueront s'il s'agit de l'industrie, du logement, de la nourriture, du vêtement, de ce qui est l'œuvre et la conquête de l'homme, et non plus un don ou une charge de la nature, comme l'union des sexes et l'éducation des jeunes ! Les rapports sociaux, le gouvernement, la conception et l'application de la justice, résultats derniers de l'expérience, et qui sont loin encore d'une perfection même approximative, présenteront, à plus forte raison, de notables lacunes. Seules, malgré d'apparents contrastes, les croyances et les pratiques superstitieuses se montreront à peu près identiques, sauf dans la forme, qui, d'ordinaire, est, chez les peuples enfants, moins ridicule et plus ingénieuse que chez nos radoteurs mystiques et éclectiques. En sorte que nous ressemblons à nos prédécesseurs par tout ce qui procède de l'instinct et de l'ignorance ; nous nous en séparons par ce qui procède de la réflexion et de la science.

La publication récente d'un très beau texte de l'*Odyssée* (1) nous est une attrayante occasion de renouer connaissance avec la Grèce héroïque, vers l'heure où va commencer, pour ne s'arrêter jamais, l'expansion civilisatrice de son génie. Cette *Odyssée* de M. Pierron fait suite à son *Iliade*, couronnée, en 1870, par l'Association pour l'encouragement des études grecques. Après avoir pris une connaissance exacte et complète des scholies antiques, des manuscrits et de toutes les variantes proposées par les critiques modernes, M. Pierron s'en tient le plus souvent à la tradition alexandrine et à la récension d'Aristarque, dont il rassemble avec sagacité les fragments épars dans les commentaires des grammairiens. Les notes dont il accompagne son texte, et qui attestent la profondeur de son érudition, ont une valeur essentiellement philologique et beaucoup plus négative qu'affirmative. Bien qu'il nous paraisse trop indifférent aux questions de linguistique soulevées par la versification d'Homère, au rôle de la vieille aspiration disparue, le digamma, dans la langue primitive des Eoliens et des Ioniens, nous ne saurions, toutefois, blâmer sa pru-

(1) L'*Odyssée d'Homère*, texte grec, revu et corrigé d'après les diorthoses alexandrines, accompagné d'un commentaire critique et explicatif, précédé d'une introduction, et suivi de la *Batrachomyomachie*, des *Hymnes homériques*, etc., par Alexis Pierron, 2 vol. grand in-8°. Hachette, 1875.

dence, surtout en ce qui concerne l'*Odyssée :* les manuscrits de ce poëme sont tous modernes ; et quand nous
posséderions ici, comme pour l'*Iliade*, un terme de comparaison analogue au fameux *papyrus de Bankes*, il n'y a
pas d'apparence que l'édition de Pisistrate, la plus ancienne connue, et qui a péri du temps des guerres médiques, ait tenu compte des particularités de la prononcia-
tion antique. Les scholies, qui permettent de corriger les
manuscrits, sans valeur par eux-mêmes, sont toutes postérieures aux travaux des alexandrins, comme les récensions
auxquelles elles se réfèrent ; elles appartiennent à des
temps où les témoignages manquaient sur l'époque et la
langue d'Homère. M. Pierron a donc été sage en s'en tenant, autant que possible, à Aristarque. Maintenant, le
texte d'Aristarque est-il celui de Pisistrate ? M. Pierron
pense qu'il n'en différait guère, attendu que toutes les éditions, soignées ou vulgaires, de Chios, de Sinope, de Crète,
de Byzance, provenaient du fameux exemplaire athénien,
constitué au sixième siècle avant notre ère et perdu dans
le courant du cinquième. Cette affirmation peut sembler
conjecturale ; mais fût-elle fausse, il n'en serait pas moins
certain que le seul Homère possible, s'il l'est, doit être celui
du plus judicieux critique alexandrin, l'Homère d'Aristarque.

On trouvera exposés et discutés, dans la préface de
M. Pierron, tous les systèmes homériques anciens et modernes, avec les noms et les arguments de leurs auteurs.
Nous ne nous lancerons pas dans une nomenclature qui ne
serait à sa place que dans une discussion philologique. Mais
nous nous arrèterons un instant à une question qui va,
d'ailleurs, nous ramener à notre sujet principal, l'état social
et intellectuel des Grecs au temps d'Homère. Y a-t-il eu un
Homère, comme il y a eu un Arioste, dont le génie a résumé, en deux épopées, les vieux souvenirs de la race hel-

lénique? Ou bien a-t-il existé de nombreux rapsodes, comme Phémios et Démodocos, dont les chants fragmentaires ont été groupés et raccordés en poèmes à une époque postérieure? C'est ainsi que Lonnrot, recueillant de nos jours les traditions poétiques des Finnois, les a juxtaposées dans le *Kalévala*.

Pour M. Pierron, l'existence d'Homère, l'unité de ses poèmes sont des articles de foi : « L'unité de l'*Odyssée*, s'écrie-t-il, est aussi éclatante que le soleil! » Et il faut voir avec quelle vaillance, quel dédain, il réfute les hypothèses de Wolff, de Paley et autres impies. Il affirme que les Athéniens, dès la fin du sixième siècle, connaissaient Homère tout entier, et non pas des épisodes détachés. Mais avant? Il sent bien que ses arguments, si victorieux soient-ils, ne vont pas au fond de la question, et il invoque le sens critique, le goût, la grande poésie. Ce sont là de belles choses. Mais en quoi l'*Iliade* serait-elle moins grandiose et moins précieuse, si elle était composée de quatre ou cinq morceaux plus ou moins bien fondus? Qu'enlèverait à la valeur de l'*Odyssée* la préexistence de trois épisodes : d'une *Télémachie*, d'un *Retour d'Ulysse*, d'un *Massacre des prétendants*? La difficulté est insoluble, parce qu'elle s'agite en des régions que nous ne pouvons atteindre. Elle est hors de la portée de l'érudition la plus pénétrante.

Nous avouons que nous ne sommes point éblouis par l'unité de ces grands poèmes, dont les divisions classiques n'ont été, de l'aveu de M. Pierron, officiellement introduites que longtemps après Pisistrate. Nous avons peine à y voir des *touts* immuables. Des interpolations, des additions, dont on admet la possibilité, ne suffisent pas, selon nous, à expliquer l'inconsistance de la trame de l'*Odyssée* ou de l'*Iliade*. Le voyage de Télémaque pourrait manquer; les aventures d'Ulysse pourraient être

plus nombreuses et en action au lieu d'être en récit, sans
que l'*Odyssée* perdît de son charme. Bref, l'hypothèse
de l'origine multiple a de quoi séduire, et l'on pourrait
sans crime s'y laisser aller. Pourquoi les neuf villes qui se
disputaient l'honneur légendaire d'avoir vu naître Homère
ne seraient-elles pas les principaux centres poétiques où
des bardes locaux auraient élaboré le cycle mythique et
national ? Il n'importe, après tout, pourvu que les épopées
fameuses nous présentent le tableau fidèle de la vie hellénique à l'aurore de la civilisation européenne.

II

Quelle part est faite dans l'*Iliade* et l'*Odyssée* à la vérité historique. — Foi robuste de M. Schliemann ; ses merveilleuses découvertes à Tirynthe et à Mycènes. A-t-il retrouvé les corps
d'Agamemnon et de Cassandre? — Nous connaissons l'antiquité
par Homère, comme nous connaîtrions le moyen âge par les
Chansons de geste.

Homère était pour les Grecs le père intellectuel, la
source de toute croyance, de toute poésie et même de
toute histoire. C'est là une opinion qui, au fond, est demeurée juste dans une grande mesure ; à plus forte raison
était-elle légitime chez les descendants des Achéens et chez
les peuples qui devaient à la Grèce leur civilisation. Homère
ne leur avait-il pas conservé, en les animant d'une vie
extraordinaire, les idées, les mœurs, les arts, les traditions de l'âge héroïque ?

De leur passé, ils ne savaient rien que par lui. Si l'on
rencontre assez fréquemment dans Hésiode, dans Pindare,
dans les tragiques, des traces de récits divergents, ignorés
ou omis par Homère, et dont il faut tenir compte, soit
qu'on les rapporte à d'antiques souvenirs, soit qu'on y voie
le produit d'une élaboration ultérieure, toujours est-il que

ces variantes, dans la forme où elles nous sont parvenues,
n'ont apparu, ne se sont fixées qu'en-deçà des temps homériques. En fait, c'est sur la foi d'Homère qu'Eschyle, Sophocle et Euripide ont mis en scène les dieux et les hommes
de la guerre de Troie, et qu'une longue suite de chefs-
d'œuvre a perpétué jusqu'à nous la gloire d'Hélène ou
d'Hector, d'Achille ou d'Ulysse. Aujourd'hui encore, ces
personnages si accentués nous sont plus intimement connus que tel roi, telle princesse datés et authentiques. Nous
avons vu Nausicaa jouer à la balle, Clytemnestre brandir
sa hache sanglante ; nous avons vu Hector, pour apaiser
son fils, détacher son casque à l'aigrette menaçante. L'art,
complice de la poésie, s'est exercé sur tous les épisodes,
sur toutes les figures de l'épopée. Nos musées en sont
pleins, comme notre imagination.

La critique, cependant, est venue ; faisant d'Homère
une appellation générique, elle a tenté de répartir entre
divers rapsodes les chants attribués à un génie unique,
disjecti membra poetæ. Qu'importe ? Homère s'évanouit,
ses héros demeurent. A son tour, la mythologie comparée
s'avise de remarquer qu'Achille et Agamemnon eurent des
temples, que l'un était dieu chez les Gréco-Scythes du Pont-
Euxin, que l'autre pourrait bien être une épithète de Zeus,
un Jupiter argien « aux vastes pensées » ; que la lutte de
deux races au sujet d'une femme se retrouve dans le Ra-
mayana indien, et semble un épisode de ce combat fameux
entre le soleil et les nuées, les dieux et les titans, qui a
tant préoccupé nos ancêtres indo-européens ; qu'Hélène,
son nom, sa naissance, sa mère Léda, aux œufs cosmogo-
niques, appartiennent au mythe ; et, tout en laissant une
part, très réduite, à la réalité, elle conclut que les chan-
teurs ioniens ont groupé autour d'un incident local toutes
les fables apportées d'Asie par les tribus helléniques ; la
trame disparaît sous la broderie ; on ne peut plus distin-

guer le fond de l'ornement, et le plus sûr est de voir dans Ulysse, dans les Atrides ou le fils de Pélée, des dieux auxquels on a prêté des figures et des aventures humaines. Ainsi d'Héraklès, de Dionysos, de Déméter, de Perséphone et de bien d'autres. Enfin, voici M. Clermont-Ganneau, un de nos plus ingénieux archéologues, qui, sur des bas-reliefs égyptiens, sur des vases d'importation phénicienne, reconnaît le prototype des scènes copiées, altérées et embellies par les céramistes italo-grecs ; de sorte que le besoin d'expliquer des compositions de provenance lointaine, et dont les copistes ignoraient le sens, aurait pu engendrer une foule de légendes transformées par Homère ou par les rapsodes en récits d'évènements historiques et nationaux.

Eh bien ! quelque valeur qu'il faille accorder à ces hardies et séduisantes conjectures, que l'*Iliade* et l'*Odyssée* soient des poèmes ou des recueils de chansons de geste, elles n'en sont pas moins les livres sacrés d'une grande race ; et comme rien n'infirme, comme tout confirme plutôt, sinon l'exactitude du récit, du moins la vérité du tableau, on continuera de chercher dans les deux épopées jumelles la peinture d'un état moral et social et, jusqu'à un certain point, l'histoire de la Grèce et de l'Ionie aux environs du dixième siècle avant notre ère. Bien plus, l'éducation aidant, les esprits les plus critiques, les plus sceptiques, demeurent disposés à croire — on croit d'autant plus volontiers qu'on n'y est pas forcé — aux péripéties de la guerre de Troie, à la réalité humaine des héros, si longtemps immortels, qui ont assiégé ou défendu la cité de Priam.

Mais cette croyance tiède et sous bénéfice d'inventaire n'a pas suffi à M. Schliemann. C'est à une foi plus puissante qu'il doit sa gloire et que nous devons ses découvertes, à la foi qui transporte les montagnes et qui arrache leur secret aux choses « enfouies dans l'épaisseur de la

terre et de la nuit ». Il nous le dit lui-même : « Pour ma
part, j'ai toujours cru fermement à la guerre de Troie ;
ma foi dans Homère et dans la tradition n'a jamais été
ébranlée par la critique moderne... Je n'ai jamais douté
un instant qu'un roi de Mycènes nommé Agamemnon, son
écuyer Eurymédon, une princesse Cassandre et leurs compagnons n'eussent été tués par trahison, soit par Egisthe
à un banquet, « comme un bœuf à la crèche », selon l'expression d'Homère, soit par Clytemnestre dans le bain,
comme le racontent les poètes tragiques plus modernes.
J'ajoutai une foi pleine et entière au récit de Pausanias,
quand il disait que les victimes avaient été enterrées dans
l'Acropole (1). » Cette double conviction l'a conduit d'a-
bord à Hissarlik, où il a mis au jour les ruines de Troie,
ensuite en Argolide, à Tirynthe, la ville d'Hercule, puis à
Mycènes, la ville d'Agamemnon ; et là, il a touché de sa
main les cendres, les os, peut-être pesé la mâchoire du
« roi des hommes ». Sans doute, les objets recueillis à
Hissarlik « remontent à une assez haute antiquité pour
être antérieurs de bien des siècles aux ruines de Mycènes » ; Homère n'aura eu connaissance de la destruction
de Troie que par une ancienne tradition, conservée par des
poètes antérieurs, et, en reconnaissance de certaines faveurs, il aura introduit ses contemporains comme acteurs
dans sa grande tragédie. Il serait facile d'invoquer cette
explication contre la thèse orthodoxe, plus facile assurément que d'identifier l'Agamemnon destructeur de Troie
et l'Agamemnon couché sous sa cuirasse et son masque
d'or dans l'acropole de Mycènes. Mieux vaut suivre

(1) *Mycènes, Récit des recherches et découvertes faites à Mycènes
et à Tirynthe*, avec une préface de M. Gladstone, ouvrage traduit
de l'anglais par J. Girardin, professeur au lycée de Versailles.
8 cartes et plans, gravures sur bois représentant plus de 700 objets
trouvés pendant les fouilles. Grand in-8°, Hachette, 1879.

M. Schliemann à Tirynthe, descendre dans les trente-
quatre puits qu'il a creusés en 1874 à Mycènes, et contempler avec admiration les « trésors immenses », inesti-
mables, qu'il a exhumés « par pur amour de la science »
et généreusement offerts au gouvernement hellénique ; trésors tels, « qu'ils suffisent à eux seuls à remplir un grand
musée, qui sera le plus merveilleux du monde et qui, pendant les siècles à venir, attirera en Grèce des milliers
d'étrangers de tous les pays ». Nous respectons une foi
qui a produit des résultats aussi solides, plus précieux
pour la science que l'authenticité historique de l'*Iliade* et
de l'*Odyssée*, une foi désintéressée qui enrichit le monde
au lieu de l'exploiter : bel exemple, trop peu suivi.

La double enceinte cyclopéenne de Tirynthe est probablement le plus ancien monument de la Grèce ; elle serait antérieure au quatorzième siècle avant Jésus-Christ.
M. Schliemann attribue ce genre de construction à une
race particulière, qui aurait été remplacée, soit par les
Pélasges, soit par les Hellènes. Nous avouons que cette
hypothèse ne nous paraît pas nécessaire; elle est, en tout
cas, fort indifférente. Tout ce que les fouilles de Tirynthe
ont révélé, galeries percées dans l'épaisseur des murs, *trésors* souterrains, soubassements cyclopéens de terrasses
ou de maisons qui devaient être en bois, poteries à la
main et au tour, vaches de terre cuite et idoles informes,
tatouées, à face de vache et quelquefois de chouette (Héra
boopis et Athéné *glaucopis*), tous les témoignages d'une
civilisation des plus rudimentaires, nous allons les retrouver
à Mycènes, mais associés à une richesse et à une sorte
d'effort vers le beau qui marquent soit un plus noble
génie, soit une moindre antiquité. Les deux vieilles villes,
si rapprochées l'une de l'autre, unies par une route dont
les dalles énormes se voient encore, ont été les aînées
d'Argos ; peut-être même, au temps d'Homère, Argos

n'était-il qu'une région assez vague, dont Mycènes était la
capitale. Lors des premières guerres médiques, Tirynthe
et Mycènes existent encore ; elles envoient des soldats à
Platées, quand Argos s'abstient. La vieille âme achéenne,
le sens de la patrie ne s'étaient pas éteints dans leur foyer
antique. La haine d'Argos mit fin à la grandeur honoraire, archéologique déjà, de ces illustres bourgades. Après
un siège vaillamment subi, Tirynthe et Mycènes durent se
rendre à leurs frères ennemis ; elles furent dévastées et
démolies (468). Plus tard, à l'époque macédonienne, des
villes éphémères vinrent se poser au penchant de leurs
collines, mais l'histoire les ignore et, sans quelques tes-
sons, nul ne pourrait dire qu'elles ont existé. Tirynthe et
Mycènes, grâce à leur ruine précoce, sont restées de véritables monuments préhistoriques.

La *Porte des lions*, le *Trésor* d'Atrée sont assez connus,
et nous avons hâte d'arriver aux sépultures, découvertes
en 1874, étudiées en 1876. Les cinq principales, qui contiennent les débris de seize ou dix-sept corps, sont situées
en un lieu que M. Schliemann a prouvé être l'*agora* de
Mycènes : c'est une place entourée d'un double cercle
de pierres polies où s'asseyaient les anciens de la cité, et
absolument conforme aux indications homériques. A peu
de distance, les ruines d'une grande maison cyclopéenne
sont sans doute tout ce qui reste du palais des Pélopides.
M. Schliemann y a trouvé quelques objets d'art et de
curieux fragments de poterie où sont peints des guerriers
vêtus de cottes de mailles. Dans l'*agora*, des stèles aux
frustes sculptures, sans inscriptions (il n'y a pas trace
d'écriture à Mycènes, tandis que des inscriptions cypriotes
ont été recueillies à Hissarlik), indiquaient l'emplacement
des tombes. A une profondeur moyenne de 4 mètres,
autour et sur des corps d'hommes, de femmes (il y en a
trois et un enfant), évidemment brûlés sur place et à la

hâte, au milieu de pointes de flèches, d'épées en bronze,
de vases, de petites idoles, M. et Mme Schliemann ont eu
les premiers la pure joie de contempler des coupes d'or,
des brocs d'or, des diadèmes d'or, des cuirasses et des
masques d'or, des bijoux du même métal, par centaines,
sans compter l'argent et le cuivre, massifs ou plaqués, les
gemmes, les moules en porphyre où étaient coulés les grif-
fons volants, les scènes de chasse ou de guerre, les ingénieux entrelacs où s'essayait l'art naissant, à peine émancipé de l'éducation égyptienne ou phénicienne ; enfin des
richesses dignes des *Mille et une Nuits*. On trouvera la reproduction fidèle de ces objets dans le bel ouvrage que
M. J. Girardin vient de traduire ; et nous essayerons d'autant moins de les décrire qu'il faut les voir pour suivre les
explications de M. Schliemann et les rapprochements que
lui suggère sa parfaite connaissance d'Homère, des tragiques et de Pausanias. Nous ne voulons retenir, de tant de
merveilles, que le premier tombeau, avec ses trois corps
de grande taille, dont l'un a été dérangé et dépouillé de
ses ornements (par qui et à quelle date ?), tandis que les
deux autres sont encore masqués et cuirassés d'or. Le
troisième — serait-ce le fils d'Atrée ? — doit surtout attirer notre attention. Son lourd masque d'or a préservé de
la combustion sa tête et sa poitrine ; le nez a disparu, le
corps a été aplati jusqu'au dos ; mais sous les feuilles d'or,
sous les croix et les ornements de toute espèce, on distingue les yeux, avec leur paupière, la bouche, les os de
l'échine ; à côté de lui, son baudrier d'or, son épée
de bronze ornée de cristal, les disques d'or qui en gar-
nissaient le fourreau, d'autres épées de bronze richement
décorées, des armes brisées, des perles d'ambre, d'or, de
grandes coupes en argent, or, albâtre, des plaques, bou-
tons, ornements de draperies et de jambières, toujours en
or et métaux précieux, sept grands vaisseaux de cuivre,

qu'Homère a vus peut-être, tant il les connaît bien ! On
conçoit l'émotion qui a saisi l'heureux explorateur en présence d'un pareil spectacle. Visiblement, de tels morts
n'étaient pas des vivants ordinaires. Les historiens grecs
nous disent que les victimes d'Égisthe ont été inhumées
dans l'Agora, en hâte, mais avec une pompe royale. Au
moins, c'est ainsi que M. Schliemann interprète des traditions bien postérieures aux temps mycéniens. Ses efforts
nous intéressent, sa conclusion nous plaît et flatte nos
habitudes classiques ; mais sa conviction ne nous domine
pas encore ; il lui reste à retrouver, hors de l'Agora, les
restes de Clytemnestre et d'Égisthe, et, s'il y arrive
(les tombeaux ne manquent pas), nous continuerons à
jouir de ses découvertes et à le féliciter de sa robuste foi.

Les poèmes homériques sont vrais, mais d'une vérité
générale et supérieure qui, dans un cadre réel, rigoureusement exact pour un milieu et un temps donnés, admet
la légende et la fiction. Quant aux évènements et aux
hommes du quinzième ou du quatorzième siècle avant
Jésus-Christ, nous les connaissons par Homère dans la
mesure où nos chansons de geste nous instruiraient de
l'histoire du moyen âge. Nous savons, par exemple, que
Charlemagne et même Roland ont existé ; des documents
certains nous permettent de confronter leur figure naturelle à leur grossissement épique. Mais supposez que les
Chroniques aient péri, que les Capitulaires nous manquent, qu'on en soit réduit à la *Chanson de Roland*, composée vers la fin du onzième siècle, plus de trois cents ans
après le minime désastre de Roncevaux, en plein âge féodal, dans une langue qui n'était pas encore parlée au
temps de Charlemagne, que pourrions-nous affirmer du
grand empereur, de ses généraux et de ses conquêtes ?
Allons plus loin : transportons-nous à trois mille ans de
Charlemagne ; c'est à peu près l'espace qui nous sépare

d'Agamemnon: mettons que, par impossible, toute chronologie et toute littérature antérieure à l'an 1500 se soient
évanouies ; il ne nous reste que le *Roland furieux*, ce
gigantesque et prestidigieux imbroglio qu'une magnifique
édition vient de nous faire relire avec délices (1). Dans ce
« grand œuvre » où s'achève le travail de l'imagination
du moyen âge, où l'amalgame des légendes carlovingien-
nes, féodales, chrétiennes et des réminiscences antiques,
remué, tourné, brassé par l'allègre génie de la Renaissance
italienne, jaillit en fantaisies exubérantes, dans ce poème
où Voltaire retrouvait à la fois « l'Iliade, l'Odyssée et Don
Quichotte », que pourra bien revendiquer l'histoire ? Deux
noms, et rien de plus : Charlemagne et Roland. Personnages, actions, géographie même, jusqu'aux mœurs, tout
est imaginaire. Et cependant le fond est réel encore : la
lutte du christianisme et de l'islam, qu'on peut bien comparer à une autre guerre de Troie.

Certes, il ne s'agit point de pousser à la rigueur un pa-
rallélisme artificiel entre les poèmes homériques et l'*Orlando*. Que deviendrait la distinction entre les épopées primitives, impersonnelles, et les épopées de seconde main?
Les chants des rapsodes ont été composés en grec sur un
sujet national ; le *Roland furieux* a été écrit par un Italien
sur des traditions et sur des fictions françaises. Nous ne
savons rien d'Homère, et nous savons tout de l'Arioste, sa
naissance, sa vie, son caractère, si vivement traduit dans
le portrait du Titien ; on peut voir à Ferrare ses manuscrits chargés de corrections, car cet écrivain si limpide est
du nombre des poètes qui ont fait difficilement des vers
faciles. Cependant, et toute proportion gardée, puisque les

---

(1) Arioste, *Roland furieux*, poème héroïque, traduit par A.-J.
du Pays, et illustré par Gustave Doré de 70 grandes compositions
et d'innombrables dessins. In-folio, Hachette, 1879.

épopées ne se créent pas toutes seules, puisqu'un homme
appelé Homère ou des arrangeurs convoqués par Pisistrate
ont condensé, ont accommodé à un plan les souvenirs nationaux des Achéens et des Ioniens, il faut bien accorder
que l'imagination a joué son rôle dans l'*Iliade* même, et
encore plus dans l'*Odyssée*, comme dans la Démence de
Roland. La colère d'Achille est tout aussi fabuleuse que la
folie du paladin ; et la plupart des personnages d'Homère
n'ont guère plus de réalité historique que Renaud, Roger,
Bradamante ou Rodomont. L'Homère de Ferrare n'est pas
trop indigne de l'Homère ionien.

III

Les mœurs et les croyances dans l'*Iliade* et l'*Odyssée*.

Il n'y a rien de plus beau que l'*Iliade*. Ce ne sont pas
seulement des morceaux tels que les adieux d'Andromaque,
les fureurs d'Achille au milieu des ondes du Xanthe, la
mort d'Hector, les funérailles de Patrocle et les luttes des
héros autour de son bûcher, et Priam aux pieds d'Achille,
c'est aussi la jeunesse et la fougue divine de l'inspiration,
la passion qui anime au combat les dieux et les hommes,
l'intarissable ruissellement d'images, d'injures retentis-
santes et de terribles colloques, qui rendent incomparable ce poëme héroïque. On ne trouverait pas ailleurs,
sinon peut-être dans Lucrèce, quelque chose d'aussi grand
que ces paroles d'Achille à un Troyen qu'il va immoler :
« Meurs donc, ami, meurs aussi ; à quoi bon ces plaintes ?
Patrocle lui-même est mort, et il valait mieux que toi. Ne
vois-tu pas comme je suis grand et beau ? Je suis né d'un
père illustre et d'une mère immortelle. Eh bien ! moi pareillement, la mort et la Parque violente me saisiront, soit
au lever de l'aurore, soit au coucher du soleil, soit au mi-

lieu du jour, lorsqu'un guerrier tranchera ma vie avec
l'airain du javelot ou de la flèche rapide. » Les dieux de
ces guerriers, ce ne sont ni Zeus, ni Héra, ni Poseidon,
ni Athènè, c'est Anankè, la fatalité inexorable, supérieure
aux dieux mêmes, c'est la beauté, la force et la ruse aux
prises avec la destinée. La gaieté, la tendresse, la raison,
la justice même apparaissent par moments dans leurs âmes,
se glissent sous leurs tentes ; mais avant tout la passion
les gouverne et les emporte. Ils ont l'élan d'une race eni-
vrée de sa vigueur croissante et qui, naïvement, se réjouit de tendre ses muscles et d'agiter les aigrettes de son
casque.

L'*Odyssée* est plus reposée de ton et d'allure ; non pas
que les terribles infortunes, la colère des dieux et le sang
versé à flots lui manquent ; mais tandis que sa grande
sœur exalte la force et la soudaine traduction de la pensée
en actes, elle donne la palme à l'obstination patiente, à la
ruse longtemps méditée, et déjà au triomphe de l'habileté
sur la violence et l'orgueil irréfléchis. Elle témoigne d'une
civilisation déjà moins rudimentaire. On a voulu y reconnaître une certaine bonne humeur qui sied à une verte
vieillesse ; et cette note s'y retrouve plus d'une fois, dans
les naïvetés de Télémaque : « Ma mère dit que je suis le
fils d'Ulysse... » « Je ne pense pas que tu aies pu venir
à pied dans cette île ; » dans l'histoire de Mars et de Vénus sous le filet de Vulcain, dans la réponse d'Ulysse au
Cyclope, et surtout dans le délicieux épisode de Nausicaa.
Mais il se peut aussi que l'*Odyssée* soit éclose dans un autre temps et dans un autre lieu que l'*Iliade* ; par exemple,
à l'époque des premières colonies et dans un pays de commerçants et de navigateurs. Son cadre embrasse évidemment tout le monde connu de son temps ; elle sollicite,
par la variété et le naturel achevé de ses peintures, l'admiration que l'*Iliade* impose par sa splendeur. Mais elle ne

manque pas non plus de qualités fortes ; elle est supérieure
à son aînée par la moralité de sa conception. Quels sont
ses héros ? Un homme énergique et ingénieux, qui lutte
contre un dieu acharné à sa perte, soutenu dans ses
épreuves par l'amour de la terre natale, par le souvenir de
sa femme et de son fils ; une femme vertueuse, à la fois
avisée et magnanime ; un jeune homme qui réfléchit et
qui se possède ; et deux vieux serviteurs pleins de probité
et de dévouement, une femme de charge et un gardeur de
pourceaux. C'est là une bien noble et bien complète représentation de la famille antique.

Sans doute Télémaque parle d'un peu haut à sa mère,
lorsqu'il la renvoie à son aiguille et se déclare le maître du
palais ; sans doute Ulysse — mais sur ce point les mœurs
n'ont guère changé et ne changeront guère — Ulysse n'hésite aucunement à partager la couche de Calypso ou de
Circé. Il ne soupçonne pas que sa femme puisse en éprouver la moindre jalousie ; et il est à croire qu'elle n'en eût
ressenti aucune. Sa cruauté est implacable ; sa vengeance
n'admet aucune mesure ; il massacre un peu trop de prétendants et étrangle un peu trop de femmes légères. Mais
quoi ! la férocité n'est pas encore sortie de nos mœurs ;
elle se réveille par accès chez nous et emprunte quelquefois le masque de la justice. La divinité, toujours faite à
l'image de l'homme, se garde bien de réprouver ces exécu-
tions, qui lui rapportent toujours quelque chose. C'est
Athènè qui excite le héros et conduit son bras, bien sûre
d'avoir à mêler aux parfums de l'ambroisie l'appétissante
fumée de cent cuisses au moins de vaches égorgées en
son honneur.

On a beaucoup ri de ces Olympiens, qui festinent sur
leur montagne sainte, quand ils ne sont pas invités à quelque banquet par les irréprochables Éthiopiens ou par les
pasteurs des peuples, de ces dieux qui vivent et pensent

4

comme les hommes, qui, guidés par leurs haines ou leurs amours, se gourment à coups de nuages ou de rochers, ou bien déchaînent sur quelque infortuné mortel le tonnerre et la tempête ; maîtres du monde, mais dans les limites que le Destin a fixées à leur puissance. Est-ce qu'au fond les dieux ont changé ? Seulement de nom, de nombre et de figures ; non d'attributs et d'essence. Reflets subtilisés de leurs adorateurs, ils ont perdu la beauté de cette vie intense qui animait leurs prédécesseurs païens ; c'est à des banquets spirituels et symboliques qu'on les convie dans leurs temples ; mais ils y descendent encore ; l'encens et les prières continuent de monter vers eux ; et nul doute que leurs caprices, les miracles de leur grâce efficace ne s'exerçassent encore sur ce monde sublunaire, si la science ne leur avait ravi la foudre. Au-dessus d'eux, comme au temps d'Homère, les lois du Destin, l'universel et impassible mouvement, distribuent la vie et la mort, cependant que Neptune inonde Toulouse ou Montpellier, comme il chavirait Ulysse.

Un vaisseau mystérieux transporte le fils de Laerte aux rivages des ombres, dans ces prairies d'Asphodèles où chasse le géant Orion. Sa mère lui apparaît, mais il essaye en vain d'embrasser ce fantôme ; il revoit ses compagnons de guerre, Agamemnon assassiné, Achille qui regrette la vie, « qui aimerait mieux être le mercenaire d'un homme voisin de la pauvreté, a peine assuré de sa subsistance, que de régner sur tous ceux qui ne sont plus ». Il est visible qu'Homère a peu de confiance dans l'autre vie ; il répète ce que racontent sur les enfers les antiques légendes de sa race ; mais ses champs Elysées sont à peu près aussi sombres que son Tartare. Ses spectres ne sont qu'un vague contour entrevu dans la nuit ; ils ne parlent pas et ruminent avec mélancolie les souvenirs effacés de la vie réelle. Pour les ranimer un instant, il leur faut du sang

tiède encore, et tous se pressent avidement autour des victimes noirés qu'Ulysse égorge à leur intention. Naïve et
profonde ironie, qui n'a pas coupé l'essor aux fantaisies
d'outre-tombe ! Que de cercles, que d'étages, que de flammes dévorantes ou vivifiantes, que de supplices éternels
et de plaisirs divins ont été évoqués dans le vide par les
religions et les philosophies, sans jamais avoir étouffé la
voix d'Achille pleurant la lumière perdue, sans avoir égalé
cette vision d'ombres ressuscitées une heure par la chaleur du sang ! Homère, lui qui ne savait rien, se doutait
donc que le sang était indispensable à la vie humaine, et
qu'il n'y a point de vie en dehors des conditions vitales ?
Avouez qu'il était, en ceci, fort supérieur à nos inventeurs de purgatoires et autres fantasmagories.

On voit que les conceptions religieuses d'Homère va-
laient bien celles qui lui ont succédé ; moins raffinées et
moins subtiles, elles avaient du moins l'avantage de tenir
de plus près à la réalité. Les dieux grecs sont plus beaux
et plus vrais que leurs héritiers, parce qu'ils empruntent
à l'homme une plus grande part d'existence, ses formes,
ses besoins, ses passions. Aussi ont-ils excité à bon droit
l'enthousiasme de ceux qui les avaient tirés de leur propre
cœur, pour leur donner l'univers à conduire.

Enfin, ils peuvent invoquer une excuse qui manque aux
pâles dieux modernes : ils sont nés, ils ont grandi, avant
que la science eût paru dans le monde. Leur empire, après
tout, n'était guère vaste, et ils étaient assez nombreux
pour qu'en se distribuant la besogne, avec un peu d'agilité,
ils pussent se montrer dans quelques sacrifices sur les
côtes de la mer Egée et de l'Adriatique, soulever quelques
tempêtes, exaucer quelques prières, et faire suffisamment
évoluer le soleil et la lune, selon l'ordre du Destin.

Il s'en faut que la *terre habitée* d'Homère embrasse
tout le bassin de la Méditerranée et de la mer Noire.

L'Asie Mineure, les îles de l'Archipel, la Crète, l'Egypte, l'Hellade, le Péloponnèse, les îles Ioniennes et la Sicile (Trinacrie), voilà, à peu près, toutes les régions dont le vieux poète ait une connaissance certaine ; il parle bien des Ethiopiens, des Cimmériens et Hippomolgues ; mais ce sont pour lui des êtres à demi fabuleux. Dès qu'Ulysse a franchi le détroit de Messine, il entre dans le pays des fables, et ses récits deviennent presque entièrement mythiques. On ne sait où placer au juste ni l'île de Circé, ni celle de Calypso, ni le royaume de Polyphème, le géant anthropophage, auquel son œil unique semble assigner une origine céleste plutôt que marine (mais, dans la mythologie aryenne primitive, le dieu des eaux était un dieu du ciel).

Sans doute, d'échange en échange, les productions lointaines pouvaient bien arriver jusqu'aux Hellènes, mais sans dissiper leur ignorance géographique. Tout moyen leur manquait pour vérifier les notions vagues qui leur étaient transmises. Leurs barques à rames, au milieu desquelles on plantait un mât au départ, étaient perdues sitôt qu'elles s'éloignaient des côtes ; c'est ainsi qu'Ulysse a pu errer neuf ans sur des mers que nous parcourons en cinq jours. Leur astronomie enfantine leur était d'un faible secours ; Homère ne signale pas plus de quatre constellations et deux astres isolés : Hespéros ou Vénus, et le chien d'Orion ou Sirius.

Déjà pourtant, dans ces étroites limites, la navigation était active, demi-guerrière, demi-commerçante. La piraterie florissait ; nulle profession plus avouable. On échangeait des métaux, des vases, des armes, des peaux, des animaux, du vin, d'autres denrées alimentaires. Toute monnaie était inconnue.

On conçoit aisément que le droit public fût tout à fait rudimentaire ; qui disait étranger disait suspect et ennemi.

Quant au droit privé, en dehors des relations de famille, il n'était guère plus avancé. La propriété existait, sans doute ; mais ni le vol, ni la rapine, ni le meurtre ne déshonoraient leur auteur ; tout au plus entraînaient-ils la fuite, la vengeance personnelle ou une compensation suffisante ; la punition proprement dite était abandonnée aux dieux. L'hospitalité seule tempérait la barbarie de ces mœurs primitives, qui ne connaissaient ni lois fixes ni obligation morale. Dès qu'un homme avait pu toucher le foyer d'un autre homme, il devenait sacré pour son hôte ; ce titre créait entre eux des liens qui se perpétuaient de génération en génération, une amitié indissoluble, entretenue par des présents et des secours de toute sorte.

Les assemblées dont Télémaque provoque la réunion sur l'agora d'Ithaque donnent une idée des coutumes politiques ; car on ne saurait parler ici d'institutions régulières. Les chefs de famille, les propriétaires terriens, sur lesquels le roi n'exerçait qu'une autorité des plus précaires, délibéraient sur quelques affaires, sur quelques difficultés pendantes entre leurs voisins immédiats, mais le plus souvent n'osaient rien décider, et pour cause ; ils auraient encouru des inimitiés redoutables. Télémaque ne peut les amener à désapprouver formellement les prétendants, fils, frères ou parents des anciens de l'île, encore moins à lui promettre une aide efficace.

Les palais d'Alcinoos, de Nestor, de Ménélas, d'Ulysse lui-même, nous permettent de pénétrer dans la vie intime des puissants. Malgré l'étalage de vases d'or, d'argent, d'airain, de riches étoffes pendues aux piliers et aux colonnes des péristyles, c'était une existence peu somptueuse. Malgré le nombre des captifs et des serviteurs, les ouvriers étaient rares, comme on peut s'en assurer dans le catalogue des artistes homériques, dressé par M. Rossignol ;

les reines tissaient les vêtements de leurs époux et de leurs
enfants ; les princesses, filles de Priam ou d'Alcinoos, lavaient le linge dans des lavoirs de pierre ou au bord des
rivières ; les rois cultivaient leur jardin, fabriquaient leurs
sièges et leurs outils. Achille avait surpris le jeune Lycaon
coupant des baguettes de figuier pour garnir le devant
d'un char. Ulysse a construit lui-même son lit nuptial,
dont un des pieds était fait d'un olivier simplement coupé
à hauteur d'appui. On couchait soit en plein air, soit sous
les portiques, soit dans des chambres mal closes à l'aide
de courroies, et bâties parfois en dehors de la maison. Il
semble qu'il y eût un étage destiné à l'épouse légitime et
aux captives, sorte de sérail non moins légitime. La grande
salle du bas était destiné aux réceptions et aux repas ; une
femme de charge, vieille esclave de confiance, veillait à la
distribution des mets, consistant uniquement en pain,
viandes rôties et vins coupés d'eau. Préalablement, le maître (Achille, Agamemnon, Ulysse) avait fait lui-même l'office de boucher et de sacrificateur ; il coupait les cuisses
pour les dieux, et les flambait en leur honneur ; ensuite il
divisait le corps de l'animal, mettait à part les entrailles,
qu'on posait sur les charbons et que goûtaient les assis-
tants ; puis tous les morceaux, piqués de broches à cinq
dards, vivement grillés, paraissaient, saupoudrés de farine
pour toute sauce, dans de vastes bassins de métal. Chacun
étendait la main et empoignait sa part. Il n'y avait aucune
espèce de couvert. La faim apaisée, non sans voracité, mais
sans querelles, pourvu que « nul ne pût se plaindre de
n'avoir pas eu sa juste portion, » les coupes circulaient.
Que dirions-nous de cet étrange festin, même s'il nous était
donné d'entendre le divin Phémios et Démodocos lui-
même ? Enfin, des servantes versaient de l'eau sur les
mains des convives, et on allait se livrer soit à la lutte, soit
à l'amour, soit au sommeil.

Cette vie était saine, maislaissait peu de temps à la pensée.

Si nous entrons sous le toit des humbles, nous y retrouvons exactement, moins la richesse des ustensiles et des accessoires, les mêmes coutumes et la même nourriture. Voyez le divin Eumée, fils de roi, gardien en chef de ces immenses troupeaux de porcs qui faisaient bien la moitié de la fortune d'Ulysse. Tout en pleurant sur l'insatiable faim des prétendants maudits qui dévorent la richesse du maître absent, il choisit « un porc de cinq ans, florissant de graisse », le tue d'un éclat de chêne, le flambe, offre aux dieux les soies de la tête et quelques morceaux saupoudrés d'orge sacrée, qu'il jette au feu ; il réserve une part à Hermès, fils de Maïa, en découpe six pour ses convives, et honore son hôte « en lui offrant le dos entier du porc aux dents blanches ». Et Ulysse, car c'est lui, caché sous des haillons, le remercie en ces termes : « Puisses-tu, ô Eumée, être toujours chéri du fils de Cronos, toi qui, tel que je suis, m'honores de ce mets succulent ! »

On ne peut guère comparer la vie quotidienne des Grecs au temps d'Homère qu'à celle de naufragés européens, qui se construisent tant bien que mal un logis, une table, des escabeaux, et cuisent leur chasse ou leur pêche sur un foyer improvisé. C'est l'enfance de l'industrie, à laquelle correspond, chez les Grecs, l'enfance de la société, de la morale et de la politique. Il y a loin déjà de l'âge d'Ulysse à la brillante époque des colonies grecques, des Pythagore, des Thalès et des Empédocle ; bien plus encore, si nous descendons à Pisistrate, à Solon, aux guerres médiques.

Cinq ou six siècles au plus ont suffi à la civilisation grecque pour parvenir à son apogée ; nous en avons mis plus de quinze à la dépasser.

Mais, devant ces faits rassemblés presque au hasard, qui

peut nier, non pas une entité appelée loi du progrès, mais le progrès lui-même, l'évolution naturelle vers le mieux-être physique et social? Qui peut soutenir encore, sans aveuglement volontaire, l'unité indivisible et simultanée, l'*innéité* de la morale? Nous renvoyons ces questions aux excellents rédacteurs de *la Critique philosophique*.

IV.

LIMITES ET DÉPENDANCES DE LA GRÈCE ANTIQUE.

Colonies milésiennes du Pont-Euxin ; royaume du Bosphore cimmérien. — Les Gètes et les Scythes. — Les dieux des Pélasges.

Autour du monde antique, tel que l'ont constitué les
conquêtes d'Alexandre et la domination romaine, s'éten-
daient plusieurs zones irrégulières et inégalement éclai-
rées, où se faisait sentir plus ou moins l'influence de la
civilisation qui avait son centre dans le bassin de la Méditerranée. La vie résidait sur les côtes, dans les îles, dans
les péninsules, et le jour pénétrait malaisément dans l'intérieur des terres. Une sorte de pénombre, qui allait s'é-
paississant jusqu'au crépuscule et à la nuit totale, commençait à bien peu de distance de ces foyers qu'on nomme
l'Ionie, la Grèce et l'Italie. Combien de régions tout à fait
voisines des pays qui ont jeté le plus vif éclat, combien de
populations étroitement liées par l'origine, les croyances,
le commerce et la politique avec des peuples plus favorisés par la gloire, sont demeurées en dehors de l'histoire
classique ou y sont entrées tard ! Des armées y ont passé,
des voyageurs les ont décrites, des poètes les ont célébrées ;
mais elles n'ont joué qu'un rôle effacé ou intermittent,
épisodique, dans la grande épopée.

Déjà, sans parler de l'Acarnanie, la Thessalie et l'Epire
se dérobaient dans leurs vallées étroites, derrière leurs
montagnes et leurs golfes profonds. C'était là, pourtant, un
des antiques séjours de la race, où se pressait, au temps

de Jason, d'Achille et de Néoptolème, le gros des populations helléniques ; c'était là que les mythes apportés d'Asie
s'étaient localisés avant de se répandre dans la Phocide, la
Béotie et le Péloponnèse. L'action et la vie passèrent ailleurs, et il ne resta, dans ce vrai corps du contingent grec,
que des souvenirs nationaux et religieux exploités par les
magiciens et les exorcistes. Les limites, mal déterminées,
de la Macédoine étaient celles mêmes de la Grèce. Mais ce
royaume, si fameux au quatrième et au troisième siècle
avant notre ère, avait toujours passé pour demi-barbare.
La Thrace l'était entièrement, et l'on ne sait à quel groupe
encore sauvage appartenaient ces Triballes, campés entre
l'Illyrie, la Thrace et la Macédoine, qui furent combattus
par Philippe et Alexandre ; et cependant l'élément hellénique avait dominé dans ces territoires vagues où la tradition a placé les aventures et la mort d'Orphée. Au-delà
des Balkans, et bien plus encore au-delà du Danube, s'ouvrait l'inconnu, le domaine des Gètes, des Scythes, des
Sarmates, bordé, seulement sur la mer Noire, d'une ceinture de colonies venues soit des côtes d'Asie Mineure, soit
de l'Hellade et du Péloponnèse.

Peu à peu, des inscriptions, des objets d'art recueillis
dans les musées de Russie, venant s'ajouter aux notes
éparses dans les historiens, ont révélé la vie demi-grecque,
demi-barbare, de ces lointaines dépendances du monde
hellénique, leurs luttes avec les tribus des steppes, leurs
rapports souvent intimes avec la mère patrie.

C'est à l'histoire d'Athènes, naturellement, qu'il faut
demander le plus d'indications sur ces confins du monde
civilisé. Car, dès le début du cinquième siècle, grâce à
l'administration de Miltiade et de Thémistocle, Athènes
commença de régner par le commerce, et aussi par la politique et la force des armes, sur tout le littoral de la Macédoine, de la Thrace et de la Scythie. La défaite d'Ægos-

Potamos, qui lui enleva l'hégémonie réelle, ne troubla que bien peu d'années son activité et sa puissance commerciales ; et durant tout le quatrième siècle encore, on vit ses navires apporter au Pirée les blés de la Russie méridionale, qui était déjà l'un des greniers de l'Europe. En étudiant divers plaidoyers civils et politiques de Démosthènes et de ses rivaux, M. Georges Perrot a relevé nombre d'allusions aux rapports amicaux et profitables entretenus par Athènes avec les villes situées à l'embouchure du Bug, du Borysthène, du Tanaïs, et notamment avec les princes gréco-scythes de la Crimée et du Bosphore cimmérien. Ç'a été pour lui le point de départ d'une étude pleine d'intérêt et de nouveauté sur le commerce des céréales en Attique, au quatrième siècle avant notre ère(1).

Bien que, vers le onzième siècle, l'Attique eût déversé sur les côtes de l'Asie le trop-plein des populations ioniennes refoulées par les Doriens, conquérants du Péloponnèse, elle ne pouvait suffire aux besoins de ses habitants. Son sol pierreux produit peu de blé, et sans les grains du dehors la famine s'y fût établie en permanence. Il lui fallut recourir aux riches plaines de la Béotie et de la Thessalie ; mais les guerres intestines lui en fermaient souvent le chemin. Quand ses flottes lui permirent de protéger contre la piraterie ses navires de commerce, Athènes, maîtresse des Cyclades et de la mer, attira dans son port du Pirée tout le trafic de la Grèce et de l'Asie. Elle occupa la Chersonèse de Thrace (presqu'île de Gallipoli), la Chalcidique, multiplia ses comptoirs, ses stations fortifiées. Le blé lui arrivait d'Afrique, de Sicile, aussi bien que d'Eubée ou des îles et côtes de l'Egée. Mais, Démosthènes l'atteste, « le blé importé du Pont-Euxin donnait à lui seul à peu

(1) *Revue historique* dirigée par M. G. Monod et G. Fagniez, in-8°, Germer-Baillière. T. IV, mai-juin 1877.

près le même chiffre de médimnes que le total de celui
qu'on tirait de tous les autres marchés ». Dès le septième
siècle, Milet avait semé ses colonies du Bosphore de Thrace
au Caucase, sur le pourtour septentrional de la mer Noire;
d'autres villes rivales avaient suivi son exemple : Corinthe,
Mégare, Byzance, Héraclée-du-Pont; celles-ci, d'origine
dorienne, avaient des établissements dans ces parages. Et
plusieurs de ces cités perdues sur les frontières de la barbarie ont maintenu pendant dix siècles une existence laborieuse et précaire. De leurs ports, où se chargeaient les
blés à destination d'Athènes, partaient des routes commerciales qui « s'enfonçaient dans le continent jusqu'à des
distances dont personne n'avait l'idée avant de récentes
découvertes; il est maintenant prouvé qu'un mouvement
régulier d'échanges portait les monnaies grecques jusque
sur les rivages de la Baltique ».

C'était d'abord, dans la Dobroudja, Tomis (Kustendjé),
colonie milésienne, où Ovide fut exilé, et qui atteignit son
apogée sous la domination romaine. Plus haut, dans l'es-
tuaire qui réunit les eaux du Bug et du Dniéper (l'Hypanis
et le Borysthène), Milet avait fondé la ville importante
d'Olbia, non loin du moderne Nicolaïeff. Tomis était entourée de Gètes, Olbia de Scythes. De nombreuses monnaies en forme de poisson permettent de conjecturer que
les pêcheries et l'expédition du poisson salé étaient les
principales industries d'Olbia. Une longue inscription nous
la montre achetant par un tribut régulier et par divers
présents la tolérance d'un roi scythe, Saïtapharnès, et
d'autres petits chefs, simples « porteurs de sceptre ».
Nous savons par Dion Chrysostome, qui la visita vers
l'an 90 de notre ère, que sa diplomatie ne lui évita pas
toujours le pillage et la ruine. Détruite au milieu du premier siècle avant Jésus-Christ, elle ne recouvra jamais sa
prospérité passée ; la protection des gouverneurs romains

de la Mésie, les secours effectifs de plusieurs empereurs, notamment d'Antonin, ne purent que prolonger sa décadence obscure.

Au temps même de sa splendeur modeste, Olbia ne se trouvait pas sur la route ordinaire des chalands grecs ; la mer Noire était large pour eux ; ils préféraient, pour la traverser, s'abandonner aux vents du sud-ouest qui les poussaient vers la Tauride, vers la Crimée ; ils trouvaient à Chersonésos (Sébastopol), à Théodosia (Caffa), à Panticapée (Kertch), à Phanagorie, des marchés plus sûrs et plus régulièrement approvisionnés. La première, cité dorienne, colonie d'Héracléa Pontica, ne paraît pas avoir attiré le commerce athénien ; au contraire, les trois autres, colonies de Milet et de Téos, villes ioniennes, parentes d'Athènes, entretenaient avec celle-ci des relations suivies et fructueuses. Panticapée, située sur la côte occidentale du Bosphore cimmérien (détroit de Yénikalé) centralisait les produits de nombreuses villes secondaires, petits ports de pêche, comptoirs grecs échelonnés, soit sur la côte caucasienne de l'Euxin, soit dans les Palus-Méotides (mer d'Azof), et jusque sur le cours du bas Tanaïs (le Don).

L'intérieur de la Crimée appartenait à la tribu scythique des Taures. A l'est du Tanaïs et sur le pourtour oriental dominaient les Dandariens, les Sindes, les Torètes et autres Sarmates. C'est de ce côté que les villes ioniennes étendirent leur territoire et que se forma le royaume du Bosphore cimmérien. La ligue entière, dès le commencement du cinquième siècle avant notre ère, obéissait à des dynasties héréditaires, les Achéanactides, puis les Spartocides (437-94), dont les membres portèrent d'abord le titre d'archontes du Bosphore, ensuite celui de princes et de rois. Plusieurs de ces chefs, grecs ou thraces, avaient leur statue au Pirée et jouissaient à Athènes, où ils semblent n'être jamais venus, d'honneurs et d'immunités conférés

par décrets solennels. Ils avaient mérité ces privilèges, que
Démosthènes défendit victorieusement contre Leptine, par
de véritables bienfaits. Non seulement ils avaient signé
avec la république des traités de commerce fort libéraux ;
mais encore, dans des circonstances critiques, ils en-
voyèrent spontanément à leurs alliés des quantités considérables de blé, soit en pur don, soit à des prix tout à fait
inespérés. Les noms des Spartocides, Spartocos, Leucon,
Pairizadé, Eumélos, et quelques incidents de leur vie,
assez sanglante, nous étaient connus par Diodore de Sicile, et l'on savait que leurs possessions avaient passé au
grand Mithridate, l'ennemi des Romains. Mais l'épigraphie, la numismatique, l'archéologie, fournissent des documents beaucoup plus précieux au point de vue de l'histoire, telle qu'on l'entend aujourd'hui. On a trouvé dans
les tombeaux de ces rois, mêlés à leurs ossements authentiques, des vases, des armes, des ornements qui portent
la marque de l'art grec, du travail athénien surtout. Que
ces objets aient été apportés de Grèce ou exécutés à Panticapée par des artistes et des orfèvres athéniens, ils attestent un goût développé et une civilisation tout hellénique,
qui avait pénétré jusqu'à Ekatérinoslav, chez les Gerrhes
d'Hérodote.

Et en effet, sur tout le littoral nord du Pont-Euxin per-
sistaient le souvenir, les mœurs et les institutions de la
mère-patrie. On y parlait grec. Sans doute, quand un
citoyen d'Olbia, de Chersonèse ou de Phanagorie, appa-
raissait sur l'agora d'Athènes ou de Corinthe, l'incorrec-
tion de son langage faisait sourire les lecteurs de Platon
et les auditeurs de Démosthènes. Mais le normand de
Jersey ou le patois du Canada est toujours du français.
Dion Chrysostome, qui a vu Olbia déchue en 90 de notre
ère, rapporte un fait touchant. Isolés dans leur golfe profond, croisés de Scythes et de Gètes, les Olbiopolitains

ignoraient ou avaient oublié tout le développement du
génie grec. Et cependant ils savaient par cœur les poèmes
d'Homère ; ils se transmettaient de père en fils ces vers
apportés au septième siècle par leurs ancêtres milésiens.
L'*Iliade* était leur livre sacré : Achille avait pris rang
parmi leurs dieux protecteurs ; sous le nom de *Pontar-
chès*, il commandait à la mer ; les sables qui règnent au
sud de l'embouchure du Dniéper avaient reçu le nom de
Achilleios dromos, — la carrière d'Achille. Le héros aux
pieds légers s'y exerçait encore à la course, de même que,
dans l'île de Leuke, en face des bouches du Danube, il
jouissait de son immortalité avec ses plus vaillants compagnons d'armes ; et les navigateurs, avant de se lancer
sur cette mer redoutée, s'arrêtaient pour le saluer au
passage et lui demander des vents favorables.

Mais derrière ces Grecs clairsemés sur les côtes se
pressaient des tribus nombreuses, qui ont résisté à la civilisation et dont l'épaisseur a arrêté le rayonnement de
l'esprit hellénique. A quelles races peut-on les rattacher ?
Quelles langues parlaient-elles ? Quelles étaient leurs institutions et leurs croyances ? Quant aux Gètes de Tomis et
des bouches de l'Ister, il n'est pas trop imprudent de
les assimiler aux Goths. Ovide ne s'était pas contenté de les
appeler *barbares*, il avait écrit dans leur langue. Qui ne
donnerait de bon cœur quelques *Tristes* et beaucoup de
Pontiques pour retrouver un si précieux document ? Si
l'on s'accorde à considérer les Gètes comme des précurseurs des Bas-Allemands et des Scandinaves, l'origine des
Scythes est controversée. Les données recueillies jusqu'ici
n'admettent point une solution précise et certaine d'un
problème si complexe. On ne tire des historiens que des
indications ou bien tout à fait extérieures, comme l'expédition de Darius et les guerres soutenues par les rois du
Bosphore, ou bien applicables à tous les peuples demi-

sauvages, comme les descriptions d'Hérodote. Enfin, sous
le nom de Scythes, l'antiquité a confondu de nombreuses
tribus ou nations, Taures, Méotes, Torètes, Dandariens,
Sindes, nomades, pastorales ou agricoles, qui pouvaient
appartenir à des races fort différentes. Leurs dialectes,
sinon leurs langues, étaient également très divers. Dans
quelle mesure ? On a cru reconnaître dans leur amour du
cheval, dans leur promiscuité ou polyandrie, dans leur
culte de la lance ou du pieu dressé, des traits généralement attribués aux Mongols et aux Touraniens. Et, comme
les flots humains ne courent pas d'une même vitesse, que
certaines lames plus hardies couvrent et dépassent les
vagues plus paresseuses, il se peut bien que des avant-
gardes hunniques, sur leurs chevaux rapides, aient de-
vancé les chariots des Germains ou des Sarmates. Mais il
n'est guère probable que le flux mongolique tout entier se
soit répandu sur l'Europe orientale longtemps avant l'invasion d'Attila.

La plupart des Scythes doivent bien plutôt être comptés
dans la famille dite *aryenne* ou dans les races aryanisées.
C'étaient des Cosaques, des Russes et des Ruthènes, des
Polonais, enfin des Slaves. Nous allons rassembler toutes
les vraisemblances qui militent en faveur de cette hypothèse, acceptée par M. Perrot.

La place que les Scythes d'Europe occupaient cinq
siècles avant notre ère est précisément celle qui revient
aux Slaves dans l'ordre des migrations indo-européennes,
derrière les Gètes, en marche vers l'Occident sur une voie
parallèle aux chemins des Pélasges, des Hellènes et des
Perses, dont le Caucase et l'Euxin les séparaient. A l'appui
de cette probabilité, confirmée par des faits historiques
postérieurs de dix siècles, viennent les antiques relations
attestées par les légendes des Argonautes et d'*Iphigénie en
Tauride*, la fondation des nombreuses colonies ioniennes

et la physionomie tout hellénique du royaume cimmérien. Un indice plus décisif est fourni par la langue. « Or, comme l'avait déjà entrevu Boeckh, et comme l'ont prouvé les travaux de M. Müllenhoff, c'est par l'étude des racines et des procédés de dérivation propres à la famille des langues aryennes que s'expliquent la plupart des mots que les anciens nous donnent comme appartenant à la langue scythique, et surtout les noms propres que l'on a relevés en très grand nombre dans les auteurs et dans les inscriptions. » Les terminaisons iraniennes si connues en *pharnès* se retrouvent fréquemment dans les noms scythes. Dans la liste des rois cimmériens, à côté des noms grecs comme Satyros et Eumélos, et des noms thraces (?) comme Spartocos, qui rappelle le fameux esclave Spartacus, on rencontre plusieurs Pairizadé, nom perse qui se lit encore en vingt endroits des *Mille et une Nuits*. Sur les vases et autres objets exécutés par des artistes grecs pour les rois du Bosphore, « ou même pour des princes scythes », figurent souvent des cavaliers, des buveurs scythes, représentés avec leurs traits caractéristiques et leur costume national ; leurs épais sourcils, leurs barbes fournies, leur nez droit ou aquilin, n'ont rien à voir avec les pommettes saillantes, les petits yeux bridés, le nez épaté et les joues glabres qui distinguent le type mongol ; on dirait de ces profils nobles sculptés sur les monuments de Persépolis. Quant aux vêtements, tunique courte en gros drap ou en peau, serrée par une ceinture, pantalons larges pris dans une botte courte, ils sont portés encore par les paysans de la Grande-Russie. Les siècles n'y ont rien changé. N'est-on pas amené à croire que le fond de la race aussi est resté le même et que, en dépit des Huns d'Attila, des Mongols de Gengis, des Tatars et de la Horde d'or, les riverains du Don, les habitants du Caucase représentent encore les Scythes d'Hérodote, les tribus sarmates, assez étroitement

5

apparentées, par les Ossètes et les Arméniens, à la Perse
antique, et par les Thraces aux Pélasges fabuleux?

Hérodote a observé sans doute avec sa justesse ordinaire les mœurs sauvages des Scythes ; mais il n'a pu
pénétrer profondément dans leur esprit, dans leurs traditions et leurs croyances. Possédaient-ils une religion, une
mythologie? Quelques monstres ailés jetés sur la panse du
vase de *Koul-Oba* (près de Kertch) ou de l'amphore d'argent doré, découverts dans le district d'Ekatérinoslav,
rappellent bien des formes familières aux Perses et aux
Grecs, les dragons de Médée, le sphinx, la chimère ; mais
ces ornements se présentaient d'eux-mêmes à l'imagination des céramistes et des orfèvres grecs. Quelles qu'aient
été les fables nationales des Gètes et des Scythes, elles ont
dû aisément, si elles procédaient du fonds indo-européen,
se greffer sur les mythes de la Thrace et de l'Ionie antique, apportés par les navires de Byzance, par les colonies
de Milet ou de Corinthe. Nous avons vu le culte d'Achille
à Leuke et à Olbia. L'Artémis taurique, dont le nom nous
cache peut-être une divinité scythe, semble également
d'importation grecque ou plutôt pélasgique. M. François
Lenormant voit en elle Axiéros, la déesse cabire, analogue
à la Cybèle de Phrygie, à ces cruelles déesses de la fécondité et de l'extase que les Hellènes ont trouvées établies
avant eux sur le sol de l'Asie Mineure et dans les îles de
la mer Egée.

Tout le monde connaît de nom les mystères de Samothrace et les Cabires. Mais, bien que ces dieux, antérieurs
à la mythologie grecque, aient vécu jusque sous la domination romaine, malgré l'indiscrétion de quelques initiés
qui nous ont livré les noms d'Axiéros, Axiokersos, Axio-
kersa, Cadmilos, on n'a jamais nettement élucidé le sens
des mythes et du culte cabiriques. Tout y est confus,
bizarre, incohérent ; et les assimilations établies par les

Grecs entre ces êtres ténébreux et des personnages de leur
Panthéon, tels que Eros, Hermès, Cadmus, Cora, Persé-
phonè, Artémis, Aphroditè, Héphestos ou Vulcain, ne font
qu'ajouter à la perplexité du mythologue. M. François Lenormant vient de résumer tout ce qu'on a dit et tout ce
qu'on sait sur les Cabires (1). Sa science hardie les rattache aux divinités phrygiennes et lydiennes et les sépare
absolument des *Kabirim* sidéraux de la Phénicie. Il place
à l'origine de leur culte le symbolisme du feu générateur,
si bien fait pour les îles volcaniques de Lemnos, d'Imbros,
de Samothrace ; il essaye de deviner comment la légende
d'un dieu tué par ses frères et ressuscité est venue s'asso-
cier à des idées plus simples et plus nobles ; il dresse des
tableaux généalogiques d'où ressort la parenté des dieux
anciens avec les dieux nouveaux ; il suit les Cabires en
Thrace, en Grèce, à Eleusis même et jusque chez les
Etrusques, interprète les rares et précieux monuments
figurés qui nous ont conservé des fragments de leurs aventures. Si, comme il le pense, ces divinités sont foncièrement
aryennes, si le monde grec les a reçues des Pélasges, si
elles ont inspiré Orphée, il serait curieux de chercher leurs
vestiges dans les traditions des Slaves (Scythes) et des Germains, qui ont dû les connaître lorsqu'ils se sont établis,
sept ou huit siècles avant notre ère, en face et à côté des
Phrygiens, des Pélasges et des Thraces, sur les côtes sep-
tentrionales et occidentales de la mer Noire.

Nous avons tenu à indiquer aux amis de l'antiquité le
beau travail de M. Lenormant ; aussi précis et aussi bien
informé que possible sur les détails, il manque de certitude
en ses conclusions générales. Quoi qu'il en soit, bien qu'à

(1) Article CABIRI, dans le *Dictionnaire de l'antiquité grecque
et latine*, publié sous la direction de M. E. Saglio, par la maison
Hachette. Le sixième fascicule de ce bel ouvrage vient de paraître.
Hélas ! nous en avons pour vingt ans.

un moindre degré que l'étude de M. Georges Perrot, il
éclaire des régions de la pensée et de l'histoire où la
science moderne elle-même ne pénétrera jamais beaucoup
au-delà du contour. Ce sont de pareilles recherches qui
démontrent à la fois et combien l'humanité a laissé perdre
de son passé le plus intéressant, et quelles alliées, quelles
correctrices nécessaires l'histoire a trouvées de nos jours
dans l'érudition, l'épigraphie, la linguistique et l'archéologie.

V.

L'HELLÉNISME.

I   Influence durable de l'esprit hellénique sur la civilisation. —
    L'hellénisme indirect ou occidental. — L'hellénisme direct, im-
    médiat ou oriental. — L'empire byzantin, la réforme des icono-
    clastes et la dynastie macédonienne. — Le crime de la quatrième
    croisade. — La conquête ottomane.

> L'invention des arts étant un droit d'aînesse,
> Nous devons l'apologue à l'ancienne Grèce.

Que ne lui devons-nous pas? La Grèce a fait l'éducation
du monde, de l'Occident par Rome, de l'Orient par les
colonies ioniennes, par Alexandrie, Antioche, Constantinople. Quelque part qu'il faille accorder, dans l'évolution
de l'esprit humain, aux éléments divers qui ont constitué
les peuples modernes, sous la diversité des tempéraments
nationaux et des destinées historiques, on démêle, en dernière analyse, un fonds intellectuel commun dont toute
civilisation participe; et ce fonds est grec.

Il y a quatre mille ans environ, contournant la mer
Noire par le nord ou par le sud, quelques tribus sont venues d'Asie s'établir dans la Thessalie, l'Hellade et le
Péloponnèse. Sans jamais parvenir à former, sur ce terrain
réduit, un véritable corps de nation, elles ont absorbé les
autochtones, repoussé des invasions formidables, débordé
sur les îles, sur les côtes de l'Italie et de l'Asie Mineure,
attiré à elles tout le commerce de la Méditerranée, conquis l'Asie jusqu'à l'Indus, l'Europe jusqu'au Danube,

imposé leur langue à une moitié de l'univers connu et
insinué leur esprit dans l'autre. C'est un phénomène singulier, merveilleux, que cette expansion d'une race numé-
riquement faible à travers le temps et l'espace. Aux jours
de sa plus grande concentration, la Grèce n'a pas réuni
plus de cent mille soldats sur le champ de bataille de Platées. Elle s'est épuisée en colonies, en armées conqué-
rantes; les guerres civiles et étrangères, les massacres, les
invasions des Slaves, des croisés, des Ottomans l'ont à ce
point réduite, mutilée, mêlée et renouvelée qu'on ne sait
s'il existe encore un produit, un type du pur sang hellénique. Et cependant le germe déposé dans l'humanité par
cette poignée d'êtres n'a cessé de féconder l'art et la pensée. La barbarie et le catholicisme ne l'ont pas extirpé de
l'Europe; en Orient, bien que menacé d'une corruption
mortelle, puis oublié, méconnu, foulé aux pieds, il a résisté à tous les outrages du temps et des hommes; indes-
tructible, il se ranime et redemande sa place au soleil. Où
trouver un autre exemple d'une aussi prodigieuse vitalité?

Si l'on entend par hellénisme tout à la fois l'influence
de l'esprit hellénique et la destinée particulière du peuple
hellène ou des nations hellénisées, on est amené à en diviser l'histoire en trois périodes. Dans la première, les
deux sens du mot se confondent : ce sont des Hellènes qui
propagent eux-mêmes leurs institutions, leurs sciences et
leurs idées. Dans les deux autres, l'action hellénique est
continuée, en Occident par l'intermédiaire de Rome et des
langues latines ou romanes, en Orient par les peuples hellénisés de Macédoine et d'Asie Mineure.

L'antiquité hellénique est le patrimoine de tous; mais
c'est le seul que nous aient transmis les Romains.

Quant à l'hellénisme oriental, il est devenu rapidement
étranger à l'Europe après la seconde fondation de Con-

stantinople, encore plus après la chute de l'empire d'Occident, et surtout après la séparation des deux Eglises. Nous
verrons que les plus rudes coups lui furent portés par
ceux qui devaient le défendre; il a lutté longtemps, dix
siècles, contre le monde slave au nord, contre le monde
musulman à l'est; il a vu son domaine entamé, finalement recouvert, par la domination ottomane. Les nouveaux maîtres se trouvèrent aussi incapables de s'assimiler
les vaincus que de se fondre avec eux. L'hellénisme réussit quelquefois à les exploiter, jamais à les apprivoiser,
comme le monde latin avait fait des Goths, des Lombards
et des Francs; toutefois, il ne perdit jamais courage : toujours abandonné par des alliés qui le leurraient de vaines
promesses, il ne cessa de mordre le joug; et, depuis que
la fondation du royaume de Grèce lui a rendu un centre,
il est devenu le mot de ralliement de toutes les villes d'Europe et d'Asie où se parle encore la langue d'Homère et
d'Anne Comnène. Il n'y a pas cent ans que l'Europe a
commencé de soupçonner la ténacité et la force du sentiment hellénique en Orient. Catherine II ne repoussait pas
l'idée d'un nouvel empire grec avec Constantinople pour
capitale; mais cette solution de la question d'Orient n'a
séduit ni les successeurs de cette princesse, ni les fortes
têtes de la diplomatie. Les philhellènes de 1821-1832 n'ont
su qu'affaiblir la Turquie sans fonder un Etat capable de
la remplacer. Il a fallu que le panslavisme passât les Balkans et menaçât d'annexer à la Bulgarie une moitié de la
Macédoine, pour que l'Occident regrettât la faiblesse matérielle de la Grèce.

Quoi qu'il en soit, l'hellénisme oriental est un des éléments les plus importants de l'histoire à venir. Pour les
Grecs, il n'a jamais cessé de l'être. On enseigne à l'Université d'Athènes « l'unité méconnue de la civilisation
hellénique ». Un professeur patriote, M. Paparrigo-

poulo (1), nous dit que le procès de la Grèce a été « jugé par contumace », son histoire écrite par des étrangers, défigurée, surtout dans sa phase byzantine, par « l'esprit d'incrédulité et d'ironie qui a dicté l'œuvre capitale de Gibbon ». Il soumet aujourd'hui aux lecteurs français le résumé d'un grand ouvrage qui lui a coûté trente années d'études. Nous croyons qu'il a bien choisi son public et que nulle part ailleurs son habile et sincère plaidoyer ne rencontrera plus de sympathique attention.

L'étroitesse de la région où se pressaient les tribus helléniques fut la cause première de leur expansion. A mesure que de nouvelles bandes descendaient vers le sud, les plus anciennement établies se trouvaient littéralement jetées à la mer. Quand, vers le onzième siècle avant notre ère, l'invasion dorienne vint bouleverser l'Hellade et le Péloponnèse et mit fin à la fédération achéenne dont les poèmes homériques nous ont conservé le souvenir, les Ioniens émigrèrent en masse vers la rive d'Asie, d'où ils venaient peut-être. Leurs colonies elles-mêmes, après avoir hellénisé les Phrygiens, Lyciens, Cariens, ne cessèrent d'essaimer au nord jusqu'au fond de la mer Noire, à l'ouest jusqu'en Italie, en Sicile et en Ligurie, au midi jusqu'à la Libye et la Cyrénaïque. Tandis que la mère patrie était en proie aux discordes civiles et aux guerres privées, le génie national s'épanouissait dans l'Ionie et la Grande-Grèce. C'est en Asie que naquirent la poésie, la philosophie et l'histoire. Il suffira de citer les noms d'Homère, d'Archiloque, de Sapho, de Thalès, Anaximandre, Phérécyde, Pythagore, d'Hérodote enfin. Cependant Athènes avait évité ou secoué le joug dorien; dès le septième siècle, au temps de Solon, elle était considérée comme la

_____

(1) *Histoire de la civilisation hellénique*, par M. C. Paparrigopoulo, professeur à l'Université d'Athènes. In-8º, Hachette, 1878.

grande métropole ionienne et le centre de l'hellénisme. Quand les Perses, après avoir subjugué et désolé la côte d'Asie, débordèrent sur l'Europe, ce fut elle qui les arrêta à Marathon, à Salamine, préservant la race grecque d'une destruction totale. Reine de la mer, elle brilla durant deux siècles d'un éclat incomparable, qui se projette encore sur l'humanité, semblable à la lumière de ces astres éteints qui survit à ses foyers et baignera nos yeux pendant des milliers d'années. N'est-ce pas à la démocratie athénienne (1) que l'art, la philosophie, l'éloquence vont encore demander leurs modèles? Mais tandis qu'Athènes produisait à la fois et coup sur coup, ou bien réunissait dans son enceinte Eschyle, Sophocle, Euripide et Aristophane, Phidias, Ictinus et Polygnote, Anaxagore, Socrate, Platon, Xénophon, Aristote, Epicure et Zénon, Périclès,

(1) On a souvent mal jugé les choses et les hommes de la démocratie athénienne. Voici, par exemple, Cléophon d'Athènes, un de ces démagogues vilipendés par Aristophane et dédaignés par les historiens, qui appartenaient en général (entre autres Thucydide et Xénophon) au parti aristocratique. On en a fait jusqu'ici des fanfarons ridicules. Il paraît évident qu'ils ne possédaient ni l'éloquence ni le génie d'un Périclès. Mais sont-ils si méprisables? Nous ne les connaissons que par leurs ennemis politiques. Ils flattaient le peuple, nous dit-on; mais on ne saurait contester qu'ils partageassent les sentiments du peuple et ne sussent les exprimer. Là est le secret de leur popularité. En somme, Cléon le démagogue est mort bravement pour son pays. Cléophon le démagogue, le marchand de lyres, a soutenu pendant sept années (411-404) le courage des Athéniens aux abois. Après la victoire des Arginuses, il s'est refusé à une paix acceptable, mais douloureuse. L'évènement a condamné sa politique de guerre à outrance; et il a été juridiquement assassiné par les partisans de la capitulation et de l'oligarchie. En essayant de reconstituer la figure, sinon la vie de Cléophon, d'après quelques vers et quelques passages de ses adversaires politiques et littéraires, — car cet artisan patriote était aussi un écrivain, auteur de tragédies romantiques, — M. Lallier (*Revue historique,* sept.-oct. 1877) aurait pu recommander moins froidement à la postérité son héros malheureux.

Thucydide, Isocrate, Démosthènes, sa puissance matérielle avait subi un désastreux échec. La guerre du Péloponnèse s'était terminée par le triomphe momentané de
Sparte, la ville dorienne, incapable, et par la bizarrerie
de sa constitution et par son éloignement du centre, de
rallier et de défendre le monde grec.

C'est alors que l'hégémonie passa fatalement à un peuple plus compacte et plus uni, d'ailleurs hellène d'origine,
ou du moins hellénisé, aux Macédoniens. L'éducation des
Archélaüs, des Amyntas, des Philippe et des Alexandre
était, comme leurs noms, toute grecque. C'est en qualité
de général des Hellènes qu'Alexandre prit sur l'Asie la
revanche des invasions perses ; son ambition la plus vive
était d'obtenir l'admiration des Athéniens. La rapidité de
ses conquêtes, l'immensité de son empire, la brièveté de
sa vie expliquent la chute et le morcellement de sa domination. Mais son œuvre ne périt pas avec lui, comme on
le répète trop souvent. Par lui les frontières du monde
hellénique avaient été portées à l'Oxus et à l'Indus, à
l'Euphrate, au Jourdain et aux cataractes du Nil. En dépit
des luttes confuses qui épuisèrent les forces de ses successeurs, en dépit de la conquête romaine, l'Asie Mineure
tout entière, la Syrie et l'Egypte demeurèrent acquises à
l'hellénisme. La langue et la civilisation grecques s'y établirent pour mille ans. Dans l'Asie Mineure surtout, l'assimilation des indigènes fut complète ; les villes et les
bourgades de la Cilicie, de la Paphlagonie, du Pont, de
l'obscure Cappadoce s'organisèrent à la grecque, avec des
mœurs et des institutions grecques, des écoles et une littérature grecques ; leurs dieux s'identifièrent avec ceux du
Panthéon hellénique, Astarté avec Aphroditè, Isis avec
Cérès et Junon, Anaïtis avec Artémis, Sérapis avec Jupiter, Esculape ou Bacchus. C'est surtout en Egypte, sous
les Ptolémées, et en Asie, pendant la période romaine,

que l'hellénisme oriental fournit un glorieux supplément
à l'histoire littéraire de la Grèce. En Orient, parurent,
dans toutes les branches des connaissances humaines, des
hommes tels que Eratosthènes, Ptolémée, Hipparque,
Aristarque de Samos, précurseurs de Galilée ; Euclide, le
maître d'Archimède ; les mathématiciens Héron, Dio-
phante, Théon ; Galien et Dioscoride ; Sostrate, l'architecte du Phare ; puis Strabon, Epictète, Dion, Lucien,
Longin, Denys d'Halicarnasse. Nous laissons de côté l'hellénisme latin, dont le développement est assez connu.
Mieux vaut examiner de près les conséquences de l'expédition d'Alexandre ; toutes n'ont pas été heureuses, il s'en
faut ; et les plus funestes, qui furent aussi les plus durables, ont échappé à M. Paparrigopoulo : nous dirons pourquoi.

La Grèce avait dû son éducation à l'Asie et à l'Egypte ;
mais elle avait singulièrement dépassé ses maîtres. En la
détournant vers l'Orient, Alexandre l'exposait à de nouveaux contacts avec les mœurs et les idées de peuples inférieurs ou arriérés. Elle allait se trouver aux prises avec
les superstitions grossières et les rêveries mystiques dont
elle s'était dégagée à grand'peine. Mêlée aux Perses, aux
Syriens, aux Juifs, elle leur prêtait sa langue universelle,
puissant instrument de propagande ; elle apprenait le grec
à Paul et coopérait à la diffusion rapide du christianisme.
C'est grâce à l'hellénisme oriental que la religion née dans
les districts les plus hellénisés de la Judée put emprunter
à la pensée grecque des armes pour la combattre et la réduire en esclavage. Sous le couvert de Platon, de Pythagore, de Plotin, le christianisme propagea ses dogmes
légèrement frottés de philosophie. La croyance des multitudes s'imposa aux hommes lettrés et sensés. Vainement
la Grèce proprement dite, vainement Athènes, dernier
refuge de l'esprit laïque, de la philosophie (bien amoin-

drie, hélas !), combattit avec vaillance la théurgie triomphante. Dès le troisième siècle de notre ère, la civilisation
gréco-romaine était débordée, abattue et disloquée. Bientôt le christianisme, montant sur le trône avec Constantin, allait déchaîner sur le monde byzantin le fléau des
sectes. L'empire grec a survécu à l'empire romain ; mieux
eût valu qu'il succombât. L'énergie de nations nouvelles,
hellénisées comme les Barbares d'Occident furent latinisés, aurait contre-balancé l'influence énervante du monachisme et des arguties théologiques. M. Paparrigopoulo
n'a pas vu cela, et il ne pouvait pas le voir. L'orthodoxie
grecque fait partie intégrante de sa nationalité ; la domination musulmane, la haine de l'Islam, l'ont associée à
l'idée de patrie, de revanche et de liberté. Rien assurément de plus naturel et de plus respectable que cet atta-
chement des Grecs au culte qui est devenu le symbole et
le consolateur de l'hellénisme aux abois. Mais nous croyons
fermement que les destinées de la Grèce et de l'Europe
auraient été plus heureuses si les peuples de l'Asie et de
l'Afrique, les Perses, les Syriens, les Juifs, les Arabes, les
Egyptiens avaient été laissés à eux-mêmes.

Les hypothèses rétrospectives ne veulent être qu'indiquées en passant ; elles ne peuvent rien contre l'enchaînement des choses. Il était impossible qu'Alexandre ou un
autre ne fût pas tenté d'annexer l'Orient à la Grèce, impossible que le judaïsme hellénisé ne se répandît point
sur l'univers, impossible que le christianisme grec ne se
séparât point de l'Eglise romaine. Les évènements dictent
à l'histoire ses lois.

« L'histoire de l'empire byzantin, depuis une vingtaine
d'années, a emprunté aux évènements qui se passaient ou
se préparaient en Orient comme un intérêt d'actualité. »
La Russie cherche à Byzance une partie de ses origines ;
les Grecs de Turquie, les souvenirs et les titres de leur

unité nationale; dans leurs écoles, Justinien, Héraclius, les Comnènes, les Paléologues ne sont pas moins populaires que chez nous Charlemagne, Philippe-Auguste ou saint Louis. Mais les annales de Byzance n'appartiennent pas seulement aux Hellènes; les Slaves et les Roumains y retrouvent les hauts faits de leurs ancêtres et l'histoire de leur établissement dans la vallée du Danube. Ce Bas-Empire de Lebeau, où nous ne voyions que dissolution et décadence, est pour eux le moyen âge gréco-slave, « aussi fécond que le moyen âge latino-germain. » Enfin, l'Occident n'a point à dédaigner le pays et la cité qui lui ont transmis les traditions de l'antiquité; il leur doit la Renaissance.

La restauration de l'empire byzantin par M. Paparrigopoulo est la partie la plus neuve et la plus intéressante de son livre. Si l'auteur, à notre avis, ne rend pas assez compte des conditions qui ont permis à cette lourde machine de fonctionner pendant onze cents ans, il explique fort bien les circonstances qui l'ont paralysée, et aussi les services qu'elle a pu rendre à la civilisation.

La force de l'empire résidait beaucoup moins en lui-même que dans la faiblesse relative de ses adversaires. Il était en dehors du grand courant germanique; sans doute, par deux fois, les Goths, en 267 et du temps d'Alaric, envahirent et saccagèrent la Grèce; mais ce ne furent que deux trombes. Sans doute des bandes hunniques s'établirent fortement sur la rive droite du Danube; elles descendirent plusieurs fois jusqu'à Thessalonique, jusque dans l'Hellade; Constantinople en fut enveloppée; mais ces Bulgares se montrèrent incapables de constituer un Etat, et, après cinq siècles de luttes, ils furent usés et anéantis. Les Slaves enfin, qui avaient passé le Danube à la suite des Goths et des Huns, et dont les tribus innombrables occupaient la Mésie, l'Illyrie, la Thrace, les Slaves qui,

au septième siècle, avaient pénétré en Grèce, dans le Péloponnèse, et y étaient restés, après avoir causé dans la
partie européenne de l'empire un désordre permanent et
prolongé, après s'être un instant organisés sous leur roi
Douchan, rentrèrent dans l'ombre où ils ont végété si
longtemps. Les uns, ceux du Péloponnèse, furent si complètement hellénisés, qu'ils oublièrent leur langue et leur
origine; les autres, laissant les villes à leurs anciens pos-
sesseurs, peuplèrent et peuplent encore les campagnes de
Macédoine, d'Albanie, de Dalmatie.

Il n'y aura vraiment de noyau slave que dans cette sorte
d'isthme qui s'allonge entre l'Occident et l'Orient, du Danube autrichien à l'Adriatique, le long de la Save et de la
Drave, sur les versants des Alpes Juliennes.

En Asie, la situation de l'empire était beaucoup moins
menacée. Les Perses étaient des ennemis incommodes,
mais non des envahisseurs; ils avaient un gouvernement,
une patrie et ne songeaient point à émigrer en masse à la
façon des nomades germains ou slaves. Bien plus, ils ga-
rantissaient l'Asie Mineure des hordes mongoles et turco-
manes. Quant aux Arabes, leur premier enthousiasme fut
seul redoutable; la Syrie, l'Egypte tombèrent entre leurs
mains dès le septième siècle ou environ; leurs flottes vinrent par deux fois mettre le siège devant Byzance; mais,
en somme, ils n'entamèrent pas le corps de l'hellénisme et
en reçurent tout ce qu'ils ont jamais eu de science et de
philosophie. Ils n'ont contribué qu'indirectement, sans le
savoir, à la ruine de l'empire grec et, par suite, à ces embarras inextricables qu'on nomme la question d'Orient.
En détruisant l'individualité nationale de la Perse, ils ont
abaissé la barrière qui contenait les cavaliers pillards de
la Bactriane et de la Sogdiane; en portant l'islam chez les
Turcs, ils les ont inévitablement attirés vers les régions
d'où était venue la nouvelle foi; et c'est ainsi qu'au on-

zième siècle le cœur de l'Asie Mineure s'est trouvé aux
mains des Seldjoukides, Ortokides et Osmanlis. M. Paparrigopoulo est convaincu que les Comnènes étaient en
mesure de refouler ou de limiter cette redoutable invasion; tout ce qu'on peut accorder, c'est que des compli-
cations imprévues, désastreuses, les mirent hors d'état
d'y résister efficacement.

L'empire, d'ailleurs, était miné par des vices intérieurs
beaucoup plus dangereux que les hasards de la guerre,
vices contre lesquels ne pouvaient rien les lois de Justinien, les victoires de Bélisaire, de Narsès, d'Héraclius et
de Nicéphore, que n'extirpèrent pas les décrets des empereurs iconoclastes et qui rendirent vains les efforts et les
talents réels de la dynastie macédonienne; et en effet ces
vices, ces maladies incurables, étaient inhérents à l'hellénisme oriental : c'était le chaos intellectuel, où la religion
officielle servait de champ de bataille à toutes les superstitions locales et à tous les systèmes philosophiques dé-
guisés en hérésies; c'était cette religion elle-même qui,
tout en prêchant les vertus privées, ne s'entend guère aux
questions sociales et politiques et qui enlève à la nation
toutes les énergies qu'elle détourne vers le salut individuel.
Le monachisme, qui a pu avoir, dans les pays incultes du
Nord, une heure d'utilité, fut la peste de l'Orient; il
n'avait rien de l'austérité originaire des couvents occidentaux; aux esprits lassés, et tous l'étaient alors, il offrait
des retraites demi-mondaines parmi d'agréables bosquets;
ce n'eût été que demi-mal s'il se fût agi de quelques di-
lettanti, de quelques politiques disgraciés ou désabusés;
mais les monastères dévoraient les générations, la virilité
de l'empire; les armées s'y engouffraient avant l'heure du
combat ; il n'y avait plus de soldats, et les empereurs
étaient obligés de recourir à des mercenaires. N'oublions
pas non plus l'instrusion des mœurs orientales, les eunu-

ques, la mollesse, la puérilité des pensées et des actes
quotidiens, la paperasserie administrative compliquée de
caprice, de concussion et de paresse, enfin tout cet ensemble de misères qu'on nomme le byzantinisme, et dont
M. Paparrigopoulo ne s'occupe pas assez : non qu'il les
ignore ou les dissimule, mais il semble les croire communes à tous les peuples et à tous les gouvernements. Or,
il faudrait aller à Siam ou en Chine, au pays des Bonzes,
des Talapoins, des Lettrés et des empereurs mystérieux,
pour trouver quelque chose d'analogue à l'empire grec.

Nous n'avons nulle intention de contester le mérite de
quelques souverains guerriers ou réformateurs ; et notre
auteur nous fait parfaitement comprendre la tentative de
Léon III et de ses successeurs iconoclastes contre le monachisme et les affadissements de la dévotion. Le culte des
reliques, l'adoration des saintes images et autres *gris-gris*
(comme diraient les Nyams-nyams), passionnaient les
hommes et surtout les femmes ; les populations, complètement hébétées, passaient leur vie dans les églises, dans
les monastères, dans les lieux de pèlerinage, à ressasser
de sottes prières et de niaises litanies. Léon III conçut le
hardi projet de couper court à cet amoindrissement céré-
bral qui risquait d'aboutir à une ruine, à un affaissement
universel. Il interdit le culte des images. Vous entendez
d'ici les lamentations des femmes, des ignorants, des su-
perstitieux : c'est l'histoire de l'enfant auquel on prend
son joujou. Le décret trouva des adversaires jusque dans
le palais impérial ; les femmes que le hasard ou le crime
porta au trône abolirent une loi si cruelle ; un Constantin V la rétablit, et cet acte de raison lui valut l'injurieux
surnom de Copronyme. On sait combien la lutte fut vive
entre les adorateurs d'amulettes et les iconoclastes ; un
des Léon, dépassant le but, proscrivit les images, prohiba
toute peinture religieuse, l'industrie des chemins de croix

et des bonshommes en cire. Il s'ensuivit des violences et
des pillages, bien plutôt, à en juger par les produits byzantins, qu'un véritable dommage pour l'art. Il fallut céder;
les images triomphèrent. M. Paparrigopoulo prouve cependant que la réforme des iconoclastes ne fut pas tout
à fait stérile, et que la dynastie macédonienne tira parti
fort habilement d'une sorte de réveil national.

Entre cette dynastie dite macédonienne et les Comnènes
s'étend une période obscure, troublée, pauvre en vertus et
en gloires, où se succèdent les époux et les favoris des
impératrices Zoé et Théodora. C'est au milieu des intrigues de cette triste époque qu'a grandi Michel Psellos, le
grand savant, le Photius du onzième siècle. « Son prodigieux labeur littéraire, qui s'accommodait d'une vie toute
d'action, fait penser à Voltaire »... de bien loin. Toute
proportion gardée, en tenant compte des différences de
temps et de race, on reconnaîtra plusieurs points de ressemblance entre le polygraphe de Byzance et le philosophe
parisien. « Psellos, comme Voltaire, excellait à tourner
des petits vers et à disserter sur la physique; comme lui,
il a touché à tout; il a une verve caustique, une curiosité
universelle; il fut, pour son siècle, un penseur hardi et
singulièrement novateur. » Le nombre de ses opuscules,
de ses poésies, de ses discours est si prodigieux, qu'au
dix-septième siècle on les attribuait à quatre Psellos. En
consacrant à ses écrits historiques et politiques deux volumes de la *Bibliothèque grecque du moyen âge*, M. Constantin Sathas permet enfin de reconstituer le caractère
et le rôle de cet homme remarquable. Un texte hérissé de
difficultés, habilement publié d'après le manuscrit *unique*
de la Bibliothèque nationale, une langue peu abordable,
un style maniéré et plein d'allusions ou de réticences n'ont
point arrêté M. Alfred Rambaud (*Revue historique*, mars
1877). Il en a tiré un récit, très nouveau pour beaucoup

6

de lecteurs, plus authentique et aussi amusant, ce qui ne
gâte rien, que le *Robert de Paris* de Walter Scott. Car,
en traçant un portrait, il n'a négligé ni le cadre ni les
accessoires. Autour du personnage principal, pauvre et
laborieux, étudiant devenu ministre, factotum de huit ou
dix empereurs, faiseur de rois, moine par caprice d'abord
et enfin par lassitude, toujours écrivain et professeur, philosophe platonicien, croyant, sceptique, historien, beau
diseur, sorte de Victor Cousin ou de Guizot plus souple, il
a groupé ses parents, ses condisciples, ses rivaux et ses
maîtres, les armées, le peuple à la fois dévot et attaché
aux vieilles superstitions, aux coutumes d'un autre âge,
que le christianisme n'avait point supprimées et qui peut-
être ont résisté à l'islam, la bourgeoisie commerçante et
paisible, la cour corrompue et sanguinaire.

Voici la vieille Zoé, blonde bien conservée, dans son
harem d'eunuques et de bouffons; voici ses trois maris:
Romain Argyre, qui dut l'épouser pour n'avoir pas les
yeux crevés, et qui fut empoisonné et étouffé après cinq
ans de règne; Michel le Paphlagonien, qui finit dans un
cloître, laissant sa part du trône à son neveu Michel le
Calfat, fils d'un ouvrier du port; puis Constantin *monomaque*, ancien beau retraité, tout entier à ses plaisirs et
qui sut, du consentement de sa vieille épouse, installer
dans le palais même sa maîtresse en titre, élevée au rang
de Sébaste, c'est-à-dire d'Augusta, de personne impériale.
A celle-ci succédèrent une princesse du Caucase et un vil
bouffon, à qui l'empereur passait tout, même des tentatives d'assassinat. Psellos était entré aux affaires sous
Michel IV; il devint, sous le *monomaque*, grand chambellan et premier ministre; c'est de ce maître assez débonnaire qu'il obtint la restauration de l'Université; avec ses
amis Xiphilin et Likhoudis (plus tard patriarche) il se mit
à professer la philosophie. Ce fut le plus heureux et le

plus beau temps de sa vie. Disciple de Platon, quoique
bon chrétien, il se lança dans une foule de polémiques ;
mais en criblant ses adversaires d'épigrammes plus ou
moins spirituelles et souvent violentes, il déconsidéra son
enseignement et son gouvernement. L'Université fut de
nouveau fermée. Psellos, disgracié, mécontent, malade,
se crut appelé à la vie religieuse. Il s'arracha au monde et
partit pour le mont Olympe de Bithynie. Mais son accès
de monachisme dura peu. Il reparut à la cour, contribua
à la chute d'un nouveau Michel, à l'élévation d'Isaac Comnène, de Constantin et Michel Doucas : ce dernier était
son élève et, comme l'impératrice Eudokia, un lettré de
dixième ordre.

Une grande faute, un crime, pèse sur la mémoire de ce
versatile mandarin : les malheurs et la fin lamentable
d'un homme courageux et habile, l'empereur Romain
Diogène, furent en partie son œuvre. Ce Diogène était allé
combattre en personne les Turcs Seldjoukides : les intrigues de Psellos amenèrent la défection de ses lieutenants ;
un sultan victorieux recueillit et soigna l'empereur prisonnier, lui rendit sa liberté ; et c'est au moment où Diogène
revenait prendre possession d'un trône dont il était digne,
que Michel Doucas lui fit crever les yeux : Psellos accepta
la complicité de ce forfait ; il continua de gouverner sans
remords. Cependant, vers 1077, il rentra dans la vie monastique et disparut de la scène du monde. On voit que
l'idée de patrie était déjà bien obscure et bien vacillante
chez les esprits les plus cultivés et chez les âmes les moins
méprisables en somme de cette race dégénérée. Et pourtant Psellos conservait au fond du cœur l'amour de la
Grèce, de ses monuments et de ses débris. Son patriotisme idéal, désespérant de l'avenir, se réfugiait dans le
passé. Sa correspondance administrative témoigne en
maint endroit de sa passion pour l'Hellade. « Ne t'étonne

pas, écrit-il à un fonctionnaire, si je suis l'ami des Athéniens et des Péloponnésiens. Je les aime à cause de Périclès, à cause de Cimon, à cause des philosophes et des
orateurs d'autrefois. Ne doit-on pas aimer les enfants à
cause de leurs parents, lors même qu'ils n'en reproduisent
pas tous les traits? » Que ne peut-on, dit M. Rambaud,
« démembrer le personnage, garder Psellos le savant et
rejeter Psellos le grand chambellan ! »

Tandis que la moitié grecque de l'empire romain, relativement épargnée par les barbares, et demeurée maîtresse
d'elle-même entre les Slaves et les Turcs, successeurs des
Arabes, allait s'enfonçant avec lenteur dans la décadence,
comme un continent dont la mer fait une île chaque jour
décroissante, le monde latin, rapidement inondé par un
déluge de Germains, de Vandales et de Huns, se dégageait
avec lenteur aussi des flots qui l'avaient couvert, et sortait
plus vivace et plus fort du limon de la barbarie. Et c'est
de cet Occident, de cette chrétienté latine qu'allait partir le coup fatal :

Tantum relligio potuit suadere malorum !

Jésus et Paul ont coûté cher à l'Orient grec. Le christianisme a été son pire ennemi. Au dedans, il l'a désorganisé; du dehors, il l'a écrasé : de toute façon il l'a tué.
Etrange enchaînement de fatalités ! C'est en refoulant
l'islam, qui ne fût jamais né sans le christianisme, que
l'Occident chrétien s'est rué sur les contrées d'où le christianisme s'était rué sur l'Europe!

La chute de l'empire d'Orient et avec elle le déchaînement de la puissance turque dans la vallée du Danube et
sur la Méditerranée, tels ont été les principaux résultats
des croisades; elles n'ont pas enlevé la Syrie ni l'Egypte
aux infidèles, qui formaient, d'ailleurs, la population de

ces pays; mais elles ont ravagé la Thrace, la Macédoine, l'Asie, elles ont rompu un Etat debout encore, et l'ont empêché de se relever. On sait quelles inquiétudes donnèrent à Alexis Comnène les bandes de Pierre l'Ermite et les troupes un peu moins sauvages de Godefroy et de Bohémond; il savait déjà quel compte faire de l'amitié des Occidentaux. Le schisme avait pour toujours aliéné l'Eglise à l'empire grec. Les Normands de Guiscard, avec la complicité du pape, avaient tenté plusieurs attaques acharnées, mais infructueuses, sur les côtes d'Acarnanie et d'Epire. De pareilles entreprises se renouvelèrent durant tout le douzième siècle, soit en Europe, soit en Asie. En 1204, la quatrième croisade, partie pour Jérusalem, s'arrêta à Constantinople. La ville, livrée à des discordes intestines, fut prise et pillée par les Vénitiens, les Flamands et les Français. Un ridicule empire latin, une féodalité grotesque furent installés en Macédoine, en Grèce et dans le Péloponnèse; et, pour comble de honte, les souverains éphémères furent réduits à s'allier aux Turcs, aux musulmans, pour combattre les Comnènes et les Paléologues chrétiens établis soit à Arta, soit à Nicée ou à Trébizonde.

L'empire latin d'Orient dura cinquante-six ans. Ce criminel anachronisme avait tout désorganisé. Des marquis et des ducs vécurent en Morée et sur divers points du territoire pendant un ou deux siècles. Les Paléologues, maîtres de Constantinople, eurent encore la force de battre les Serbes; mais l'Asie était perdue. Pied à pied, ils reculèrent jusqu'à n'avoir plus que l'enceinte de leur capitale; et le dernier des Constantins, abandonné de l'Europe, assiégé par une puissante armée, après une résistance de deux mois, mourut bravement, frappé par derrière, «à la place d'honneur où il se tenait depuis cinquante-quatre jours, en face du quartier général de Mahomet, de ses

quinze mille janissaires et des plus grands canons qui
existassent alors ».

M. Paparrigopoulo accuse nettement l'Europe chrétienne, l'Occident croisé, d'avoir causé la perte de l'hellénisme chrétien en Orient; et l'on ne sait trop comment
cette responsabilité pourrait être déclinée. Le saint-siége
et la féodalité ont précipité sur l'Europe orientale, sur la
vallée du Danube, sur la Hongrie et l'Autriche les désastres qu'ils prétendaient en écarter et que l'empire byzantin
seul, depuis l'Hégire, tenait à distance. Ils ont renversé le
bouclier qui les couvrait.

La prise de Constantinople par les musulmans « n'effaça
pas seulement toutes traces de civilisation dans ces pays
helléniques qui avaient été le berceau de la civilisation »,
elle fut pour l'Europe le signal d'affreuses calamités et le
commencement de cette douloureuse question d'Orient,
qui reparaît plus menaçante à chaque ébranlement de
l'équilibre européen.

VI.

LA VIE ET LA SOCIÉTÉ DANS L'INDE CLASSIQUE,
D'APRÈS UN DRAME INDIEN.

L'Inde n'a pas d'histoire. Absorbée dans la recherche du
salut, goûtant par avance cette délivrance finale qui devait
la soustraire aux tourments de la métempsycose, prédes-
tinée par la chaleur de son climat à l'énervante paix de la
méditation mystique, assujettie d'ailleurs aux cadres immuables des castes, enfin séparée du monde par la mer,
l'Indus et l'Himalaya, elle n'a pas pris la peine de diviser
le temps, atome évanoui dans l'immense durée qu'entre-
voyaient ses sages ; à quoi bon mesurer la monotone succession des choses? La réalité, pour elle, n'était que le
domaine de *Mayâ*, l'apparence, l'illusion. Ainsi peut s'expliquer cette lacune étrange chez des peuples qui n'ont
pas compté moins de vingt siècles de vie indépendante,
qui ont atteint par eux-mêmes à une civilisation sans
doute incomplète, mais très raffinée et très brillante, qui
ont créé des religions, des philosophies et des institutions
si solides, que nulle conquête ne les a ébranlées.

Quoi qu'il en soit, depuis l'âge reculé où l'Arya, entre
les affluents du haut Indus, paissait de vastes troupeaux
en chantant les hymnes védiques, jusqu'aux temps où
l'autonomie hindoue périt sous les coups des Musulmans,
des Mongols et des Persans, la chronologie ne rencontre
que des points de repère incertains ou clairsemés. Les
voyages de Lao-Tseu et de Pythagore sont fabuleux ; la

date longtemps adoptée pour la naissance de Buddha est
abandonnée ; il faut se contenter de l'expédition d'Alexandre, des quelques renseignements fournis par les historiens des Séleucides, des noms de Porus, Taxile, Sandra-
cottos (Chandragupta), des inscriptions du roi buddhiste
Açoka, puis, vers les cinquième et sixième siècles de notre
ère, des précieuses relations rédigées par des pèlerins
chinois.

Comment distribuer, dans ce champ si mal délimité,
dans cet espace presque vide, les nombreuses richesses de
la littérature et de l'art ? A quelle période reporter les traditions d'épopées retouchées et augmentées d'âge en âge ?
la rédaction définitive des Védas, des commentaires nommés *Upanichads* et *Brahmanas* ? les lois de Manou, les
exposés philosophiques de Kapila, Kanada, Gôtama? Assurément, la philologie vient en aide à l'histoire littéraire ;
l'état de la langue, la comparaison des styles permet une
classification approximative. Et cependant, lorsqu'il s'agit
de l'époque vraiment classique où florissaient le drame et
la poésie, et qui s'étend visiblement du premier au huitième siècle, la critique reste muette, hésite ou se contre-
dit. On ne sait s'il y a eu un ou plusieurs Kalidâsa, ni
quand ils ont vécu, au second, au troisième, au cinquième
ou au neuvième siècle ; par cet exemple, il est facile de
juger du reste.

Heureusement l'énumération des évènements et des
dates n'est pas l'objet unique ni même le vrai but de
l'histoire. Elle se propose avant tout d'étudier les sociétés,
de dérouler le tableau de leurs vicissitudes morales. Quand
la chronologie lui manque, elle ne renonce pas à trouver
des auxiliaires qui suppléent ce guide si utile. Ne pouvant
raconter, elle peint. Par la littérature et l'art, elle entre
dans l'âme des peuples, elle prend sur le fait leurs habitudes, leurs institutions privées et publiques, leurs pas-

sions, la substance et les accidents de leur pensée et de
leur vie. Nous allons essayer d'esquisser ici la physionomie
tout originale d'une capitale indienne aux premiers siècles de notre ère, avec ses rues, ses places, ses jardins, ses
palais, ses tribunaux, ses castes diverses et ses catégories
sociales, rois, prêtres, moines, juges, voleurs, bourreaux,
avec ses riches et ses pauvres, ses élégants et ses ascètes,
ses femmes, ses enfants et ses courtisanes. Tous les éléments dont nous avons besoin paraissent rassemblés
comme à plaisir dans un drame célèbre, ou qui mérite
de l'être, la *Mricchakatikâ*, le *Chariot de terre cuite*.
Connu par la traduction brillante de l'illustre orientaliste
anglais Wilson (1827), arrangé ou plutôt ingénieusement
défiguré en 1850 pour la scène française par Méry et Gérard de Nerval (*le Chariot d'enfant*) et aussi par M. Paul
Bocage, singulièrement alourdi dans la version souvent
inexacte de M. Fauche, ce curieux ouvrage vient de trouver
dans M. Paul Regnaud un interprète aussi fidèle que savant ; trop fidèle peut-être, ce sera notre seule critique.

Pourquoi donc ne pas traiter le sanscrit comme nous
traitons le latin ? Pourquoi marquer par des italiques ou
des parenthèses les quelques mots qu'on croit devoir ajouter pour éclaircir un texte obscur ou elliptique ? Elève des
Hautes Etudes, M. Paul Regnaud, craignant sans doute la
férule du maître, s'est conformé à un usage qui donne un
air rébarbatif aux idées les plus simples ou les plus char-
mantes. Ses notes, cependant, sont assez nombreuses pour
que ses scrupules de traducteur eussent pu y trouver place.
Il nous semble aussi qu'il eût dû traduire les nombreux
passages du commentaire indien inédit qu'il se borne à
transcrire. Il s'adresse au public savant, c'est bien ; s'a-
dresser au public lettré eût été mieux : l'original et la
copie y auraient gagné une popularité, un large succès
qu'ils méritent au plus haut point.

L'auteur, la date possible, le titre, le sujet, l'action, la
langue et le style du drame exigent quelques explications
que nous ferons le plus courtes possible. L'auteur pré-
sumé, et fort invraisemblable, le roi Çûdraka, aurait vécu
environ deux siècles avant notre ère. La pièce est postérieure aux grandes épopées, le *Mahabhârata* et le *Ra-
mayana*, antérieure aux productions plus raffinées qu'on
attribue à Kalidàsa, antérieure aussi à l'abolition du bouddhisme dans l'Inde ; cependant la plupart des personnages
sont adorateurs de Çiva ; elle est probablement contemporaine des derniers Antonins ou de Septime-Sévère.

Le titre est emprunté à un jouet d'enfant qui a son
rôle dans le dénouement, qui forme le nœud inaperçu de
la pièce. Le sujet est double ; et l'action, morcelée, sans
unité de temps ni de lieu, combine tant bien que mal les
aventures de Vasantasénâ, la courtisane réhabilitée par
l'amour, avec les complots qui portent au trône Aryaka,
un bouvier prédestiné.

Les personnages parlent deux langues ; les hommes des
castes supérieures s'expriment en sanscrit ; les femmes et
les inférieures en- pracrit, qui est le plus ancien dialecte
populaire de l'Inde. La prose et la stance lyrique sont
tour à tour employés. Le style, plus simple que celui de
Kalidàsa, est cependant pour nous très raffiné déjà. La
composition du discours laisse à désirer, tout autant que
celle du drame, qui a dix actes ou tableaux principaux.
Partout les détails priment l'ensemble et viennent au premier plan. C'est là un des caractères les plus notables de
l'art indien, et celui qui le sépare nettement du génie occidental ; l'indigence des moyens scéniques accentue encore
ce défaut, d'interminables descriptions suppléant à l'absence des décors.

La *Mricchakatikâ* prête à de nombreux, à d'intéressants
rapprochements avec *la Courtisane amoureuse* de La Fon-

taine, avec *Marion Delorme* de Victor Hugo ; elle marche
à la façon des drames de Shakspeare, dont l'ample développement embrasse tout un monde. Elle dément l'hypothèse gratuite des critiques qui attribuent à la vague influence du théâtre grec la naissance du théâtre indien.
Elle abonde en scènes passionnées, en péripéties variées et
émouvantes. Mais son intérêt capital réside pour nous
dans ses intermèdes et dans ses longueurs ; ses imperfections nous servent plus que ses beautés, car nous leur devons les renseignements les plus précis sur la civilisation
de l'Inde en son âge classique.

Le lieu général de la scène est la capitale du Malva
(*Malava*), royaume et province de l'Inde occidentale, Oudjéin (*Ujjayini*), célébrée par Kalidâsa dans son *Nuage
messager*. Oudjéin luit comme un coin du ciel apporté du
paradis... Ce ne sont que terrasses où les pieds peints des
belles ont laissé leur empreinte, balcons festonnés de jas-
min où les paons étalent leurs riches couleurs, jardins
embaumés, temples baignés par la Gandhavati pleine de
prêtresses sans voile ; aucune brise ailleurs

> Ne se parfume ainsi de femmes et de fleurs...
> Peut-on de ses palais mépriser le séjour?
> Connaît-on la beauté si l'on ne voit ses femmes (1)?

On peut juger de la splendeur des habitations riches par
les huit vastes cours et les portiques de la demeure hospi-
talière où Vasantasénà, digne émule des grandes courtisanes grecques, gouverne son collège d'hétaïres : les bâti-
ments sont enduits de stuc, les escaliers dorés et émaillés
de pierres précieuses; les écuries regorgent de bœufs et

(1) Voyez notre traduction en vers du *Nuage messager* (*Megha-
dûta*), dans *Virgile et Kalidâsa*, in-18, Hetzel, 1865.

d'éléphants, les volières de perroquets, diserts « comme
un brahmane qui récite le Véda »; les jardins offrent tous
les charmes et tous les divertissements, des gerbes de fleurs
éclatantes, des bancs ombragés, des escarpolettes de soie :
c'est le rendez-vous des joailliers, des cuisiniers, des bou-
chers, des joueurs, des musiciennes et des danseuses. Là
est l'appartement du frère de la courtisane, ici le salon où
trône sa mère, le boudoir dont Vasantasénà est le plus
précieux joyau. Le portail est digne du palais d'un roi.

Les abords en ont été arrosés, nettoyés et peints en vert ;
le palier est diapré de fleurs odorantes ; une haute arcade
d'ivoire en relève l'éclat ; des bannières d'heureux présage,
dont les dentelures jaunes ondoient au gré du vent, semblent des mains qui font signe d'entrer ; de chaque côté
sont rangés de magnifiques vases de cristal posés sur la
corniche des pilastres, et où des arbres balancent leurs
verts rameaux ; les panneaux de la porte sont en or et
constellés de diamants ; enfin, du haut du fronton, la vue
plonge sur l'horizon lointain (acte IV).

La vie est peu active dans ce climat brûlant ; les brahmanes méditent dans leur maison fraîche ou bien cher-
chent l'ombre dans les parcs ; les princes et leurs parasites
élégants flânent, arrêtant les litières traînées par des bœufs
indolents. La police est mal faite, quoique brutale, et,
vers le soir, les voleurs s'amusent à percer dans les murs
des portes en forme de bouteille ou d'oiseau ; les maîtres
de tripots poursuivent et maltraitent le joueur malheureux
qui s'est enfui sans payer.

Parfois, souvent, un orage torrentiel inonde les piétons
attardés, qui s'en inquiètent tout juste assez pour observer
les figures changeantes des nuées. Il y a, au cinquième
acte, une description d'orage qui donne la clef de toute la
mythologie indienne. La courtisane et le *Vita*, bel esprit
philosophe, ne laissent passer aucun éclair, aucun ton-

nerre, aucune rumeur de vent sans les comparer à des regards, à des flèches, à des dents de feu, à des voix divines, à des mugissements de monstres qui s'étreignent, s'accouplent et se combattent : l'air est un pandémonium où tout se personnifie pour avertir l'homme, pour arroser la terre et la féconder : là sont les vaches célestes, les buffles ailés, les serpents, les chevaux d'Indra. La superstition dirige tous les actes de la vie. L'oiseau qui passe a un sens ; le moindre battement du sang dans l'artère temporale, une démangeaison à la jambe démontent les plus fermes courages. Le héros même, le noble brahmane Chârudatta, se laisse troubler par les augures et les pressentiments.

La population d'Oudjéin comporte toutes les conditions sociales, toutes les doctrines religieuses et philosophiques. On sait que, aux catégories mobiles de la liberté et de l'esclavage, de la richesse et de la pauvreté, du vice et de la vertu, du talent et de la sottise, l'Arya de l'Inde a ajouté les cadres fixes des castes. Les quatre premières ont été calquées sur les principales fonctions de la société antique : la guerre, le culte, le commerce, l'agriculture ; puis beaucoup d'autres sont venues s'y ajouter, soit par le mélange des races, soit par le développement des métiers et des industries. Tous ces groupes formaient des corporations closes, condamnées à se recruter dans les mêmes familles, jusqu'à la fin des temps. Et, sauf les luttes acharnées plus d'une fois engagées entre les prêtres et les guerriers, il semble que la paix ait régné d'ordinaire, paix bien voisine de l'affaissement, dans cette hiérarchie de classes héréditaires pourvues d'offices définis, de privilèges parfois onéreux, sous l'autorité despotique d'un roi sans contrôle, et sous la garantie d'une justice à peu près égale pour tous.

En tête marchent les brahmanes, qui occupent à peu près, caste à part, la place dévolue à nos clercs du moyen âge. Mais ce sont des clercs laïques, mariés, pères de fa-

mille, qui ne font pas bande à part. S'il y a parmi eux des
ascètes retirés dans les ermitages des bois, il y a aussi des
élégants, des amoureux, des riches prodigues, amateurs de
concerts, de divertissements. Nul ne s'étonne que Chârudatta, tout bon mari qu'il est, aime éperdument une belle
courtisane ; sa femme elle-même admet de bon cœur ce
partage d'affection ; il n'en est pas moins le modèle de
toutes les vertus généreuses, l'objet de la vénération publique, le syndic de sa corporation. Sa pauvreté même, où
l'ont conduit ses façons libérales, et qu'il déplore si amère-
ment, ne peut atténuer son caractère sacré. Son ami Mai-
treva, sympathique malgré son scepticisme et sa bouffon-
nerie, et même Çarvilaka, qui s'est fait voleur par amour,
demeurent brahmanes jusqu'au bout des ongles. Le peuple,
les courtisans eux-mêmes, s'agenouillent devant eux. Le
juge qui les condamne serait blâmé s'il omettait, en leur
parlant, le titre de seigneur, *arya* par excellence.

Le monde de la cour, des *Kchatriyas*, la caste militaire, est représenté par le roi, qu'on ne voit pas ; par son
beau-frère, le fou et le traître Samstânaka, assassin de la
courtisane, et par le *Vita*, précepteur parasite, qui se pique
de belles manières et de beaux sentiments. Si l'auteur est
un roi, il n'a pas flatté ses pareils ; il fait bon marché de
sa caste dégradée par l'abus du pouvoir, et il y introduit
sans scrupule des usurpateurs de race infime, des bouviers
populaires, appelés au trône par la fatalité. Evidemment,
à l'époque où fut écrit *le Chariot*, les Kchatriyas étaient la
plus mêlée des castes indiennes, et le prestige royal était
évanoui. Le peuple regardait tomber les rois sans les défendre et se rangeait dédaigneusement au parti du plus
fort.

A quelle caste appartenait la magistrature d'Oudjéin ?
Notre texte n'en dit rien. Les présidents étaient peut-être
des brahmanes ; mais leur indépendance était limitée :

tout en débitant de belles maximes, tout en affectant une
louable impartialité, ils n'étaient pas insensibles aux in-
fluences de la richesse, et s'étudiaient à subir avec décence
les ordres de la cour. Chârudatta nous fait une peinture
assez peu séduisante des pouvoirs publics et de l'appareil
judiciaire : Le palais du roi est comme une mer aux rives
agitées par les flots des affaires publiques et peuplée d'hôtes
redoutables ; les ministres, plongés dans leurs réflexions,
figurent l'eau profonde ; les messagers sont les coquillages
agités par les flots qui la remplissent ; les espions tiennent
lieu des crocodiles et des marakas qu'on rencontre sur ses
bords ; les éléphants et les chevaux tortionnaires corres-
pondent aux poissons de proie qu'elle renferme dans son
sein ; les cris des plaideurs rappellent ceux des hérons, et
les scribes ressemblent aux serpents dont elle est le refuge (acte IX). Mais entrons dans le tribunal.

L'huissier balaye et met les sièges en place ; le juge
adresse à ses assesseurs, le prévôt des marchands et le
greffier, un petit discours assez convenable, mais dont le
trait final demande à être médité : « Connaître la loi,
dit-il, être habile à découvrir les fourberies, doué d'éloquence, non irascible, équitable pour ses amis comme
pour ses ennemis, » tel est le devoir du juge ; « qu'il ne
prononce de sentence qu'après que la cause a été exami-
née ; qu'il protège les faibles, châtie les méchants, se
garde de la cupidité ; son cœur doit s'attacher à la vérité
pure, *et il faut qu'il s'applique à détourner la colère du
roi* ». C'est sans doute pour détourner cette colère qu'il
accueille, après avoir fait mine de résister, la plainte du
beau-frère du roi, non inscrite au rôle. Il écoute l'accusation, et, bien qu'elle soit insensée, bien que le demandeur
se soit trahi lui-même, l'affaire s'instruit sommairement.
Les témoins sont mandés, on les fait poliment asseoir ;
l'accusé, de même, est amené sans violence inutile : c'est

Chârudatta lui-même. Le juge lui fait également donner un
siège, qu'on lui retire seulement au moment de prononcer
la sentence. Il n'y a point d'avocats. L'accusé se défend
lui-même, fort mal il est vrai, et quelques apparences
bien peu probantes permettent au tribunal de *détourner*
la colère du beau-frère du roi et de condamner un innocent. Le roi, qui naturellement hait les brahmanes, or-
donne l'exécution. Le mécanisme judiciaire est simple,
comme on voit, mais peu coûteux, voire entièrement gra-
tuit. La peine suit le jugement, après confirmation royale,
à moins, semble-t-il, qu' « un brave homme ne donne de
l'argent pour délivrer le condamné » (acte IX). Mais Chârudatta et ses amis n'ont pas un *souvarna*. Le malheureux
brahmane est livré aux bourreaux.

Ce redoutable office appartient à la plus abjecte des
classes, aux Chandàlas.

Deux estafiers de cet ordre infâme accompagnent Chârudatta au lieu du supplice, qui est le cimetière des sup-
pliciés. Par une très remarquable ironie, l'auteur a placé
dans le cœur et dans la bouche de ces deux pauvres bour-
reaux-nés les sentiments les plus nobles, les paroles les
plus compatissantes. Pleins de respect pour le haut rang
du brahmane, pour ses vertus qui rendent son crime invraisemblable, ils ne cessent de le réconforter en chemin.
Ils allongent la route, traînent la proclamation légale de la
sentence, ne peuvent se résoudre à lever leur épée. L'un
s'écrie : « Au moment où nous allons mettre à mort, sur
l'ordre du destin, un homme qui est le premier de la ville,
ne dirait-on pas que le ciel pleure ou que la foudre tombe
sans qu'on voie de nuages ? » Et l'autre répond : « Le ciel
ne pleure pas... Tout le monde pleure, et les larmes qu'on
répand arrosent la route et empêchent la poussière de
voler. » Et celui qui va frapper : « J'avais tiré mon glaive
avec vigueur, je le tenais à deux mains, et pourtant cette

arme terrible est tombée à terre. C'est un signe que le seigneur Chârudatta ne doit pas périr. »

Tous les beaux rôles sont distribués aux humbles, aux courtisanes, aux serviteurs, aux esclaves, à un masseur qui s'est fait religieux bouddhiste, aux enfants et aux femmes. Quel être charmant que ce petit Rohaséna, le fils de Chârudatta, soit qu'il joue avec son petit chariot de terre cuite, faute du chariot d'or emporté par les créanciers, soit qu'il suive son père marchant au supplice et demande à mourir pour lui ! Il n'y a vraiment rien à reprendre dans la famille indienne : c'est déjà cette union affectueuse des parents et des enfants, sans la sauvage paternité romaine ; l'amour de Chârudatta pour son enfant est tout moderne. La femme donne l'exemple des vertus domestiques ; son mari est son dieu ; et elle témoigne d'une abnégation qui paraîtrait bien forte, quand elle offre son collier de perles pour remplacer le dépôt perdu de la courtisane ; elle n'ignore pas que son mari est amoureux de Vasantasénà ; mais sans doute, en ces temps plus voisins de la nature, les raffinements de la jalousie n'apparaissaient pas encore ; on attachait moins d'importance à des faiblesses ordinaires, qui sont devenues des fautes et des crimes.

Nous avons jeté plus haut un coup d'œil sur les magnifiques appartements de Vasantasénà, la grande hétaïre. Elle exerçait une profession acceptée sans scandale. Femme libre, instruite, douée de toutes les perfections du corps et de l'esprit, elle ne semblait à personne déplacée chez un brahmane. Ce n'est pas à dire que beaucoup de ses pareilles, qu'elle-même à certaines époques de sa vie, ne justifiassent les expressions insultantes que lui prodiguent les amants éconduits ou dédaignés. Mais nul ne s'étonne que l'amour du noble Chârudatta ait purifié, relevé cette femme déchue ; nul ne murmure quand le nouveau roi

7

Aryaka lui permet de porter le titre d'épouse légitime, pas même la femme, qui, croyant son mari mort, allait monter sur le bûcher funèbre. Il n'est pas probable que la thèse de Çudraka ait paru à quelques-uns, comme la réhabilitation de Marion Delorme, subversive de toute morale et de tout ordre social. Les courtisanes d'autrefois n'étaient pas celles d'aujourd'hui, et l'Inde classique avait ses glorieuses Aspasies. Tandis que l'épouse vouée aux travaux secrets du gynécée, maîtresse honorée de la maison conjugale, entourée d'égards religieux et de tranquille amour, élevait les enfants et distribuait la tâche aux esclaves des deux sexes, souvent heureux dans leur humble fortune, souvent fidèles et héroïques, des personnes libres exerçaient l'empire de la mode, des lettres et des arts, et faisaient briller les aspects les plus séduisants et non les moins utiles du génie féminin. C'étaient les Célimène, les Sévigné, les Sablière et les Pompadour de leur temps. Nous avons trouvé des formes sociales plus dignes, plus conformes à notre climat et à nos lois. Mais pour juger les âges disparus, il faut s'y transporter tout entier et ne pas appliquer notre morale à des sociétés moins strictes et plus variées, plus ondoyantes.

Nous avons passé en revue quelques-uns des types rassemblés dans *le Chariot de terre cuite* (1), donné une idée des sentiments et des mœurs, des états sociaux. On a pu noter les rapports et les différences également sensibles qui existent entre les civilisations contemporaines de la Grèce, de Rome, de l'Inde, et celle des Indo-Européens modernes.

(1) *Le Chariot de terre cuite* (*Mricchakatikâ*), drame sanscrit attribué au roi Çudraka, traduit et annoté des scolies inédites de Lalla Dîkshita, par Paul Regnaud, ancien élève de l'École pratique des hautes études, membre de la Société asiatique. 4 vol. in-16 de la Bibliothèque orientale elzévirienne. Paris, Ernest Leroux, 1876-1877.

La morale, la justice, l'organisation municipale ne sont
qu'ébauchées à Oudjéin. Les relations des sexes sont plus
dominées' par les instincts animaux ; les conventions nécessaires qui, chez nous, les régissent, n'ont point encore
assez corrigé les vieilles lois de la nature. Mais déjà l'humanité est en bonne voie ; à quelques égards elle est en
avance sur les siècles suivants. La tolérance religieuse
règne à Oudjéin. Si le Çivaïsme domine, avec ses innombrables sectes et ses faces multiples, austères, lascives,
subtiles ou grossières, avec ses mythes savants ou insensés, ses pratiques minutieuses, sombres, gaies, obscènes ;
à côté de ce vieux legs du brahmanisme et des superstitions locales, le bouddhisme promène en toute liberté ses
haillons, son extase mystique, son oubli profond des castes,
des gouvernements, des dieux et des devoirs de la vie ; ses
couvents sont respectés, et les prêtres officiels dissimulent
encore leur haine, pourtant légitime, pour la religion
athée qui menace leur panthéon et leur puissance.

La grande infériorité indienne éclate dans l'ordre social
et politique. Les castes immobilisent les talents et atro-
phient l'âme qui ne se renouvelle plus, qui languit étouffée
dans ces cadres immuables. Chacun a sa voie tracée ; nul
ne voit au-delà des intérêts de son groupe ; nul ne s'élève
à l'idée d'une égalité active, qui est la liberté. De là ce
despotisme intermittent, ces petits États morcelés qui
passent du vaincu au vainqueur sans que les meilleurs
esprits reconnaissent, autrement que par le succès, la
bonne et la mauvaise cause. Le brahmane Chàrudatta ne
commet aucune infraction aux lois morales, il n'a conscience d'aucune faute lorsqu'il fait évader dans sa propre
litière le bouvier Aryaka. Rien ne l'attache au roi de
l'heure présente ; il lui importe peu que Pàlaka occupe le
trône ; plutôt même voit-il avec plaisir la chute probable
d'un prince sans valeur notable et qui appartient à une

caste ennemie : la victoire du bouvier humiliera les Kchatriyas et rehaussera d'autant la nation des brahmanes qui
survit à tout ce qui passe et dont l'éternité défie les vicissitudes de l'histoire. Aussi quand Aryaka victorieux, assassin du roi Pâlaka, offre à Chârudatta une province et
Vasantasénâ, il n'éprouve pour le meurtrier que des sentiments de reconnaissance, il accepte ces bienfaits de la
main du voleur Çarvilaka, devenu le favori du nouveau
monarque ; et il se sent, à ce moment même, tellement
vertueux et magnanime, qu'il fait grâce à son calomnia-
teur, au traître Samsthânaka ; il l'arrache à la colère du
prince, du peuple, au châtiment mérité. Ce n'est point
l'acte d'une conscience troublée ; et il n'y a point de contradiction dans sa conduite. Là où l'ordre social vrai
n'existe pas, où les peuples n'ont pas pris conscience
d'eux-mêmes, il n'y a ni règles ni vertus politiques. Là
où la justice n'est qu'une forme de la vengeance individuelle, la victime peut sauver le meurtrier et le couvrir de
son pardon.

En tirant du vieux drame indien les éléments historiques qui y sont renfermés, nous n'avons qu'effleuré la
matière. C'est aux lecteurs de faire le reste ; ils peuvent
maintenant pénétrer dans le monde auquel nous les avons
préparés et jouir des mérites d'une composition originale
et d'une éclatante poésie. Oudjéin s'ouvre devant eux, nous
les laissons sur le seuil, avec un guide excellent, le fidèle
et savant traducteur M. Paul Regnaud.

VII.

Nombreuses sont les races qui ont formé l'unité française : ensemble et tour à tour, Ligures, Vascons, Celtes,
Allobroges, Gaulois, Romains, Francs, Burgundes, Visigoths, Northmans ont combiné leurs tempéraments et
sont venus greffer leurs rameaux sur le vieux tronc préhistorique. Mais les éléments ethniques ne suffisent pas à
constituer un peuple. Aussi nombreux sont les éléments
intellectuels, moraux, administratifs et politiques dont
l'antagonisme et l'équilibre expliquent et déterminent le
cours de nos destinées. Tels sont, par exemple, l'avènement des langues, des idées, des mythologies dites *aryennes*, la conquête de César et le régime impérial, la diffusion
du christianisme, l'invasion germanique, le morcellement
féodal, le mouvement des communes, la concentration
monarchique, la triple lutte de la science contre la foi, de
l'égalité contre le privilège, de la liberté contre l'autorité,
aboutissant à la Révolution française, enfin le retour
offensif des réactions coalisées.

Il est résulté de ces apports divers et successifs une
superposition de couches qui se recouvrent, se pénètrent, chevauchent et souvent montent pêle-mêle à la surface. Une coupe en pleine histoire ressemblerait fort
à ces tableaux géologiques où sont figurés, avec les lignes

générales des étages terrestres, les empiètements mutuels et les soubresauts des terrains accumulés. Telle roche, c'est-à-dire tel caractère physique, tel trait de mœurs, telle institution, y révélerait, à chaque pas, soit le sang gaulois, soit l'esprit chrétien, la féodalité ou la monarchie.

Mais un fonds, visiblement, prédominerait, fonds auquel les nations latines doivent leur nom. Nous procédons de l'antiquité gréco-romaine, romaine surtout. Sans doute les autres forces ont eu leur rôle plus ou moins considérable dans la combinaison d'où nous sommes sortis ; c'est pour cela que nous sommes Français, et non pas Francs ou même Gaulois : notre individualité nationale, si forte, est, comme toute autre, une résultante. Mais tout chez nous, esprit, art, littérature, régime social, porte la durable empreinte de l'éducation latine (1). Cela est si vrai, que notre histoire se résume en un constant effort pour éliminer l'élément germanique et l'élément chrétien : témoin le mouvement communal du douzième siècle, la tentative d'Etienne Marcel au quatorzième, la Renaissance, le dix-huitième siècle, enfin la situation présente. Le premier a disparu en 1789, avec les derniers vestiges de la féodalité ; l'autre, plus résistant, appuyé sur de nombreuses alliances, parfois inconscientes, prolonge la lutte et dispute encore la victoire. La question n'est pas de savoir si, de notre héritage gréco-romain, nous devons tout garder et tout admirer. En fait, il est devenu partie intégrante de notre nature individuelle et nationale.

(1) On verra plus loin avec quelle hardiesse et quel éclat M. Fustel de Coulanges a tenté de réduire à néant la part de l'élément germanique dans la civilisation moderne. Sa thèse, un peu absolue, a rencontré sur quelques points des contradicteurs autorisés. Lire à ce sujet un remarquable travail de M. Julien Havet sur le sens de *homo romanus* dans les lois franques (*Revue historique*, juillet-septembre 1875).

Qui aurait pu supposer, quand un groupe de proscrits
et d'aventuriers traçait au bord du Tibre, sur deux ou trois
humbles collines, l'enceinte de son refuge, qui aurait pu
croire que le retentissement d'un fait si mince se propa-
gerait d'âge en âge, par-delà deux mille cinq cents années ?
Longtemps Rome, quels qu'aient été ses progrès sous ses
rois sabins et ses Lucumons étrusques, ne dépassa pas en
puissance les villes voisines, Albe, Véies, Tusculum, dont
quelques lieues la séparaient. Sans l'expulsion des Tarquins, elle serait probablement restée le chef-lieu d'un
petit Etat, d'une petite confédération. C'est la révolution
accomplie par le premier Brutus — M. Duruy n'y insiste
pas assez — qui, ameutant contre elle les peuplades envi-
ronnantes et les alliés de ses anciens maîtres, la condamnant à une guerre perpétuelle, l'entraîna de proche en
proche à la conquête du monde.

Ses commencements furent laborieux. Les peuples
qui l'entouraient, Latins, Herniques, Eques, Sabins,
Volsques, si rudes à dompter, parlaient, sans doute, des
dialectes d'une même langue ; les Osques ou Samnites et
les Ombriens, un peu plus éloignés, se comprenaient
encore, à peu près comme un Espagnol entend le français ou un Italien le provençal. Tous possédaient des
institutions, des croyances et des mœurs analogues.
S'il fallut tant de sang pour grouper ces tribus ou ces
nations autour de Rome, et plusieurs siècles pour en
faire un seul et même peuple, quelle résistance ne de-
vait-on pas attendre des Etrusques, maîtres de la Toscane
et de la Campanie, des Gaulois établis sur les deux rives
du Pô, des Grecs enfin, qui occupaient tout le sud de la
Péninsule et une partie de la Sicile ?

Rien de plus obscur que les origines de la nation
italienne. Sûrement elle n'existait pas au cinquième siècle
avant notre ère, elle ne date que du premier, après la

guerre sociale. Encore le peuple romain proprement dit
conserva-t-il, en fait et même en droit, des privilèges
incompatibles avec notre notion d'unité, d'Etat. Rome fut
toujours une maîtresse bien plus qu'une capitale.

Jusqu'ici la Rome héroïque, conquérante, a eu dans
l'histoire le pas sur la Rome organisatrice et institutrice
de l'Occident; et par le prestige de la gloire, par le spectacle unique d'une seule ville étreignant l'univers, elle a
toujours droit à cet honneur. Mais les cinq siècles qui vont
d'Auguste à Augustule ont une autre importance dans
l'histoire de nos origines. C'est à ce point de vue qu'il convient d'examiner les institutions de l'empire romain. Les
auteurs qui ont récemment traité ce vaste sujet ont peut-
être obéi à d'autres sentiments. Ils semblent poursuivre la
réhabilitation d'un régime méconnu ; ils déclarent que
l'humanité ne retrouvera jamais le bonheur dont elle a
joui sous Tibère et sous Hadrien.

La *paix romaine* est leur idéal; à l'un, parce que la vie
provinciale y était exempte de préoccupations politiques ; à
l'autre, parce que l'*opposition sous les Césars* (1) n'a pas
été républicaine. Ils regardent l'histoire par le petit bout
de la lorgnette.

Un ordre de choses qui se maintient pendant cinq siècles, et qui, après quatorze cents ans écoulés, laisse des
traces sensibles dans les mœurs, les idées et les institutions, un pareil régime a dû posséder des vertus éminentes. Rien de plus manifeste ; et nous le tenons, avec M. Fustel de Coulanges, pour très supérieur au chaos qui lui
succéda. Mais combien de temps cet organisme a-t-il prospéré? trois siècles tout au plus. Les deux suivants ont vu

(1) C'est le titre d'un très agréable, très savant, mais très
incomplet ouvrage de M. Gaston Boissier. In-8°, Hachette,
1876.

sa dislocation lamentable ; et il n'a pu tenir debout contre l'assaut des barbares. C'est donc qu'il était miné par des vices mortels.

On a fait un mérite à l'empire du désarmement général, du cantonnement aux frontières de corps d'armée permanents. Mais cette mesure indispensable, et longtemps utile à la défense extérieure, a été cependant une cause de désorganisation et de ruine. Tout d'abord, en transférant la puissance effective à des vétérans qui vivaient de leur solde et considéraient la profession militaire comme un métier lucratif, elle habitua les légions à mettre la pourpre aux enchères, et à proclamer leurs généraux empereurs dans l'espoir d'obtenir des récompenses et des faveurs particulières. Ensuite, elle désintéressa les populations des grands intérêts nationaux ; elle leur enleva les moyens et la volonté de résister aux envahisseurs.

On a dit que l'empire, en principe et en fait, avait été unanimement accepté, que les provinces, heureuses sous une administration tutélaire, n'avaient jamais aspiré à l'indépendance, du moins jusqu'au milieu du troisième siècle, et que l'opposition, concentrée à Rome, n'avait jamais attaqué ni compromis sérieusement l'institution impériale. C'est la thèse soutenue avec esprit par M. Gaston Boissier ; M. Paul Giraud, dans un excellent article de la *Revue historique* (1), en a facilement découvert les lacunes et les points faibles. Il n'est pas exact que la sécurité et l'usage inoffensif des libertés locales aient pleinement consolé les nations conquises de leur indépendance perdue. La Gaule faillit se soulever tout entière à la voix de Florus et de Sacrovir ; elle favorisa la révolte de Vindex, et délibéra

(1) *Revue historique,* dirigée par G. Monod et G. Fagniez, première année, t. II, juillet-septembre 1876. Librairie Germer Baillière.

si elle prendrait fait et cause pour Civilis; son intérêt bien
entendu la décida seule à l'abstention : *tædio futurorum*
præsentia placuere ; ce fut la crainte d'une défaite, et plus
encore de la victoire de Civilis, qui la retint dans l'obéissance. Tacite l'a très bien compris. En effet le royaume que
Civilis voulait se tailler entre la Gaule et la Germanie eût
été une porte ouverte aux barbares. Mais à mesure que
l'anarchie pénétra dans l'empire, quand la paix publique
cessa d'être assurée, les tendances séparatistes de la Gaule
ne cessèrent de se manifester par des révoltes et des sécessions perpétuelles.

Quant à l'opposition politique, elle ne s'est produite qu'à
Rome, et elle ne pouvait se produire que là, puisque, sous
l'empire comme sous la république, Rome était le siége
unique du gouvernement, la tête de l'univers. Elle n'est
jamais descendue dans le peuple, formé en grande partie
d'affranchis et d'affamés, que l'empire nourrissait dans la
fainéantise ; rien de plus naturel. Elle n'est jamais venue
que de l'aristocratie, vouée aux fonctions publiques et suspecte aux Césars. Elle n'a pas été, sauf exception, républicaine. Les hommes d'action ou d'abstention, pas plus que
les philosophes et les poètes, n'aspiraient au rétablissement de la république. Thraséas, Helvidius, Sénèque,
Perse, Juvénal, Tacite avaient le culte des anciennes
mœurs ; mais ils n'attaquaient point l'empire. Les
conspirations n'avaient pour but qu'un changement
de personne. Mais pourquoi? Parce que l'empire n'était
qu'une suite et une forme de la république. Jusqu'à
Vespasien, les membres des familles Julia, Octavia,
Claudia, Domitia, etc., qui occupèrent le principat, ne
différaient guère, en droit, des consuls et des dictateurs
tels que Sylla, Marius, César, Pompée, Crassus, Antoine,
que par le caractère viager de leur pouvoir. Le Sénat, si
bas, si humilié qu'il fût, était toujours l'institution su-

prême, d'où émanait l'autorité publique. Il ne faut pas croire que ni la république ni l'empire, chez les Romains, ressemblassent, même de loin, à ce que nous appelons de ces noms. La domination d'une ville sur l'univers (1), telle était la raison d'être de l'un comme de l'autre. L'empire ne devint, en droit, une monarchie que le jour où l'assimilation des provinces à la métropole eut créé une sorte d'égalité dans la servitude ; mais, en aucun cas, le rétablissement de la République n'eût allégé la machine immense qui enserrait le monde : il n'importait donc ni aux populations, ni à la plèbe romaine, ni même à l'aristocratie, qui entendait bien, en tout état de cause, demeurer maîtresse des honneurs, des fonctions et des peuples conquis.

Maintenant la prospérité des provinces a-t-elle été si complète? A-t-elle été durable?

Ces peuples dont la conquête avait supprimé l'autonomie conservaient ou acquéraient une organisation municipale. Les opérations cadastrales d'Auguste avaient régularisé l'impôt. Les agents du pouvoir central, soumis à une autorité soupçonneuse et vigilante, ne pouvaient plus pressurer impunément les vaincus. Mais ces biens réels n'allaient pas sans abus. Les Verrès n'ont pas manqué sous l'empire. Au reste, la puissance encore très arbitraire des gouverneurs romains, tout en étant parfois une garantie

---

(1) Et, pour le dire en passant, la chute d'Augustule n'a pas mis fin à l'histoire de Rome. L'Eglise a succédé à l'Empire, le Saint-Siége à la Ville-Reine ; l'idée catholique repose tout entière sur la suprématie traditionnelle d'une cité toute-puissante. La domination romaine, à laquelle nous devons tant de biens et tant de maux, n'aura cessé que du jour où l'Occident sera émancipé de la tutelle catholique. La fondation de Rome demeure donc le plus grand évènement politique et social qui se soit produit à la surface de la terre. De là l'intérêt persistant qui s'attache aux origines, à l'extension, à l'invincible vitalité de la ville éternelle.

et un recours, n'en demeurait pas moins une marque toujours présente d'asservissement. Le monde se sentait maté;
il se détournait des questions vitales, des questions politiques : grand bienfait, dit M. Duruy; danger mortel, répond l'histoire; vice qui, après avoir longtemps couvé,
précipita la décadence par le rétrécissement et l'énervement de l'esprit public, et qui favorisa au plus haut point
la victoire dissolvante du christianisme. Notez aussi que
l'organisation municipale tout entière, fondée sur l'aristocratie et le cens, reléguait dans les clientèles et dans le co-
lonat la masse des habitants, tout préparés au servage
féodal. Les monuments de tout genre dont nous admirons
les restes, et où l'on a voulu voir un signe indéniable de
richesse publique et de prospérité, furent partout l'œuvre
de quelques particuliers opulents, le prix d'honneurs chè-
rement payés. Que de magistrats locaux, de duumvirs, de
patrons, s'épuisèrent à construire ces théâtres et ces temples! De telles dépenses, toujours obligatoires, finirent par
ruiner les riches eux-mêmes. Et lorsque des responsabilités financières de jour en jour plus pesantes firent dé-
serter les magistratures si chères jadis aux vanités provin-
ciales, le voile d'une fausse prospérité s'abattit, laissant à
découvert une détresse universelle et la plaie incurable de
la lâcheté publique.

En traitant du régime municipal dans l'empire romain
aux deux premiers siècles de notre ère (1), M. Victor Duruy
a trop écarté de sa pensée cette fin lamentable d'institutions imparfaites. Les larges vues ne nuisent pas aux études particulles. Les beaux siècles de l'empire ne sont pas
isolés dans l'histoire; ils portaient en eux la semence des
mauvais. C'est ce que M. Duruy n'indique pas assez. Sé-

(1) *Revue historique*, janvier-mars, avril-juin 1876. Le travail de
M. Duruy formera un chapitre du cinquième volume de son *Histoire romaine*.

duit par l'apparente santé du corps impérial, il n'a pas su ou n'a pas voulu découvrir les germes morbides, pourtant bien manifestes déjà, qui en minaient la vigueur. Ces réserves faites, nous rendrons hommage à sa compétence, et nous profiterons de son érudition.

L'ancien droit de la guerre adjugeait au vainqueur la terre et la nation conquise, les biens et les personnes. La république romaine en usa quelquefois sans merci, ruinant les villes, distribuant les terres à ses soldats, vendant les peuples. Mais son intérêt même limita sa rigueur. Elle laissa en général aux vaincus leurs dieux et leurs coutumes locales ; elle toléra toutes les lois particulières en les subordonnant aux siennes. C'est ce que firent plus tard les Francs et les Burgundes en Gaule. Mais cette légalité précaire n'avait de garantie que son bon plaisir. En fait, les provinces furent abandonnées à la rapacité et au caprice des préteurs et des proconsuls. Toutefois un recours était ouvert aux populations lésées, et le contrôle des actes proconsulaires ne fut pas toujours illusoire. A mesure que la domination romaine s'affermissait, elle établissait dans le monde un ordre indispensable à tout gouvernement. Les empereurs continuèrent l'œuvre commencée, et ce fut par le régime municipal qu'ils obtinrent ce calme fameux sous le nom de *pax romana*. Le partage du pays en circonscriptions urbaines pourvues de droits et de privilèges locaux eut pour effet d'effacer les anciennes divisions de peuples et de tribus ; l'univers romain tendit, sous Auguste, à devenir une juxtaposition de cités, vivant chacune dans sa sphère d'activité machinale sous l'œil et sous la main des gouverneurs de province.

« Dans les pays de langue grecque et punique, en Ionie, en Grèce, en Egypte, dans l'Afrique carthaginoise », là où il existait des cités constituées ou du moins des villes, « il n'y eut que de légères réformes à introduire ; mais dans la

Numidie, la Mauritanie, l'Espagne et la Gaule, dans les
vallées des Alpes, du Danube et du Rhin, tout, à peu
près, était à faire, et les Romains le firent. » Les populations éparses furent rattachées aux villes les plus voisines,
durent s'y faire inscrire pour le cens, y apporter le tribut,
y conduire les recrues, y chercher des juges. Bientôt, des
centres civils et religieux se fondèrent en des régions où
campaient des tribus demi-sauvages. L'Occident se couvrit
de cités depuis le Rhin, le Danube et les Alpes jusqu'aux
confins de l'Afrique méditerranéenne. Ce mouvement véritablement admirable et civilisateur se propagea durant
deux siècles. Ainsi, dans la Tarraconaise, Pline l'Ancien
comptait encore 149 peuplades contre 179 tribus canton-
nées autour d'une capitale ; au temps de Ptolémée, la proportion était renversée : il y avait 248 villes et seulement
27 peuplades disséminées.

L'organisation municipale n'était pas uniforme ; chaque ville avait sa constitution, sa charte, ses coutumes généralement respectées par les premiers Césars et par les
Antonins. Il n'était pas question, dans ces temps heureux,
de cette réglementation générale, si funeste, inventée vers
l'époque de Dioclétien et consacrée par le code de Théodose. Si le plus grand nombre des villes dites *stipendiaires*
étaient soumises à l'omnipotence du gouverneur romain,
elles conservaient cependant leurs lois propres, leur curie
ou sénat, leurs magistratures plus ou moins électives
« avec une certaine juridiction ». Quant aux villes privilégiées, *colonies, municipes de citoyens romains, cités latines,
alliées* ou *libres*, « qui formaient environ le tiers des com-
munautés de l'Espagne citérieure, et la totalité en Nar-
bonnaise, en Sicile, dans les Alpes Maritimes et Cottiennes, »
elles jouissaient d'une véritable liberté, plus étendue que
notre autonomie communale. La plupart régnaient sur de
nombreux villages, administraient leurs finances, leur

voirie, leur police, leurs chemins, recevaient ou refusaient
sans contrôle les legs et les donations. Bien plus, leur justice civile et criminelle n'avait de limite que l'appel au gouverneur ou à l'empereur qui, le plus souvent, en ratifiait
les arrêts, et s'en lavait les mains, comme Pilate. Enfin,
les institutions électives, abolies ou tombées en désuétude
à Rome, les comices, les candidatures, avec les brigues
traditionnelles, se maintenaient intactes au fond de quelque province reculée. Les *duumvirs*, magistrats annuels,
élus dans certaines conditions et dans certaines catégories,
représentaient le pouvoir exécutif; tous les cinq ans, ils
étaient dits alors *quinquennaux*, ils exerçaient les fonctions dévolues aux anciens censeurs, notaient d'infamie et
rédigeaient à nouveau l'*album* de la curie. Des édiles veil-
laient au service des eaux, à l'approvisionnement, à l'ordre
dans les théâtres et dans les jeux publics; des questeurs
étaient chargés des finances et et du contentieux. Les prêtres, pontifes, flamines, électifs aussi, assuraient le culte
des divinités locales, la célébration des fêtes antiques.
Sans doute les flamines augustaux, répandus dans tout
l'empire, étaient les ministres puissants et révérés d'une
religion civile qui servait de lien entre toutes les autres;
mais l'immixtion des dieux romains ne troublait point la
religion particulière du municipe.

Toutes les fonctions étaient recherchées avec une
extrême ardeur, même à titre honoraire, et les villes distribuaient à bon escient les insignes du duumvirat et les
ornements quinquennaux. Les honneurs n'étaient pas seulement gratuits, ils étaient onéreux; chaque entrée en
charge rapportait au Trésor une somme déterminée par
les règlements; chaque magistrat se croyait forcé (il l'était
en effet) d'offrir au peuple des jeux, des combats de gla-
diateurs, des banquets, d'élever quelque édifice, pont, ba-
silique, théâtre, arc de triomphe, thermes, colonne ou

temple. Le plus souvent, au-dessus des magistratures électives, la ville reconnaissait le patronage de quelque opu-
lent particulier. Le patron agissait pour sa cliente auprès
du gouvernement et des princes, appuyait ses réclamations,
soutenait ses procès devant les juridictions supérieures.
Visitait-il la cité, il était reçu par les duumvirs et par la
curie ; il faisait son entrée en avant des magistrats et des
personnages distingués. On lui présentait de menus ca-
deaux qu'il devait rendre au centuple.

Une hiérarchie sévère, fondée sur les services rendus,
l'illustration et surtout la richesse, dominait et réglait la
vie publique et privée de ces Romes au petit pied.

On y voyait déjà poindre cette manie des distinctions sociales qui s'épanouit dans toute sa minutie ridicule sur les
feuillets de la *Notitia dignitatum*. La population presque
tout entière, reléguée dans la classe des *humiliores*, faisait
cortège à quelques patriciens et courait à la *sportule*, cette
honte de la société romaine, mendiant des vivres, des habits, de l'argent, se vautrant dans le parasitisme et la servilité. Plus on étudie le monde romain, et plus on croit y
voir une image anticipée de cette féodalité adoucie qui ne
répugne pas encore aux fiers citoyens de la moderne Angleterre, édifice de suzerainetés, aux nombreux étages, où
chaque groupe se cantonnait dans un privilège garanti par
l'usage. Les humbles, les moindres, les petits y avaient
aussi leurs corporations et leurs ligues, collèges de bou-
langers, de tisserands, de maçons, mais modestement enfermées dans leur étroite sphère, sans idées politiques,
puisqu'il n'en existait pas alors, sans influence sur les institutions du municipe ou de la province.

Les associations de villes auraient pu inquiéter un pouvoir soupçonneux. Mais la *paix romaine*, l'impossibilité de
toute sécession sérieuse, permettait à l'empire de les tolérer en les réglementant. « Les villes n'étaient donc pas,

comme les nôtres, tenues soigneusement isolées. » Tous
les ans leurs députés formaient une assemblée provinciale.
En dehors de ces rapports officiels, elles entretenaient
entre elles des relations d'affaires et de bon voisinage, con-
tractant des liens d'hospitalité publique, s'entendant pour
une œuvre commune, pour des fêtes et des cérémonies.
« Onze cités lusitaniennes construisirent le pont d'Alcan-
tara, qui subsiste encore ; et une des portes de Constantine
avait été bâtie par trois colonies de Cirta, qui formaient
avec leur métropole une sorte de république fédérative.
Les vingt-trois villes du corps Lyciaque en étaient une
autre, et l'on connaît, outre la confédération des trois
grandes villes de la région des Syrtes, une *tripolitaine*
dans l'île de Lesbos, une *tétrapole* en Phrygie, une *penta-
pole* en Thrace, etc. »

Ce sont les inscriptions, plus encore que les auteurs contemporains et le Digeste, qui nous initient au jeu des institutions municipales durant le haut empire. Une heureuse fortune nous a rendu les chartes de plusieurs cités,
notamment de Salpensa, de Malaga, de Genetiva Julia. Il
est probable que « si nous les possédions en entier, sauf des
différences de détail tenant aux usages locaux, ces lois re-
produiraient les principes généraux de la législation municipale à la fin du premier siècle. » A l'aide de ces précieux
documents, et en s'aidant de toutes les indications éparses
dans les historiens et les jurisconsultes, M. Duruy a pu
faire revivre la physionomie de ces communes antiques,
dont beaucoup ont survécu à l'empire romain, aux barbares, voire même au moyen âge. Il y retrouve les organes
de la vie publique, tels que l'esprit gréco-latin les a con-
çus : l'assemblée du peuple ou le souverain, « la curie ou
le corps délibérant, les magistratures ou le pouvoir exécutif », les comices romains par tribus et curies, la déclaration des candidats devant un duumvir, le serment des

8

élus, le recrutement du sénat parmi les magistrats
en charge ou hors de charge, parmi leurs fils et quelques
jeunes gens riches inscrits sur l'*album* ; les attributions
nombreuses de ce sénat qui prenait des arrêtés, fixait le
budget, nommait des commissions, révisait les décisions
et les jugements des édiles et des duumvirs ; les inégalités, pour nous si choquantes, dans les châtiments,
selon qu'ils s'appliquaient aux nobles (*honestiores*) ou
aux vilains (*humiliores*) ; les responsabilités qui s'attachaient aux fonctions et qui n'épargnaient ni l'admi-
nistrateur ni le juge, garanties naturelles que nous n'avons
pas su encore assurer ; les corporations, que nous avons
signalées, et de louables institutions de bienfaisance ; enfin
les liens nécessaires qui reliaient la cité à la province
et au gouvernement. Ces liens, assez lâches et parfois
arbitraires, étaient plus que suffisants à maintenir l'unité
de ce grand corps. C'est en les tendant, en les resserrant
outre mesure que l'empire paperassier les a brisés et qu'il
est tombé lui-même en poussière.

Voici, dans ce qu'elle a de correct et de légitime, la
conclusion de M. Victor Duruy : Il faut « regarder l'empire,
durant les deux premiers siècles, non comme un Etat au
sens moderne du mot, agissant partout et toujours de la
même manière, mais comme une agrégation de com-
munautés républicaines qui, soumises à un pouvoir central quant à la souveraineté politique et à l'impôt, ne
l'étaient pas encore à une administration tracassière, et
qui, dans le cours habituel des choses, géraient comme
elles l'entendaient leurs affaires intérieures, les municipes
et les colonies avec une liberté plus grande, les villes stipendiaires avec une liberté moindre, les cités libres et
fédérées avec une véritable indépendance. » Mais nous
sommes loin de croire avec l'auteur que « le monde n'ait
pas connu d'époque plus fortunée.» Nous en avons dit les

raisons au début de cette étude, et nous y insisterons en la terminant. La *paix romaine* n'est pas l'idéal moderne.

D'abord, il y a plus d'agitation factice et stérile que de véritable et sérieuse activité dans ces forums de province et dans ces curies inoffensives. Les empereurs les considéraient à bon droit comme des dérivatifs utiles à leur sécurité, comme des hochets pour des ambitions puériles. Qu'importe, dira-t-on, si les libertés municipales ont existé en fait, qu'importe que ce fût par tolérance ? Il importe si bien, qu'au troisième siècle déjà l'esprit monarchique les a dénaturées, et bientôt après anéanties sans aucune résistance. Leur solidité était donc bien précaire. Viciées dans leur principe même par l'inégalité entre les citoyens, par la vénalité déguisée des fonctions, par le culte exclusif de la richesse, les institutions municipales des provinces romaines n'avaient point en elles de quoi compenser l'indépendance nationale perdue, la dignité de membre libre d'une société autonome. Elles n'étaient qu'une forme : et quand la centralisation s'appesantit sur elles, supprima l'assemblée populaire, imposa aux décurions la responsabilité de l'impôt chaque jour accru, elles s'affaissèrent dans la détresse et dans le marasme, sous « la mainmise de l'Église et de l'État ».

M. Duruy sait et voit tout cela ; il ajoute même que le christianisme, en montrant sans cesse la patrie céleste comme la seule véritable, a fait oublier celle d'ici-bas ; qu'en remplaçant le légitime orgueil du citoyen par l'humilité du fidèle, il a éloigné celui-ci des honneurs municipaux ; qu'enfin il a précipité la décadence de la cité. Mais il ne remarque pas que l'empire a créé le milieu moral où le christianisme a pu se développer. Il attribue, avec raison, au régime municipal le siècle des Antonins, le renouvellement momentané de l'aristocratie romaine par

l'avènement d'empereurs provinciaux, de nobles et d'administrateurs provinciaux ; mais il ne dit pas que ce régime
municipal n'a pas empêché l'anarchie des trente tyrans,
l'absolutisme de Dioclétien et le byzantinisme final.

VIII.

L'UTOPIE DANS L'HISTOIRE.

En tout temps, il s'est rencontré des esprits difficiles que le spectacle du monde ne ravit pas en extase. Il leur plairait fort de retoucher ce tableau plein d'incohérences, de sottises et parfois de sang. Cette rébellion contre la prétendue sagesse de l'optimisme nous a valu bien des œuvres fortes ou piquantes, utopies et pamphlets que la Providence, à l'instar de M. Buffet, n'a pas eu le temps de lire. La plupart des mécontents se choisissent des cadres où la raison et la fantaisie ont libre carrière, ils transportent leurs théories et leurs critiques des institutions contemporaines en des époques, des pays et des milieux imaginaires ou fabuleux : Fénelon à Salente, tout au fond du passé ; Mercier au vingt-cinquième siècle, en plein avenir ; Swift à Lilliput, à Brobdingnac, selon le bout de la lorgnette par lequel il regarde les hommes, ou bien encore dans l'île volante de Laputa, qui ne tient à la terre que par un fil. Campanella et Cyrano s'écartent plus hardiment : celui-ci jusqu'à la lune, celui-là jusqu'au soleil.

Tout récemment encore, pour voir de haut notre machine ronde, M. J.-G. Prat se fixait dans les régions célestes moyennes, sur le sol vierge de la planète Vénus, sol peu connu même de M. Flammarion, si familier pourtant avec « les humanités nos sœurs, qui passent ». Son Almanarre, enlevé par une tempête aérienne, échouait, avec son ballon déchiré, dans un Eldorado libre de nos préjugés et

de nos vices. Là, point d'envie, point de mauvaise foi,
point de fictions autoritaires et de tribunaux d'exception.
Là, l'instruction florissante, la démocratie équilibrée, le
sens de l'intérêt international ont depuis longtemps supprimé les dures nécessités qui arment ici-bas l'Etat contre
ses membres, les nations contre leurs voisines. Les vieillards n'y sont point des Gérontes ; les jeunes gens n'y sont
point des *gommeux*, sous peine d'être bafoués et honnis ;
car, en ce pays idéal, le ridicule a gardé la puissance qu'il
eut longtemps chez nous. Les filles et les femmes, sans
renoncer à la grâce et à la coquetterie, ne réclament plus
le privilège de la frivolité ; une solide instruction, toute
laïque, les met en garde à la fois contre l'enivrement du
succès et contre les tentations d'un mysticisme puéril. Elles
ne sacrifient pas les idées, les convictions, l'honneur de
leurs amis et de leurs époux, l'intelligence de leurs enfants, à l'intérêt d'une coterie tracassière ; elles n'écoutent
point les directeurs de conscience, les semeurs de zizanie.
Le grand mal qui ronge notre société moderne, l'antagonisme profond de l'homme et de la femme, mal si invétéré
qu'on aime mieux vivre avec lui que le combattre et qu'on
remet sans cesse une cure pourtant bien nécessaire, est
absent de cette planète heureuse. On ne sait trop pour
quel besoin l'auteur y laisse subsister un fantôme de religion épurée, faite de processions et de conférences mêlées
de chant. La perfection ne serait-elle pas du monde so-
laire, plus que du monde terrestre, ou bien ne faut-il voir,
en cette inutile fiction, qu'un reste de faiblesse humaine,
de vague à l'âme, souvenir de notre nuageuse atmosphère ?
Quoi qu'il en soit, Almanarre, à chaque pas, rencontre des
sujets d'étonnement et d'humiliation. En vain il vante à
ses hôtes, dans un style fort vif, la profondeur de nos
philosophes, la sublimité de nos théologiens et de nos ca-
suistes, les mérites de nos principaux écrivains, très re-

connaissables sous la transparence des anagrammes ; en vain il raconte nos discordes civiles, nos guerres, les bien-faits de nos hommes d'Etat, les finesses de nos hommes d'affaires ; ses éloges et ses récits n'excitent le plus souvent qu'un rire homérique, bien dû à son amour-propre ter-rien ; il se fâche, et la gaieté redouble. C'est assez dire qu'aucun de nos travers et de nos engouements n'échappe à la saine et mordante ironie de M. Prat (1).

Si le présent, si l'avenir, qui nous appartiennent en partie, se prêtent aux rêveries réformatrices, il n'en est pas de même de l'irrévocable histoire. La plus droite rai-son est impuissante contre les séries de faits accomplis qui ont constitué jusqu'à nous la trame des destinées humai-nes. L'hypothèse n'a pas de prise sur le passé ; rien ne peut changer ce qui fut une fois.

Et qui, pourtant, ne s'est dit bien souvent : Si tel sau-veur de société eût renoncé huit jours plus tôt à ses pré-jugés autoritaires, telle insurrection lamentable n'eût pas éclaté, 20 000 ou 30 000 hommes n'auraient pas teint de leur sang les pavés et les murs à hauteur de poitrine, telle capitale, peut-être, n'aurait perdu ni ses monuments ni ses industries ? Qui ne s'est dit : Si tel cerveau buté n'eût pas barré le passage au flot montant des capacités, le suf-frage universel n'eût pas précédé l'instruction du peuple et jeté la France aux abîmes ? Si telle île n'eût pas été rattachée au continent, tel pays posséderait encore ses frontières naturelles ? Si tel rêveur mystique n'avait pas désorganisé la société civile, quinze siècles mauvais eussent été épargnés aux peuples de l'Occident ? Si ?... Et l'imagi-nation de travailler sur ce thème inépuisable.

L'inefficacité des solutions, même les plus plausibles, coupe court d'ordinaire à la poursuite de pareils pro-

(1) *Voyages d'Almanarre*, par J.-G. Prat. Un volume in-18, chez Ernest Leroux, 1876.

blèmes. C'est, cependant, une spéculation rétrospective
de cet ordre qui vient de tenter l'un de nos philosophes
contemporains. M. Renouvier a entrepris de recommencer
l'histoire, à partir d'un moment donné, et de restituer le
développement possible, « tel qu'il n'a pas été, tel qu'il
aurait pu être », de la civilisation européenne ; il a pensé
que la comparaison entre l'enchaînement imaginaire des
faits et leur suite réelle éclairerait d'une vive lumière le
rôle délétère et dissolvant joué par les superstitions orientales dans la vie de l'Occident ; de plus, en supposant, non
sans vraisemblance, qu'un seul incident, un seul acte volontaire introduit dans l'histoire peut en modifier le cours,
il espère porter un coup décisif au *déterminisme*, c'est-
à-dire à l'opinion qui reconnaît dans la marche des évènements une résultante de fatalités rigoureusement suivies ;
enfin, il prétend tirer de son hypothèse même (qui ne s'est
pas réalisée), une présomption en faveur du *libre arbitre*,
de l'absolue indépendance de la volonté humaine. Ce sont
là trois grosses thèses qui ne sont nullement connexes,
comme le savant auteur paraît le croire. La première, à
laquelle d'ailleurs nous sommes acquis sans réserve, relève de la critique historique, et n'implique point les deux
autres ; en effet, les résolutions et les actes des hommes
peuvent être rangés parmi les éléments qui déterminent
l'ordre ultérieur des faits, sans ébranler aucunement la
doctrine déterministe ; et de même, la part de la volonté
dans l'histoire, part que nul ne méconnaît, n'entame en
rien celle de la fatalité générale : de ce que la volonté détermine, il ne s'ensuit pas qu'elle ne soit elle-même déterminée. C'est ce que nous établirons tout à l'heure.

Voici d'abord la fable imaginée par M. Renouvier et
l'ordonnance de son livre (1).

(1) *Uchronie* (*l'Utopie dans l'histoire*), *esquisse historique apo-*

Un Français réfugié en Hollande au dix-septième siècle, voyant son fils séduit par la propagande catholique, se décide à lui révéler le mystère de sa vie et les causes de sa propre conversion au protestantisme ; comment, moine et ardent ligueur, mais désespéré par le triomphe de Henri IV, puis déjà troublé par la lecture de Montaigne, il était allé retremper sa foi au centre même du catholicisme, à Rome ; comment, confesseur des accusés du saint office, il avait vu brûler Giordano Bruno et Vanini, torturer Galilée. Les intrigues romaines, les vices et l'impiété des cardinaux, le courage et la conviction des hérétiques, un commerce de jour en jour plus intime avec les grands esprits de l'antiquité, Aristote, Platon, Virgile, Cicéron, Tacite, avaient fait de lui un homme nouveau. Enfin, converti à la libre pensée et à la haine de la théocratie par un vaillant octogénaire voué au bûcher, le père Antapire, il s'était évadé de sa honteuse fonction, cachant son nom et son passé, comme eût fait un ancien aide-bourreau. Pour détourner l'attention sur la terre étrangère, il avait embrassé le protestantisme, mais sans croire davantage à la divinité d'un livre qu'à celle d'un homme. Quand il vit son fils radicalement guéri de sa manie commençante, il lui remit un précieux manuscrit du père Antapire, intitulé : *Uchronie*, celui-là même que M. Renouvier nous fait lire aujourd'hui.

L'auteur supposé débute par un curieux parallèle entre l'esprit libre et ouvert de l'Occident, créateur de la cité et de la loi, et l'âme servile, étroite, intolérante de l'Orient, inventeur de l'absolutisme politique et religieux ; il montre les conquêtes d'Alexandre et la domination romaine ouvrant la porte aux divinités farouches et absurdes de l'Asie, à ces mythes d'Adon, de Sérapis, de Sabazius et autres

cryphe *du développement de la civilisation européenne, tel qu'il n'a pas été, tel qu'il aurait pu être.* In-8°, xvi-413 p. Paris. Bureau de la *Critique philosophique*, 54, rue de Seine, 1876.

morts ressuscités, que Michelet a si profondément scrutés
dans sa *Bible de l'humanité;* l'imagination de la plèbe et
des femmes italiennes facilement investie par ces émanations malsaines ; le désarroi moral des affranchis, des
esclaves ; des nations anéanties dans l'apparente unité de
l'empire, stérilement consolées par l'espérance d'une autre
vie ; le découragement universel, l'amoindrissement des
caractères, accrus et précipités par l'intrusion de cette
lâche sagesse qui prêche le dédain de la réalité, l'oubli des
choses, l'obéissance passive à toutes les fatalités, qu'elle
décore du nom d'*autorité* et de *providence*, enfin le *nir-*
vana de l'extase ; la raison confondue et l'ignorance abu-
sée par des dogmes bizarres, par des préceptes contradic-
toires, par un mélange inavouable de morale courante, de
bribes philosophiques mal digérées et de mythologie puérile, chaos dont la face variait sous le souffle des sectes
ennemies, tour à tour triomphantes. C'est un surcroît de
maux qui s'ajoute à la démoralisation d'un peuple recruté
dans les masses esclaves, à l'ahurissement des patriciens,
à l'immobilité des grandes fortunes foncières, à l'ivre démence des Césars. Les empereurs, aveugles sur ces causes
de dépérissement, sentent du moins la menace d'une doctrine hostile par essence à tout ordre civil, à toute activité, à toute liberté intellectuelle. Par accès, ils sortent de
la tolérance naturelle au polythéisme romain : ils ferment
le Panthéon au dieu qui veut en chasser tous les dieux ;
mais ils s'y sont pris trop tard ; leurs édits, leurs persécutions, n'ont pu écraser dans l'œuf le lugubre oiseau dont
les ailes obscurcissent le jour.

Les Antonins, appelés au trône par un stoïcien républicain, Dion Chrysostome, ralentissent la décadence ; ils ne
l'enrayent pas. Ni la fermeté de Nerva, ni l'honnêteté et la
gloire de Trajan, ni les sages intentions d'Antonin, ni le
génie clairvoyant d'Adrien (lire l'amusante réhabilitation

d'Antinoüs), ni la vertu résignée de Marc-Aurèle n'ont pu vaincre l'immense lassitude du monde. Le sol vacille, l'humanité se décompose, enserrée entre trois puissances, la soldatesque mercenaire, le mysticisme et la barbarie. Marc-Aurèle, avec mélancolie, proclame que tout est bien ; il s'abandonne à la Providence impeccable. Quelle main forte, rétablissant l'équilibre vital, galvanisera l'empire moribond ?

Ici commence l'Uchronie. Un général républicain, Avidius Cassius, s'est révolté contre Marc-Aurèle ; il lui fait part de ses projets, lui expose le plan d'une réforme complète ; et, au lieu de périr assassiné dans son camp, comme le racontent ses contemporains, il est fait César, associé à l'empire. Voilà le fait nouveau, unique, et il suffit.

L'histoire, qui déviait depuis Alexandre, depuis César, depuis Paul, rentre dans sa voie, non sans oscillations d'abord. Marc-Aurèle, après avoir remis la propriété en valeur par des lois agraires, recule devant la nécessité d'en finir avec les chrétiens. Il se tue en léguant à ses successeurs un fort beau testament. Avidius Cassius est tué. Commode règne. Mais Pertinax et Albinus, dépositaires légaux de l'autorité d'Aurèle et de Cassius, mettent fin à ses turpitudes ; ils annoncent au peuple romain, à l'univers, qu'après une préparation de vingt années ils rétabliront la République, sur la base du suffrage artistement combiné. Au jour dit, Albinus convoque l'assemblée générale de l'empire, trois mille délégués des municipes, des corporations, des provinces ; une constitution est promulguée, qui partage la puissance publique entre un sénat, cinq tribuns et un consul viager. Depuis longtemps, les prétoriens ont été décimés et licenciés ; les armées territoriales sont organisées ; l'instruction partout répandue, l'abolition graduelle de l'esclavage, la petite propriété,

mère du travail, assurent la prospérité, la moralité et la
force de la République. Aux frontières, les Germains, les
Slaves, les Huns sont arrêtés sur le Rhin et le Danube ; à
l'intérieur, les consuls compriment les révoltes de Sep-
time Sévère, de Constantin.

Mais que sont devenus les chrétiens ? Commode a eu la
fantaisie de les exterminer. On voit pourquoi le père Antapire l'a maintenu dans l'histoire. Mais vainement Commode a fauché en pleine moisson. Il en reste assez pour
miner l'œuvre d'Aurèle, de Cassius, de Pertinax, d'Albinus
et de Niger. Une grande résolution du Sénat en délivre
l'Occident ; ils tiennent l'Orient, on le leur abandonne.
C'est faire la part du feu. Dès lors la scission s'accentue.
Tandis que l'Asie, l'Arabie, l'Afrique, sont livrées aux
querelles sanglantes des talapoins, aux massacres mutuels
des Manichéens, Ariens, Pélagiens, Nestoriens, Euty-
chiens, qui brûlent les bibliothèques, les temples et les
hétérodoxes ; tandis que le mahométisme, issu du judaïsme et du christianisme, attaque par le sud les petites
monarchies cléricales que la barbarie envahit par le nord,
l'Italie et la Grèce, la Gaule et l'Espagne goûtent un
calme relatif. L'Orient, qui s'est détaché peu à peu de la
grande fédération, est toujours le tributaire du commerce
et de l'industrie de l'Occident. Les barbares ont pris possession de la Thrace, mais leurs incursions ne dépassent
pas l'Illyrie. La Germanie, arienne et non orthodoxe, se
constitue, selon son génie, en principautés féodales, jusqu'au jour où le protestantisme, fils de toutes les hérésies
à peu près rationnelles, l'appelle et la conduit par la main
à la République.

C'est alors qu'épuré par la Réforme, réduit à une sorte
de philosophie morale à peine distincte du panthéisme
néo-platonicien, le christianisme rentre dans les Etats
occidentaux qui se sont constitués peu à peu en nations

distinctes, avec leurs caractères et leurs lois propres et
leurs langues issues du latin. Pendant toute la durée de
la République, une religion officielle des grands hommes
légalement divinisés, assez semblable au culte positiviste
de l'humanité, s'était superposée au polythéisme. Rien de
plus facile, on le voit, que de réconcilier avec cette inno-
cente commémoration des morts une religion désormais
tout allégorique. Finalement l'Europe, au dixième siècle,
se présente comme une demi-fédération de républiques
prospères, instruites et protestantes pour la forme. Les neuf
cents ans qui ont suivi sont supprimés, ou plutôt gagnés.

Le père Antapire, dans ce raccourcissement de l'histoire, a fait preuve de beaucoup de science et d'ingénio-
sité ; nous nous demandons seulement pourquoi il a
attendu les Antonins, pourquoi il n'a pas choisi tel autre
point de départ, par exemple le dixième mois avant la
naissance d'Alexandre ou l'an premier avant notre ère.
Quand on élimine d'un trait de plume Constantin, Clovis,
Charlemagne, Louis XIV et Napoléon, pourquoi faire
grâce à Pierre et à Paul, les plus dangereux des conquérants ? Quand tant de grands philosophes, Rabelais sans
doute, et Voltaire, et Diderot sont rayés du nombre des
vivants, à quoi bon déchaîner sur le monde les humbles
intelligences qui ont excogité les mystères et l'*omoiousie* ?
Oui ; mais point de christianisme, point de protestantisme ;
et M. Renouvier a un faible singulier pour la Réforme :
n'a-t-elle pas prolongé le règne du divin, si nécessaire aux
postulats de la raison pratique ? Pour nous, nous ne médi-
sons ni de Luther, ni de Calvin, ni de Channing ; ils ont
eu leur heure et leur milieu, mais la science nous suffit.
Si l'histoire s'est allongée, traînée dans l'absurde et le
féroce, elle a fini par dépasser, et de loin, l'idéal de
M. Renouvier ; elle a, dans ses lents et sanglants tâtonnements, usé toutes les fictions politiques et religieuses ;

elle laisse l'avenir à l'expérience scientifique et à la libre
pensée. Faut-il tant regretter qu'Avidius Cassius n'ait pas
été associé à l'empire ?

Etranger à toutes les superstitions de l'optimisme, nous
ne descendrons jamais jusqu'à l'admiration du moyen âge
catholique. La moralité plus haute du dix-neuvième siècle
nous défend de chercher une légitimité, une justice quelconques dans la succession des faits. Tout en constatant
l'impassible enchaînement des fatalités qui se sont déterminées les unes les autres, nous gardons le droit d'en juger
les agents et les résultats, de les condamner, de les modifier, selon nos forces et pour notre part, dans le présent
et dans l'avenir. C'est ce sentiment qui, malgré tant de
divergences entre la méthode criticiste et la méthode expérimentale, nous rapproche souvent de M. Renouvier et
nous intéresse à son œuvre.

Nous avons lu rarement quelque chose de plus vigou-
reux et de plus instructif que le parallèle établi, dans le
deuxième appendice, entre le roman d'Avidius Cassius ou
du père Antapire et la marche réelle de l'histoire, du troisième au dix-septième siècle. C'est un acte d'accusation
formidable, irréfutable, contre l'Eglise.

Le fils du réfugié hollandais, dépositaire après lui du
livre d'*Uchronie*, est chargé par M. Renouvier de présenter « le tableau en raccourci des attentats, des persécutions, guerres et massacres dont les annales des peuples sont pleines, depuis le temps où il est passé en règle
et coutume que chacun emploie ce qu'il a de puissance ou
de moyens, qu'il soit prince ou particulier, pour forcer
chaque autre à penser comme lui, ou sinon à l'attaquer
et vouloir le détruire ». Et tour à tour passent devant nos
yeux Constantin et ses fils, exerçant la puissance publique
en faveur de la secte qu'ils embrassaient « et qui n'était
pas toujours la même » ; Julien, déclaré persécuteur pour

avoir voulu interdire la persécution et remis l'éducation
des Romains à d'autres qu'aux sectaires qui leur insuf-
flaient le fanatisme ; les philosophes et les savants, traqués
et exterminés au nom d'un Dieu de paix ; Théodose, livrant par édit la terre aux marchands de promesses
célestes ; les évêques et les moines confisquant à leur
seul usage les débris de la culture antique, plongeant le
monde dans l'ignorance et l'ahurissement ; la grâce et la
force planant en maîtresses sur les pays mêmes où avait
été conçue l'idée du droit ; la torture et le duel siégeant
comme substituts de la justice divine ; la simonie vendant le pardon du crime et le salut des âmes ; le bras séculier obéissant à l'hypocrisie furieuse de l'inquisition ;
l'excommunication déchaînée avec une audace imprudente
sur la tête même des rois ; le polythéisme rétabli sous couleur d'honorer les saints ; les reliques, les fétiches bénits,
chapelets, rosaires, cœurs et le reste, imposés à la puérile
crédulité des ignorants et des sots ; l'esclavage et le servage maintenus et exploités par les apôtres de la fraternité
et de l'égalité ; la science sur le bûcher avec un san-benito,
et, à l'entour, la procession de tous les ordres religieux
fondés sur le renversement de la nature et de la raison,
sur « le célibat, l'obéissance passive, les macérations, les
flagellations, la saleté, la solitude, la prière mécanique, la
prison pour les fautes, les visions, les tentations satani-
ques et les habillements bizarres » ; les jésuites enfin,
concevant le plan d'une théocratie douceureuse et implacable, et donnant la mesure de leur capacité civilisatrice
dans l'abject régime du Paraguay, triste exemple du sort
qui attendrait l'Europe pensante sous la férule des pères
fouetteurs.

Combien de traits nous omettons de cette peinture achevée, de ces leçons fortifiantes, bien faites pour porter la
conviction dans tous les esprits justes et tolérants ! Et que

sera-ce si nous suivons, dans le *troisième appendice*, le récit des horreurs qui précèdent et accompagnent la funeste révocation de l'édit de Nantes? Certes, les répressions furieuses et impolitiques ne manquent pas dans l'histoire des peuples civilisés; mais il n'en est guère qui puissent lutter d'atrocité et d'ineptie avec les dragonnades, laissées volontiers dans l'ombre, et pour cause, par les fauteurs du régime clérico-monarchique. La Saint-Barthélemy n'est rien, c'est la folie d'un jour, auprès de ces infamies froidement prolongées pendant vingt ans, avouées de Bossuet, honorées par les papes, acceptées par toute la France catholique. Louis XIV a regardé son crime en face et l'a commis; il a violé les consciences, outragé la famille et la propriété, livré un million d'hommes, de femmes, d'enfants, à tous les caprices d'une soldatesque effrénée; pour comble, il a sacrifié à la Maintenon et aux Jésuites l'industrie et la prospérité de la France; il a fait de quinze cent mille Français des Hollandais, des Anglais, des Allemands, des ennemis de leur pays. Et Colbert, l'homme aux grandes vues, le ministre si vanté, n'a vu dans ce forfait qu'un moyen expéditif de fournir des rameurs aux galères de son roi! N'est-ce rien, cela? En vérité, le cœur bout, l'indignation déborde, quand les doctrines politiques et morales qui ont de telles choses dans leur passé, et qui n'ont répudié aucun de leurs principes, osent jeter à la face de la société civile, de la science laïque, l'accusation d'intolérance, d'usurpation et de « mauvais esprit ». Où réside-t-il donc, cet esprit mauvais, cet esprit de trouble, de haine, qui depuis seize siècles a couvert le monde de sang et de ruines, et qui, dans la personne de la Providence, se glorifie de son œuvre? Pauvre Providence, quelle injure, si tu existais, que cet éloge de tous les fléaux, que cet appel permanent au tonnerre, qui n'en peut mais, aux fleuves, aux flammes, au caprice vengeur

de l'impassible fatalité déguisée en despote ! Voilà où mènent le mépris de la terre où nous sommes, où nous
vivons, où nous mourons, la chimère d'une résurrection,
la prétention extravagante et déplorable de gouverner la
société au nom de dogmes faits pour des moines, hostiles
ou étrangers à tout organisme naturel et normal, à toute
activité humaine, à tout exercice des facultés intellectuelles. Voilà où mènent la grâce et la force substituées
au droit ; l'amour (?) substitué à la justice ; l'extase,
l'obéissance, l'ignorance substituées à la raison, au travail libre, à l'expérience scientifique ! Le monde moderne
commence à comprendre le danger : ou les croyances
dites *religieuses* seront reléguées dans leur domaine, la
conscience individuelle, ou bien, grâce à la complicité des
femmes, l'éducation nationale faussée nous réserve deux
ou trois générations de réactionnaires par fanatisme et
par scepticisme. La question cléricale est la question vi-
tale. Trop complexe en France pour être tranchée d'un
coup, il faudra cependant, et plus tôt que plus tard,
qu'elle soit résolue avec prudence et fermeté. En attendant, c'est aux mœurs de devancer la loi, et c'est au livre
et à l'exemple individuel de changer les mœurs. M. Renouvier est sur la brèche et combat le bon combat.

Nous avons rendu justice à sa sagacité historique. Il est
temps de juger ses deux thèses philosophiques, contre le
déterminisme et en faveur du libre arbitre absolu.

Il s'en faut que la première soit clairement posée.
M. Renouvier entend-il soutenir que chaque fait historique n'est pas déterminé par l'ensemble des circonstances
qui le précèdent ? Nullement. Pour modifier le cours de
l'histoire, il ne se sert que d'un fait supposé, lui-même
déterminé par d'autres faits légèrement modifiés. Sa théorie des possibles n'a pas la portée qu'il lui accorde. Appliquée au passé, elle est illusoire, puisque, de toutes les

9

solutions qu'il peut imaginer selon son tempérament propre et son expérience d'homme du dix-neuvième siècle,
une seule s'est réalisée et a pris irrévocablement la place
des autres. Le même sort attend les possibles futurs,
hypothèses bien ou mal calculées ; l'avenir se chargera de
choisir entre eux ; l'un ou l'autre sera déterminé et accompli. Le déterminisme n'est donc pas même effleuré par les
raisonnements de M. Renouvier. Il en est autrement du
fatalisme providentiel, d e l'optimisme, qui, proclamant la
nécessité initiale de tout le développement humain, admettent la légitimité, l'excellence de tout fait accompli et
se hâtent d'extraire du passé les lois de l'avenir.

Que le temps, le milieu et les circonstances président à
toute production et à tout évènement, c'est une vérité peu
contestable. Mais tandis que, relativement a nous, les conditions générales des faits étudiés par les sciences physiques et naturelles demeurent invariables et permettent de
formuler en lois l'ordre constant des phénomènes, les conditions de l'histoire changent incessamment. L'homme,
dont il ne faut point exagérer la place dans l'univers,
l'homme qui, des hauteurs de l'atmosphère, est déjà invi-
sible et se confond avec la terre où il s'agite, mais qui, à
ses propres yeux, occupe forcément le premier plan sur le
théâtre de son activité bornée, l'homme, étant un des fac-
teurs de sa destinée, imprime à l'histoire quelque chose de
sa propre mobilité. L'organisme vivant a ses propriétés
particulières qui ne le soustraient pas à l'empire des fatalités ambiantes : le climat, la configuration du sol, les
hasards de la naissance et de la maladie, la nécessité de la
mort. Mais dans une sphère notablement élargie par le
développement de ses facultés, dans une mesure relativement élastique, l'homme agit ; l'histoire ondule sous
l'effort accumulé des générations, et, si le sens de sa marée indéfinie demeure fixé par l'ensemble des conditions

matérielles et extérieures, chacun de ses flots acquiert une spontanéité réelle, qui le dirige en partie. Telle est la part de l'homme dans le cours des choses. Sa volonté devient à son tour un élément de détermination, que le *détermi-nisme* constate et reconnaît.

Maintenant, d'où procèdent cette activité, cette volonté ? D'un libre arbitre absolu ? C'est ce que soutient M. Renouvier sans en apporter aucune preuve, à l'encontre de toute expérience. Ou bien, ne sont-elles pas déterminées par les rapports variables de l'organisme humain avec toutes les fatalités qui l'entourent, le pénètrent, l'entretiennent, le troublent et le tuent ? Cette certitude ne contient rien d'immoral ni de désespérant. Il est constaté que le milieu physique et intellectuel modifie lentement et sûrement les caractères, les mœurs, les institutions ; que la volonté s'éclaire et se fortifie, selon la force et la prépondérance des motifs qui la décident. L'instinct de conservation et de progrès, qui est inhérent à l'état de vie, nous fait chercher sans cesse le meilleur milieu matériel et moral. L'office du philosophe et de l'historien consiste à avertir ceux qui s'égarent, à montrer l'espace parcouru et le chemin qui reste à accomplir, à dégager le but de tous les obstacles accumulés par l'ignorance, la superstition, la peur, et par les myopes orgueilleux qui les exploitent au jour le jour.

IX.

ORIGINES DES INSTITUTIONS DE L'ANCIENNE FRANCE.

LA GAULE ROMAINE ET LES BARBARES.

Il semble que, depuis quelques années, l'étude de nos
origines et de nos institutions soit entrée dans une phase
nouvelle. Non que la méthode ait changé; mais un examen plus pénétrant des textes et des faits a lentement
ébranlé des théories brillamment soutenues ; l'évolution,
d'abord insensible, s'est accentuée, et l'infinie complexité
des destinées humaines, échappant à des systèmes fondés
sur des observations partielles, s'est révoltée contre des
lois prématurément établies. C'est que les conceptions
générales ne commandent point aux choses ; elles en ré-
sultent, elles leur obéissent. Force leur est de se modifier
à mesure que des points de vue nouveaux révèlent ou
éclairent les faces inconnues ou négligées des questions.
Les ouvrages dont nous allons tenter d'extraire la substance, et qui nous permettront de présenter, non sans
lacunes, comme un raccourci de notre histoire, abondent
en exemples de ces rectifications inévitables.

Dans quelle mesure, dans quelles proportions se sont
combinés sur notre sol les éléments qui ont constitué
l'unité française? Selon le tempérament et les tendances
des écrivains, les rôles ont été diversement répartis ; la
part prépondérante a été attribuée tantôt à la race celtique, tantôt à l'éducation romaine, tantôt aux institutions

germaniques, tantôt à la discipline chrétienne. On s'est
habitué à admettre que la Gaule, après avoir été détournée
de son développement naturel, civilisée, puis abâtardie par
la domination de Rome, s'est vue conquise, subjuguée,
bouleversée, mais finalement retrempée par une race jeune
et forte ; que l'invasion germanique a renouvelé de fond
en comble les institutions sociales et politiques ; que le
vieux fonds gaulois a péniblement reconquis le terrain
perdu ; que les vaincus, absorbant les vainqueurs, sont
parvenus à éliminer tout ce qui, dans les régimes imposés
et subis, était incompatible avec un certain idéal de liberté
et de justice. C'est l'opinion moyenne, celle qui, au moins
dans son ensemble, paraît avoir été acceptée par tous les
historiens, depuis Augustin Thierry ; M. Fustel de Coulanges entreprend d'en démontrer l'insuffisance et, à certains égards, l'inexactitude (1). Quel qu'en doive être le
succès, sa tentative est aussi opportune que hardie. On
donnait trop aux Francs, aux Germains ; M. Fustel donne
tout à Rome, ou peu s'en faut. Ses conclusions seront évidemment contestées ; mais non la science, la sagacité, le
talent qui font de son livre une des lectures les plus in-
structives et les plus attrayantes que nous connaissions.

Il commence par ruiner une hypothèse chère aux Cel-
tomanes. Au temps de César, la Gaule était une expression
géographique et non pas une nation. Environ quatre-
vingts peuples ou cités (*civitates*), appartenant à plusieurs
types ethniques, vivaient entre la mer, les Alpes et le Rhin ;
ces divers Etats n'étaient point unis par une fédération
constante ; ceux qui appelaient les Romains à leur secours

(1) *Histoire des institutions politiques de l'ancienne France*, par
Fustel de Coulange, maître de conférences à l'Ecole normale supérieure : Première partie : *L'empire romain. Les Germains. La
royauté mérovingienne.* In-8°, Hachette, 1875.

ne commettaient aucune trahison. C'étaient autant de petites oligarchies, où les plus riches propriétaires, assemblés en Sénat, gouvernaient, de concert avec les druides, une foule de clients et d'esclaves ; parfois un noble ambitieux, flattant la plèbe, réalisait une sorte de *tyrannie*, au sens grec du mot, et se proclamait roi. Vercingétorix lui-même, dont la figure nous apparaît illuminée à jamais par un éclair, un pressentiment de patriotisme, ne fut qu'un de ces grands seigneurs usurpateurs.

La Gaule, englobée en peu d'années dans l'empire romain, accepta sans résistance une religion, une industrie, une langue, des lois, très supérieures à ce qu'elle connaissait, et qui ne changeaient rien d'ailleurs à la hiérarchie sociale. Le régime gallo-romain demeura fondé sur la grande propriété. La masse du peuple, sous divers noms et en diverses catégories, continua de cultiver et de travailler au profit des maîtres.

Lorsque, au bout de deux siècles, à titre d'alliés, de fédérés ou de sujets, puis de citoyens, les peuples gaulois furent entrés tour à tour dans la grande unité administrative de l'empire, les riches, c'est-à-dire les nobles, se trouvèrent assimilés aux sénateurs et aux chevaliers, et revêtus de dignités effectives ou nominales ; on vit s'échelonner en Gaule des classes de consulaires, de prétoriens, de chevaliers recensés, de quasi-chevaliers, bientôt pourvues des qualificatifs honorifiques adoptés par la chancellerie impériale : au-dessous, la plèbe, décurions, négociants, prolétaires, tous hommes libres, citoyens romains ; plus bas, le monde servile, multitude immense composée des affranchis *romains* et *latins*, plus ou moins étroitement soumis au patron, des colons d'espèces diverses, des serfs de la glèbe et des esclaves domestiques.

Il y eut des agitations en Gaule, mais il n'y eut point de révoltes contre le régime romain. Partie intégrante de l'empire, la Gaule ne contesta guère la souveraineté impériale, d'autant plus commode qu'elle était plus lointaine. La conquête l'avait sauvée d'Arioviste, et, durant près de quatre siècles, les légions lui assurèrent une paix, « la paix romaine », que son anarchie primitive ne comportait pas. Grande fut la prospérité de la Gaule romaine, au moins jusqu'au troisième siècle. Vers cette époque, la ruine de la classe moyenne, accablée d'impôts, ne laissant subsister que le haut et le bas de la hiérarchie sociale, il en résulta un affaissement de l'esprit, un énervement général, dont le christianisme se fit naturellement le complice. Toutefois, M. Fustel ne saurait accepter l'opinion commune sur la décadence romaine ; elle est, à son sens, excessive ; et en fait, l'intelligence et la moralité d'un Gallo-Romain du cinquième siècle étaient infiniment supérieures à celles des barbares. On se fait, dit-il, une très fausse idée et de l'originalité sociale des Germains, et de leur rôle dans l'empire, et de leurs invasions, et des changements introduits par leur domination dans l'ordre moral et politique.

Les habitants de la Germanie, au premier et au troisième siècle, tels que nous les présente Tacite, étaient des barbares sédentaires, gouvernés par des rois, divisés en Etats distincts et souvent ennemis, pourvus d'une noblesse de race (anciens chefs de tribus), d'une plèbe, de clients, d'esclaves : quelque chose d'analogue aux primitives populations aryennes de l'Inde, de l'Italie, de la Grèce, de la Gaule antiques. Leurs institutions étaient celles de tous ces peuples naissants, avec une tendance encore plus aristocratique peut-être. Quant à l'élection des chefs, à l'autorité des femmes, à l'amour de la liberté, à la rigidité des mœurs, ce sont des inventions sans fondement, des assertions sans preuves.

A côté des rois, il y avait de turbulents chefs de guerre,

coureurs d'aventures, aisément refoulés par les Romains, parfois accueillis comme colons, souvent recrutés comme soldats. L'empire, étant la paix et épargnant aux populations (tort immense !) le service militaire, avait besoin de ces bras étrangers. Dès Auguste, des *ailes* germaines furent annexées aux légions.

Les Germains n'avaient aucune haine pour l'empire ; ils l'imploraient ou le combattaient selon les besoins du moment. Mais surtout, ils se combattaient entre eux. M. Fustel suit avec beaucoup de perspicacité les quelques vestiges laissés par leurs commotions intérieures. Selon lui, au troisième siècle, ruinés par leurs discordes, ils étaient en pleine décadence. Se chassant les uns les autres, ils venaient se heurter tour à tour contre des frontières bien ou mal défendues et ne les passaient que pour être soit détruits par les légions et leurs propres congénères devenus soldats romains, soit parqués à titre d'esclaves, de colons, de lites, sur les grandes propriétés de la Gaule et de l'Italie. L'auteur cite un nombre considérable de leurs colonies sur les points les plus éloignés du Rhin, colonies de demi-libérés, sans aucune participation à la vie civile et politique. Tous les débris des grands peuples, Marcomans, Chauques, Tenctères, Chamaves, Cattes, Goths, Suèves, la plupart sans nom et confondus en bandes errantes (Francs, Alamans), se pressaient sur le Danube, sur les Alpes, sur le Rhin, demandant du service, des terres à cultiver. La pensée constante du gouvernement impérial avait été de les absorber lentement, au détriment passager, mais au profit durable des grands propriétaires qui formaient la haute classe.

Ce plan réalisé supprimait le moyen âge. Mais, vers le début du cinquième siècle, la grande pensée des Huns et des Slaves précipita la dispersion des Germains. Les frontières, débordées tout à coup par deux ou trois bandes de

deux cent mille hommes environ, fléchirent. Il fallut
laisser passer le torrent, en rattachant toutefois les chefs à
la hiérarchie par des titres de maître de la cavalerie, de patrice, de consul. Ce qui eut lieu. Les Visigoths d'Alaric,
d'Ataulf, de Wallia, furent des auxiliaires remuants, indis-
ciplinés, sous les ordres immédiats de chefs qui relevaient
de l'autorité impériale. Quand Odoacre se fut emparé de
Rome, il demanda l'investiture à l'empereur d'Orient ;
quand Théodoric abattit Odoacre, ce fut comme lieu-
tenant et délégué de Constantinople. Quand Aétius battit
Attila, ce fut avec l'aide des contingents visigoths.

Ainsi, au milieu même des violences, des pillages, des
usurpations inévitables, l'ordre social et politique demeurait. Les riches gallo-romains gardaient leurs terres, leurs
maisons de plaisance, leurs colons et leurs esclaves, dont
la propriété ne leur était pas contestée. Revêtus de la
puissance militaire d'abord, puis civile, les rois barbares
remplaçaient les fonctionnaires romains.

La domination des Francs ne commença pas autrement.
Très peu nombreux, répartis en colons d'abord, puis en
auxiliaires cantonnés dans la Belgique et l'Alsace, ils
prirent part à la lutte contre Attila. Leur grandeur est
l'œuvre d'un de leurs chefs de bande, Clovis, qui, vainqueur de Syagrius, des Visigoths, des Burgundes, des Alamans, soutenu par les évèques catholiques, investi par les
empereurs byzantins de la puissance patricienne et con-
sulaire, affectant de se considérer comme vicaire impérial,
réunit toute la Gaule sous son gouvernement. Ses successeurs, acceptés comme lui à titre de fonctionnaires
réguliers, exercèrent à la fois, comme faisaient les *présidents*, les *comtes* et autres officiers romains, l'autorité
militaire et civile. Ils furent des souverains absolus, nullement électifs, conseillés, mais non contrôlés.

Politiquement donc ils héritèrent de l'empire, entrèrent

en possession des terres du fisc, vaste apanage qui leur permit de récompenser largement leurs fidèles. Ils nommèrent des ducs et des comtes, comme faisait la chancellerie impériale. Ils recueillirent les impôts, tels quels, tonlieux, capitation, foncier, chrysargyre (patentes). Ils gouvernèrent avec le concours des évêques, des sénateurs gallo-romains et de leur noblesse franque.

Socialement, ils juxtaposèrent simplement aux classes et à la hiérarchie antérieures les classes et la hiérarchie germaniques, en somme fort analogues. Ils ne touchèrent point à la propriété.

Judiciairement, ils laissèrent les habitants sous l'empire des codes romains (statut personnel) et introduisirent quelques coutumes germaniques, beaucoup moins qu'on ne l'a cru. Les différences de *wergeld* (prix de l'homme) s'appliquent non aux Barbares et aux Gallo-Romains, mais aux diverses catégories d'hommes libres opposées à celles des affranchis. Le mot *romain* est le titre des affranchis de la première classe. Le terme de *franc*, qui n'est pas un nom de race, désigne tous les ingénus, Gaulois ou Germains. Et, en effet, il n'y avait peut-être pas en Gaule dix mille Francs proprement dits.

C'est là, comme on voit, la partie tout à fait neuve du système de M. Fustel de Coulanges. Il faut avouer que certains textes le gênent ; mais il s'efforce de les interpréter avec vraisemblance et d'en invoquer d'autres qui les contredisent. En résumé, pour lui, la conquête barbare n'a été que politique ; elle aboutit à un changement de maître, d'autorité, et ce fut tout. Les violences qui l'accompagnaient ne modifièrent pas le régime social. Les distributions de terres fiscales, dites *bénéfices*, furent, comme les places, révocables ou viagères. La propriété, l'*alleu*, ne fut attaquée ni par les Visigoths, ni par les Burgundes, ni par les Francs. Ce n'est qu'au septième siècle,

par l'affaiblissement du pouvoir royal trop divisé, par l'hérédité du bénéfice, par la *recommandation*, par la diminution du nombre des propriétés libres, que la féodalité
commença de s'établir; d'autant plus aisément, que chaque
propriétaire ou bénéficier exerçait déjà de plein droit sur
les diverses classes de cultivateurs tous les pouvoirs du
maître et du patron.

La féodalité n'a rien de spécialement germanique. Elle
a été combattue par les rois mérovingiens, et plus encore
par l'Austrasien Charlemagne, qui parlait dans sa jeunesse un dialecte allemand et devait avoir des idées allemandes, si tant est qu'il en existât. Chose étrange ! c'est
précisément dans ce Germain (fortement mélangé de Gallo-
Romain) que la pensée romaine s'est incarnée tout entière ; c'est lui qui a voulu refaire l'empire, reconstituer
l'unité occidentale, reprendre l'œuvre de Placidie, d'Aétius
et de Clovis.

Le chaos l'emporta. Les querelles inintelligentes des
successeurs du grand homme, coupant arbitrairement
l'empire en trois zones mal déterminées, léguèrent à la fois
l'anarchie aux trois siècles suivants et à l'avenir le germe
d'inimitiés inexpiables entre l'Allemagne et la France.
Durant trois cents ans, la coalition de la théocratie et de
la hiérarchie féodale plongea le monde dans un gouffre de
misère et d'enfance intellectuelle. Sans doute, en ces tristes
âges, la papauté fut le centre du monde et garda quelques
vestiges de la tradition latine ; sans doute, le mouvement
des croisades attesta l'existence d'un vague patriotisme
européen. Mais quels faibles biens en échange de la civilisation perdue, de la Gaule et de l'Italie disloquées !

La renaissance, comme toujours, sortit de l'excès du
malheur. La population des villes, les corporations industrielles et commerciales, qui avaient conservé un état
moyen entre le servage et l'indépendance, purent arracher

à des seigneurs besoigneux et attirés vers de lointaines expéditions quelques chartes, quelques privilèges, une sorte
de liberté municipale. Alliées à la royauté, dans laquelle
s'était réfugiée l'idée nationale, les communes luttèrent
avec Louis le Gros contre les barons, avec Philippe-
Auguste contre l'étranger. Ces deux forces se réunirent
naturellement contre des ennemis communs. Mais l'une
absorba l'autre ; et, de gré ou de force, les communes
abdiquèrent entre les mains des rois. A l'éveil communal,
à la constitution de la monarchie absolue, répondirent la
renaissance du douzième siècle, la décadence des quatorzième et quinzième siècles. Entre les deux périodes, par-
ticipant de l'une et de l'autre, se place la prospérité relative du treizième siècle, à laquelle est attaché le nom de
saint Louis.

Ces alternances ont été fort nettement indiquées et
appréciées par M. Félix Rocquain, l'un de nos plus
laborieux archivistes, dans ses *Études sur l'ancienne
France* (1). Il revendique pour le douzième siècle la gloire
ordinairement attribuée au treizième. Dans l'ordre politique, la libération de la classe moyenne, les progrès de la
royauté. Dans l'ordre social, la diminution des brigandages féodaux, les commencements de l'industrie, du commerce, de la richesse mobilière ; l'adoucissement des
mœurs et le respect croissant de la femme ; l'essor de la
chevalerie ; l'esprit de réforme monastique. Dans l'art, la
brillante transition du roman au gothique ; la consécration
de la jeune langue française par des chants épiques, ner-

(1) *Études sur l'ancienne France*, histoire, mœurs, institutions,
d'après les documents conservés dans les dépôts d'archives, par
Félix Rocquain. In-18, Didier. Recueil d'intéressants articles sur
les *Archives nationales*, les douzième, quatorzième et quinzième
siècles ; *la Misère au temps de Louis XIV*, *la Chambre des
comptes*, François Villon, René d'Anjou, etc , etc.

veux et concis, comme *la Chanson de Roland*, par l'enseignement oral d'un Abailard et d'un saint Bernard ; le
retour au droit romain, juste et lumineux si on le compare
au droit féodal et au droit canonique ; enfin le granddébat
entre la métaphysique et la méthode expérimentale, le
réalisme et le *nominalisme*, préliminaire indispensable de
toute philosophie. Ce sont là des titres qui appartiennent
en propre au douzième siècle et qui justifient la thèse de
M. Rocquain. Le treizième siècle dans ses beaux jours n'a
fait que développer les germes semés par l'âge précédent.
Et combien n'en a-t-il pas atrophié! « La convention, la
formule, succèdent à l'originalité. » L'architecture déjà
altère ses proportions et n'invente que des ornements. La
poésie délaye les vieux sujets. « La première chanson
d'*Ogier* contenait trois mille vers ; reprise au treizième
siècle et remaniée, elle en contient huit mille. » D'autres
atteindront, au quinzième, vingt et trente mille vers. Puis
c'est la guerre des Albigeois qui, tout en accroissant la
monarchie, tue la vie méridionale ; c'est l'inquisition, qui
paralyse la pensée !

Toutefois, si le douzième siècle est une renaissance,
le treizième siècle est un apogée ; il figure assez bien
le dix-septième siècle après le seizième. M. Wallon nous en
présente un tableau suffisamment fidèle et attrayant ; son
livre, *Saint Louis et son Temps*, fait grand honneur à son
érudition consciencieuse (1). Les matières y sont savamment disposées ; et, quand on l'a bien lu, on n'ignore rien

(1) *Saint Louis et son Temps*, par H. Wallon, membre de l'Institut, professeur d'histoire moderne à la Faculté des lettres de
Paris. 2 vol. in-8°, Hachette, 1875.

Le même ouvrage petit in-4°, 9 chromolithographies, 22 gravures, 3 fac-simile, 4 cartes en couleurs, 260 dessins dans le texte.
Appendices par MM. G. Demay, Anatole de Barthélemy, A. Longnon, etc. Tours, Mame, 1879.

d'important non seulement sur la vie privée et publique de saint Louis, mais sur l'état de la France, de la papauté, de l'Angleterre, de la Palestine, de l'Orient même. L'espace nous manquerait pour résumer un règne si rempli, une époque si féconde pour la formation de notre patrie, l'agrandissement de la monarchie, et qui, sans égaler les élans poétiques et philosophiques du douzième siècle, n'en a pas moins accru et porté au loin l'influence de l'esprit français. Nous n'éprouvons aucune peine à reconnaître les qualités morales du saint roi ; nous savons l'honorer pour l'esprit de paix qu'il porta dans l'administration de ses domaines propres, dans l'arrangement des querelles de ses vassaux, dans l'acquisition des nombreuses provinces qu'il réunit ou assura du moins à la couronne. Mais si nous voulons, si nous devons, avec M. Wallon, juger saint Louis selon son éducation, son temps, son milieu féodal et catholique, la justice de l'histoire ne peut nous contraindre à admirer les idées superstitieuses qui ont eu tant d'empire sur sa vie.

M. Wallon a posé une question véritablement importante et que nous croyons vidée, mais dans un sens qui n'est pas celui du savant écrivain. « Louis IX, dit-il, fut un saint sur le trône. Quelle influence le caractère du saint a-t-il eue sur la conduite du roi ? La France a vu des princes de bien des natures différentes... Une seule fois (en ne comptant pas Charlemagne), elle a connu un saint. Il est donc intéressant de voir quelle figure il a faite parmi tant de noms fameux. »

Il a fait belle figure, mais quoique saint. La sainteté n'a rien ajouté à ses mérites, bien au contraire. S'il est vrai, comme le dit un de ses confesseurs, qu'il n'ait jamais commis une seule faute capable de compromettre son salut éternel, ce qui n'importe guère, il en a commis quelques-unes qui ont été nuisibles à son royaume et à lui-même ; et c'est comme saint qu'il les a commises.

Ce qui surprend au plus haut point, c'est que cette nature vraiment noble et saine ait pu résister au chapelet, aux litanies, à la récitation des heures diurnes et nocturnes, aux processions pieds nus, aux larmes sur la croix, aux prostrations extatiques, au culte des reliques et des amulettes. La sainteté, avouons-le, ne réussit pas aussi bien à tout le monde. Heureux roi, dont les qualités natives et les intentions droites ont triomphé, dans une telle mesure, de ce qui « abêtit » les hommes. (Le mot est de Pascal.)

Une luxueuse réédition du texte de M. Wallon, récemment parue, n'a pas modifié notre opinion sur le saint roi; elle nous y a confirmé. Qu'on nous permette, avant de revenir à ce personnage si cher à la gent dévote, une menue digression sur le concours que les arts du dessin peuvent apporter à l'histoire.

Michelet a dit dans une préface justement célèbre (1) : « L'histoire est une résurrection ». Il s'entoure, il se pénètre de tous les documents qui se réfèrent à un temps, à une série de faits ; il s'assimile un milieu et s'y transporte ; il se fait Gaulois, druide, Franc, routier, dominicain, serf ou baron, communier, roi, empereur, pour agir et penser comme eux ; et il reste homme du dix-neuvième siècle, pour les juger. Privilège du génie ! De là cette vie intense qui anime ses paysages et ses héros. On les voit et on les entend. Jamais artiste n'a poussé plus loin l'illusion de la réalité.

De telles évocations ne sont pas à la portée de tous les savants. Il est, du moins, d'autres artifices équivalents,

---

(1) Elle figure en tête de l'édition in-18 de l'*Histoire de France*. Signalons ici cette utile entreprise. Quinze volumes ont paru (Marpon et Flammarion).

d'un emploi relativement facile et qui même présentent
certains avantages : ils donnent moins à l'imagination.
Grâce aux progrès de la gravure sur bois et des autres
industries d'art, telles que photographie, héliogravure,
lithochromie, il est devenu possible de réaliser matériel-
lement la formule de Michelet, en figurant à côté du texte
la région, l'homme, l'édifice, l'arme, la monnaie, le costume, l'objet qu'il s'agit de représenter : si la résurrection
n'est pas dans le livre, elle s'opère dans l'esprit du lecteur, sous ses yeux. M. Édouard Charton a eu, le premier
à notre connaissance, l'idée d'appliquer à l'histoire les
procédés qui avaient fait le succès de son *Magasin pitto-
resque*. Avec le concours de M. Henri Bordier et de plusieurs écrivains compétents, il a publié une *Histoire de
France par les monuments*, qui à sa valeur propre joint
le mérite d'avoir inauguré l'illustration scientifique de
l'histoire.

Depuis, la mode est venue de vivifier les récits historiques par le dessin et la couleur. La maison Hachette a
largement appliqué ce procédé excellent. Les Didot ont
entrepris des publications du même genre, mais où la
forme, trop souvent, l'emportait sur le fond. Les beaux
livres qui sortent de chez Mame frappent particulièrement
par le goût et le soin qui président à l'agencement du texte
et des gravures. Déjà le *Charlemagne* de l'an dernier était
un modèle à cet égard ; la *Sainte Élisabeth* et le *Saint
Louis* de cette année ne lui sont pas inférieurs. La
sainte nous touche peu, malgré le miracle des roses et le
style de Montalembert ; il paraît que la réimpression de
cette puérilité mystique était vivement désirée par les âmes
pieuses. Nous bornant à noter la charmante exécution des
vignettes et des grandes planches en couleur, nous nous
arrêterons quelque peu au *Saint Louis*. Selon la méthode
adoptée par un très fin connaisseur et un ardent amou-

10

reux du moyen âge, qui n'est pas des nôtres et qui ne veut pas être nommé, les éditeurs ont rejeté hors texte l'illustration attrayante, destinée à faire connaître toutes les formes que, depuis le treizième siècle jusqu'à nos jours, l'art du peintre et du sculpteur a successivement données à la reproduction de la physionomie de saint Louis et de ses principales actions. Dans le texte, l'illustration sérieuse, archéologique, fait passer sous nos yeux les principaux types de l'art au treizième siècle. Quel que soit l'agrément de la première série, c'est celle-ci qui surtout nous attire. Nous préférons à la figure du saint roi, que nous ne connaissons pas d'ailleurs d'une façon tout à fait authentique, les cathédrales de Paris et d'Amiens, la Sainte-Chapelle, le cloître de Royaumont, Coucy, Carcassonne, une maison de Provins, les bas-reliefs de Reims, les émaux, le tableau complet des monnaies émises par saint Louis, les armes et costumes figurés dans un remarquable appendice, enfin le fac-simile de cette belle écriture du treizième siècle, aussi lisible (sauf les abréviations) que l'imprimé, et les admirables cartes de M. Longnon. Les éditeurs ont raison de proclamer cet ensemble « véritablement scientifique », et leurs émules profanes auront à profiter de leur exemple ; mais ils ne se sont pas proposé seulement de faire connaître saint Louis et son temps ; ils se flattent de « les faire aimer ». Ici, je ne sais trop s'ils atteignent leur but. Le récit de M. Wallon, sagement dévot, froidement exact, ne saurait, même réchauffé par les ors et les vives nuances de la chromolithographie, transfigurer le visage un peu béat et clérical du héros chrétien ; encore moins pallier les fautes et l'insuffisance d'une politique extérieure qui a restitué aux Anglais un tiers du sol français, sous prétexte de droit féodal, ni la folie de croisades d'autant plus inutiles qu'elles ont échoué lamentablement. La sainteté

de Louis IX a fait autant sa faiblesse que sa force. Si elle
a donné à la royauté et à la France un prestige véritable,
elle a percé la langue aux prétendus blasphémateurs ; elle
a livré plus que jamais les honneurs, les richesses et les
consciences à l'Église. Sans doute, ce dévot baiseur de reliques, cet ardent laveur de lépreux, ce diseur de litanies,
a maintenu fermement l'indépendance de sa couronne
contre les prétentions du saint-siège ; et c'est un mérite
sur lequel M. Wallon glisse volontiers avec un ton de
blâme respectueux, comme il convient à un bon *Sylla-
biste* ; mais ce mérite, le saint, l'affilié à l'ordre mystique
des Franciscains, le partage avec des laïques, avec son
grand-père et son petit-fils, Philippe-Auguste et Philippe
le Bel. Saint Louis a eu plusieurs des qualités d'un chef
d'État ; mais ses vertus ne sont pas d'un roi. Nous ne pouvons regretter ni aimer une époque où il fallait être un
saint pour être un honnête homme. La dignité humaine
est médiocrement flattée des génuflexions, des oraisons
noyées de larmes : la justice a plus de confiance en un code
raisonné que dans la bienveillance d'un souverain, même
assis en surcot de laine sous le chêne de Vincennes. La
France moderne est bien loin de méconnaître et de renier
ses ancêtres : elle admet volontiers saint Louis dans le panthéon des gloires nationales : les rois qu'elle y place ne
sont pas si nombreux ! Mais elle ne saurait le comparer
ni à Philippe-Auguste, ni surtout à cette Jeanne d'Arc,
qui s'est si complètement dégagée de l'orthodoxie catholique et de l'idée féodale, et que les successeurs de ses
bourreaux revendiquent si vainement.

Quand vous vous serez bien pénétré des savantes illustrations groupées autour du saint Louis catholique et clérical, cherchez au troisième volume de Michelet, la
vivante peinture du treizième siècle : vous trouverez là le
saint Louis réel. Notre grand historien, on peut le dire,

aimait beaucoup le moyen âge au temps où il a écrit ses premiers volumes ; comme tous les personnages qu'il évoquait et ressuscitait, il a entouré le fils de Blanche de Castille d'une ardente sympathie ; et cependant il n'a pu se dispenser de porter un jugement sévère sur cette « préoccupation excessive des choses de conscience qui aurait ôté à la France toute action extérieure ». Voici un passage qu'il est bon de citer : « Saint Louis de retour sembla repousser toute pensée, toute ambition passagère ; longtemps il s'enferma avec un scrupule inquiet dans son devoir de chrétien, comprenant toutes les vertus de la royauté dans les pratiques de la dévotion... Malgré ses frères, ses enfants, ses barons, ses sujets, il restitua au roi d'Angleterre le Périgord, le Limousin, l'Agénois et ce qu'il avait en Quercy et en Saintonge (1258). Les provinces cédées ne lui pardonnèrent jamais, et, quand il fut canonisé, elles refusèrent de célébrer sa fête. » Ce n'est pas la dernière fois que les peuples devaient dépasser leurs chefs en sagacité politique. Les Limousins sentaient venir la guerre de Cent ans. Saint Louis y a sa part de responsabilité.

X.

L'INVASION GERMANIQUE. — BARBARES ET CIVILISÉS.

L'Allemagne se glorifie volontiers d'une pureté de race
(sans parler de celle des mœurs) qu'elle refuse aux peuples
latins, notamment à la France. Si cette prétention était
fondée, on pourrait l'admettre sans peine : il suffirait de
constater que, pure ou mêlée, l'unité française s'est constituée en un temps où il n'était pas question d'une nationalité allemande, qu'elle a résisté à l'anarchie féodale,
qu'elle s'est manifestée la première en Europe, et par une
concentration souvent excessive, à coup sûr caractéris-
tique. Où serait donc l'influence de la pureté de la race
sur la formation des peuples et sur leur destinée?

Mais, en fait, il n'y a pas de races pures. On ne saurait dire que l'anthropologie ait découvert des types humains antérieurs à tout croisement. Quant à l'histoire, elle
témoigne de mélanges perpétuels et continus. Il est relativement facile de déterminer les éléments divers, juxtaposés et superposés, d'où sont issues les nations modernes.
Pour l'Allemagne et la Prusse, par exemple, ce travail a
été fait par M. de Quatrefages avec une autorité peu contestable. Le peuple français ne récuse aucun de ses ancêtres; il ne rougit ni des mangeurs de mollusques, ni
des mangeurs de chevaux qui maniaient l'outil de pierre
taillée, ni des troglodytes artistes de la Vézère, des
hommes de l'âge du mammouth et du renne; il accepte
ses Ligures, ses Vascons, ses Aquitains, ses Celtes trapus

à tête ronde, ses Gaulois élancés et blonds ; il sait que les fonctionnaires et les soldats romains lui ont apporté des forces nouvelles ; il fait leur part aux contingents successifs fournis par les barbares de l'Est, Cimbres, Teutons, Visigoths, Huns, Burgondes, et surtout par les bandes franques auxquelles il doit son nom. Maintenant, dans quelle mesure ces immigrations ont-elles modifié le caractère, le génie, les coutumes, les institutions du groupe social qui en est résulté ? Voilà une question vaste, complexe, et qui a bien de quoi tenter l'historien philosophe ; malgré les solutions partielles qu'elles a reçues, elle demeure encore presque entière, et, sur beaucoup de points, les théories consacrées par l'usage et par l'enseignement semblent sujettes à revision.

Depuis le seizième siècle, une opinion s'est formée, qui rattache aux grandes invasions du cinquième siècle l'origine et le développement de la nation française, et qui, corroborée par les travaux d'Augustin Thierry, de Guizot, de Michelet lui-même, est devenue la base classique et le point de départ de notre histoire. L'érudition allemande s'en est naturellement emparée et nous l'a renvoyée à l'état d'article de foi. Loin de nous l'idée de rabaisser les services rendus par l'Allemagne à la minutieuse étude des textes ; mais il nous sera bien permis de répudier certains engouements, certaines admirations excessives qui ont survécu même à nos désastres ; nous voudrions qu'au lieu de se faire les tributaires et les hommes liges de la science germanique, nos savants et nos professeurs prissent la peine de penser par eux-mêmes. Tel a été le sentiment de M. Fustel de Coulanges lorsqu'il a recommencé pour son compte l'examen des documents relatifs à la société gallo-franque, et nettement formulé son jugement personnel sur les institutions des Gaulois, des Romains de l'empire, des Germains, depuis les temps de César jusqu'à la période mérovingienne. Ces conclusions étaient trop absolues et, sur quelques points, trop nouvelles pour ne pas étonner les adeptes, même les plus modérés, du germanisme. La polémique s'est engagée, mais non aussi vive qu'on pouvait l'attendre. M. Gabriel Monod, M. Thévenin, M. Julien Havet, de l'Ecole des hautes études, sont tour à tour descendus dans l'arène, et le combat a eu lieu à armes courtoises. En somme, les thèses principales de M. Fustel sont restées debout. Voici les propres paroles de M. Monod dans la *Revue historique* de janvier-mars 1876 : M. Fustel de Coulanges « n'a pas de peine à montrer que la conquête romaine, acceptée sans répugnance par les Gaulois, ne laissa rien subsister des institutions gauloises...; on admet généralement que les Francs ne dépouillèrent pas systématiquement les Gallo-Romains d'une partie de leurs terres, mais on concède moins facilement que les Germains n'aient apporté dans les institutions politiques de la Gaule aucun élément original, que leur influence se soit réduite à y introduire un ferment de désorganisation qui rendit possible des transformations ultérieures, et qu'ils n'aient pas joui en Gaule, par le fait de leur race, d'une situation privilégiée. »

Le terrain de la discussion est ainsi parfaitement circonscrit : les Germains du cinquième siècle ont-ils apporté un ordre nouveau, ou seulement des éléments de désordre et d'incohérence? Se sont-ils réservé, en tant que conquérants, des privilèges politiques, juridiques et sociaux?

La première question nous paraît résolue dans le sens indiqué par M. Fustel de Coulanges : non seulement le moyen âge, à quelques intermittences près, n'a été qu'un long, qu'un affreux désordre, mais encore le déplorable état social vainement réhabilité par quelques optimistes s'annonçait en Gaule deux siècles au moins avant la grande invasion ; il naissait de la décomposition de l'em-

pire. Les abus de la grande propriété foncière, l'extension
des diverses formes du servage, les cadres de cette sombre
hiérarchie sur laquelle a pu s'asseoir le régime féodal,
rien de tout cela n'est d'origine germanique. Les barbares
n'ont pas enrayé le mal ; ils l'ont au contraire aggravé et
précipité. Noyés dans la population gallo-romaine, ils en
ont accepté les usages, les croyances, la langue, le système fiscal, le régime foncier. Les rois francs, chefs germains de bandes qu'on ne peut évaluer à plus de dix
mille hommes, ont gouverné douze ou quinze millions de
Gallo-Romains, à titre de patrices, de consuls, de fonctionnaires impériaux. Quand les perpétuels partages de
l'autorité, dont l'exemple était fourni aussi bien par les
traditions de l'empire romain que par les coutumes germaniques, eurent affaibli le pouvoir central, les attributions
de la souveraineté se trouvèrent naturellement transférées
aux grands propriétaires ; et la monarchie se débattit près
de sept siècles dans l'engrenage féodal.

Au reste, pour imposer à des vaincus une constitution,
il faut posséder des institutions définies ; pour la faire
prévaloir, il faut, ou la prépondérance matérielle du
nombre, ou le prestige de la supériorité intellectuelle. Ces
trois conditions manquaient aux envahisseurs germains.
L'auteur de la *Germania*, tout en les flattant à dessein,
n'a pu en faire des peuples organisés, encore moins des
civilisateurs. Tribus à peine fédérées sous l'autorité de
quelques familles puissantes où se recrutaient leurs rois, à
moitié nomades, à moitié sédentaires, sans cesse en proie
à des guerres intestines, ils n'avaient point dépassé l'état
social des Gaulois avant César, des Latins avant Romulus,
des Hellènes avant Homère. Les usages mentionnés dans
les lois rédigées aux sixième et septième siècles étaient ceux
des peuples enfants. Leur moralité, leur culture, étaient
séparées de la civilisation impériale par un abîme de douze

ou quinze cents années. Ils n'avaient rien à enseigner,
tout à apprendre. Aussi leur intrusion a-t-elle fait rétro-
grader le monde ; elle y a jeté le trouble, jusqu'au jour où
la Renaissance, éliminant la barbarie, a remis l'Occident
sur la route de la science, du droit et de la liberté raisonnée.

Enfin les chefs de bandes qui, vers la fin du cinquième
siècle, sont venus occuper la place laissée vacante par le
gouvernement romain ne disposaient point d'une force
suffisante pour englober dans un système nouveau les populations établies sur le sol de la Gaule. Loin de là, ils
entrèrent, eux, leurs leudes et leurs soldats, infime minorité, dans le régime ancien, pour l'exploiter à leur profit.
Fonctionnaires civils et ecclésiastiques, corps municipaux,
milices, ils acceptèrent tout ce qui subsistait de la société
et de l'organisation gallo-romaines, tout ce qu'ils n'auraient pu ni remplacer ni inventer. L'invasion n'a pas
été une conquête proprement dite, une dépossession brusque ; elle a procédé par infiltrations lentes où la violence
n'a été que passagère et accidentelle. Toutes les incursions hostiles avaient échoué durant quatre siècles. Arioviste, refoulé par César, les Bructères, les Quades, les
Alamans, etc., battus et exterminés par Marc-Aurèle,
Claude II, Aurélien, Probus, Constantin, Julien, Valen-
tinien, n'avaient causé que des ruines, mais sans im-
planter en Gaule aucun élément de population. Quand
l'ébranlement communiqué à la Germanie presque vide
par les Huns et les Slaves précipita sur l'Occident les
Visigoths, auxquels l'empire accorda un asile, les deux
cent mille fuyards de Radagaise qui furent écrasés en
Italie, les deux cent mille Suèves, Burgondes, Vandales
qui, ravageant, pillant, s'entretuant, semèrent de leurs
débris la Gaule du Rhin aux Pyrénées (406), ces hordes
ne se superposèrent que par endroits à la masse gallo-

romaine; elles conservèrent leurs lois, si tant est qu'elles
en eussent, mais elles ne les imposèrent pas. Elles ne dé-
truisirent pas l'empire; si Ataulf en eut un moment la
pensée, il recula devant l'énormité de la tâche. Tout au
contraire, elles se mirent le plus souvent à son service et
le défendirent comme un patrimoine dont elles avaient
leur part. Elles se conformaient ainsi à une tradition ancienne; une foule de tribus germaniques avaient été successivement encadrées dans les armées de Rome, tant et
si bien, qu'à partir d'Honorius les légions furent presque
exclusivement composées de Barbares. C'est en qualité
d'auxiliaires, de soldats, de colons, de laboureurs, de
serfs, de lites, que les Germains envahirent réellement
l'empire; et les rangs qu'ils y occupèrent étaient loin d'être
les plus hauts dans la hiérarchie sociale.

Maintenant, les groupes d'hommes libres qui, sous le
nom de Ripuaires et de Francs à l'est et au nord, de Burgondes au sud-est, avaient pris pied en Gaule dans le courant du cinquième siècle, et dont les chefs se trouvèrent
peu à peu investis des pouvoirs publics, ces groupes libres
se réservèrent-ils une place privilégiée dans la société
gallo-romaine? Se déclarèrent-ils supérieurs aux anciens
habitants? S'emparèrent-ils des terres et des maisons?
Firent-ils prévaloir leurs dieux, leurs coutumes, leur
langue? Nullement, répond M. Fustel. Loin de mépriser
et d'exécrer les Romains, les barbares ne songeaient qu'à
les imiter; les Francs ne furent jamais considérés par les
Gaulois comme des oppresseurs et des maîtres. Les historiens du temps ne parlent ni de vaincus ni de vainqueurs. Quant à des privilèges légaux, il y a doute, comme
nous allons voir; mais ces dispositions, tout à fait passagères, si d'ailleurs on les a bien interprétées, ne durent
recevoir qu'une application peu fréquente. Que l'on songe
au petit nombre des barbares; excepté dans les provinces

rhénanes, peuplées de Germains que les empereurs y avaient eux-mêmes établis et qui étaient depuis longtemps latinisés, nulle part en Gaule les Gallo-Romains ne furent débordés par l'élément germanique.

Nous laisserons de côté le partage des terres, que semblent impliquer divers passages de la loi des Burgondes, et que M. Fustel réduit à un usufruit, à un contrat de métayage ; et nous nous arrêterons à ce qu'on nomme l'*inégalité du wergeld*, question débattue, mais non tranchée. C'est le point qu'a choisi M. Julien Havet pour battre en brèche toute la théorie nouvelle.

« On sait (1) que les lois barbares, dans la fixation du rachat des crimes pour diverses sommes d'argent, établissaient pour un même délit un taux différent, selon que la victime était d'une qualité plus ou moins relevée ; en sorte que les personnes étaient divisées en classes que séparait le degré de protection plus ou moins efficace qui leur était accordé par la loi. A cet égard, les deux lois des Francs, la loi salique et la loi ripuaire, s'accordent à distinguer deux catégories de personnes inégalement protégées par elles, qu'elles désignent par les deux noms de Francs et de Romains. Dans tout procès criminel, ces lois distinguaient si la victime était romaine ou franque, et fixaient une composition plus haute dans le second cas que dans le premier. Pour un meurtre, par exemple, le coupable avait à payer, si l'homme tué était un Franc, deux cents sous ; si c'était un Romain, cent sous seulement. Le *wergeld* du Franc était double de celui du Romain. » Nous avons tenu à transcrire ce passage, où l'objet du débat est exposé en termes clairs et dont l'exactitude n'est point contestée. A première vue, la thèse consacrée triomphe :

---

(1) *Du sens du mot* romain *dans les lois franques* (Art. J. Havet, *Revue historique* de juillet-septembre 1876).

il paraît évident que deux tarifs sont établis pour les
crimes, *selon la nationalité* de la victime. Et quoi d'étonnant? Si les Francs et les Germains étaient des conquérants, des vainqueurs, comme on l'enseigne d'ordinaire, ne devaient-ils pas dédaigner les multitudes qu'ils
avaient subjuguées et n'accorder à ces moitiés d'hommes
qu'une moitié de protection? Ce mépris du Barbare pour
le Gallo-Romain, pour le civilisé en général, M. Julien
Havet croit en retrouver des marques non équivoques dans
plusieurs textes postérieurs aux invasions ; il pense que ce
sentiment s'est même conservé chez les Francs plus longtemps que chez d'autres tribus germaniques: et il note, à
l'appui de son opinion, que la loi burgonde, à la différence
des lois franques, n'établit aucune distinction entre Romains et Barbares, et affirme partout, en propres termes,
l'égalité du Burgonde et du Romain. Il répond donc pé-
remptoirement aux objections de M. Fustel et conclut à
l'inégalité *juridique* du Romain et du Franc. Il n'est pas
besoin d'insister sur sa solution et ses arguments : c'est la
solution, ce sont les arguments classiques ; notez bien que
nous n'en récusons pas la valeur, la correction *littérale* ;
mais les hypothèses et les interprétations de M. Fustel
nous paraissent, dès à présent, en restreindre notablement
la portée. Celui-ci a répondu avec détails à son contra-
dicteur (1), et, s'il a lui-même quelque peu atténué la
rigueur de sa thèse, il n'en a pas moins fourni en sa faveur de très précieuses probabilités. Nous donnerons
l'économie et les conclusions de son travail, qui nous a
vivement intéressé.

M. Fustel de Coulanges a constaté partout en Gaule la
rapide fusion de l'élément étranger et de l'élément national ; l'aptitude égale de tous les hommes libres à toutes

(1) *De l'inégalité du Wergeld* (*Revue historique* d'octobre-
décembre 1876).

les fonctions dans l'armée, dans l'administration, dans les magistratures, à la cour même des rois francs. Ni les Burgondes, ni les Visigoths n'ont traité les Romains en vaincus, en inférieurs. Les Francs auraient seuls agi autrement.

C'est ce qui est bien difficile à admettre. De là cette conjecture que la *nationalité* n'a été pour rien dans les inégalités juridiques établies par les lois salique et ripuaire, et que le *wergeld* a été fixé uniquement *d'après le rang social* des victimes. Les *Romani* taxés par ces lois à un tarif inférieur n'étaient pas des *ingenui*, des hommes libres gallo-romains; c'étaient des affranchis d'une classe particulière, dont la libération civile et politique n'était pas absolue.

L'existence de cette classe d'affranchis n'est pas contestée. « Il s'agit donc de savoir si les lois salique et ripuaire, dans les articles où elles prononcent que les *Romani* n'ont qu'un demi-wergeld, entendent parler de cette classe des affranchis, ou si elles visent des hommes libres de race gallo-romaine. » Mais comment arriver à cette distinction ? Les lois franques n'accompagnent le mot *Romani* d'aucune épithète explicative. Y a-t-il là une énigme insoluble ? Peut-être. Mais on peut du moins éclairer les abords et les alentours de la question. Il ne faut considérer isolément ni un article de loi, ni une loi tout entière ; il faut les replacer dans leur cadre, dans l'ensemble des dispositions qui les entourent et qui doivent les expliquer.

Tout d'abord M. Fustel maintient contre M. Julien Havet que, « dans les documents du sixième et du septième siècle, il n'y a pas un seul mot qui marque, chez les Germains, un sentiment de mépris pour les populations gallo-romaines ou de supériorité légale à leur égard ». L'un des textes allégués par M. J. Havet appartient au dixième siècle, et l'autre exprime l'opinion individuelle d'un lexicographe bavarois.

Il interroge ensuite « les documents germaniques autres que les lois franques » : « Il n'y a pas eu, depuis Clovis, une seule génération d'hommes qui ne nous ait laissé des écrits, tels que chroniques, lettres, poésies, formules, diplômes, actes des conciles, vies des saints :... or, aucun de ces textes ne marque que la population indigène fut traitée, en justice, sur un pied d'infériorité. Grégoire de Tours et Frédégaire parlent maintes fois de Gallo-Romains qu'ils appellent du titre de *senatores* ou *seniores*, et les Vies des saints vantent souvent la noblesse et la richesse des familles gallo-romaines. Nul indice que ces riches et nobles personnages n'eussent un wergeld inférieur à celui des Francs. » Dans les lois des Burgondes, même silence. Celles des Visigoths, Ostrogoths, Lombards sont également muettes : bien que tous les peuples se soient établis dans l'empire à peu près de la même manière que les Francs, ils ne distinguent par le taux du wergeld que des hommes libres, des affranchis et des esclaves, sans aucune distinction de race.

Les lois franques seraient donc en désaccord complet avec celles des peuples congénères, d'une part en distinguant judiciairement le Franc libre et le Romain libre, d'autre part, en confondant dans une même catégorie pénale les *Romani* libres et les *Romani* affranchis. On a allégué, mais sans véritables preuves, l'antériorité relative des lois franques. Sur les soixante manuscrits qui nous restent de la loi salique, il n'en est pas un qui ne soit rédigé dans un latin très vulgaire, très corrompu « et qui semble bien être la langue parlée des populations du nord de la Gaule à la fin du sixième siècle ». Les plus vieux ne sont pas antérieurs à Clotaire II, dont ils mentionnent le nom. M. Fustel n'accorde ni à M. Thévenin ni

à M. J. Havet que la loi salique ait précédé la période
mérovingienne, encore moins qu'il faille y voir le coutumier d'une tribu *salienne*, détruite au quatrième siècle
par Julien, et dont l'existence ultérieure n'a jamais été
démontrée ; il nie que cette loi ait un caractère populaire : il y signale partout l'empreinte de l'omnipotence
monarchique. Nous n'entrons pas, bien entendu, dans
cette discussion ; mais nous la notons en passant comme
une protestation contre la théorie officielle, contre ce qu'on
pourrait nommer, avec un peu de hardiesse, le *roman
germanique*.

Ne trouvant point de lumières dans les lois franques
sur le sens du mot *Romanus*, M. Fustel se rabat sur l'expression *Francus*, presque partout opposée à la première ;
il n'a pas de peine à démontrer que *francus* est un des
synonymes les plus ordinaires d'*ingenuus ;* partant de là,
il cherche à établir que *francus* désigne volontiers tout
homme libre, germain ou gaulois, à quelque race qu'il
appartienne. Si un raisonnement valait une démonstration,
romanus, opposé à *francus*, s'appliquerait à tout homme
non libre, à tout affranchi d'une certaine classe. Et, en
fait, l'affranchi connu sous ce titre était indifféremment
barbare ou gaulois d'origine ; son nom ne marquait que
sa condition sociale. Mais, d'autre part, on ne saurait
refuser au terme *romanus* un sens plus général ; tous les
chroniqueurs et tous les écrivains l'emploient le plus souvent pour désigner soit les peuples soumis à la domination
romaine, soit les habitants de l'empire demeurés indépendants des barbares.

Toujours est-il que, dans la loi ripuaire, « le demi-
wergeld du *romanus* n'est établi qu'au titre LXI, et ce
même titre marque en termes formels que le *romanus* est
ici un affranchi. Mais la loi salique ne présente pas les
mêmes clartés. « Au titre XLII seulement, le *romanus* est

visiblement, avec le lite et le *puer*, un homme des classes intermédiaires. Dans les autres titres, on peut, avec une égale vraisemblance, interpréter le mot dans le sens d'affranchi et dans le sens de gallo-romain. Toutefois, il faut bien reconnaître que la loi salique place toujours ce *romanus* dans la même situation exactement où la loi ripuaire avait placé le *tabularius* et où les autres lois germaniques placent les *liberti* (affranchis). » Les Francs n'auraient donc pas distingué entre l'indigène libre, apte à toutes les fonctions les plus éminentes, et l'affranchi qui ne tenait même pas le premier rang dans cette catégorie intermédiaire : car le *romanus* était primé par le *denarialis*, affranchi assimilé définitivement à l'*ingenuus* (?).

Enfin les articles relatifs au demi-wergeld du *romanus* sont restés inscrits dans la loi salique revue et corrigée par Charlemagne. S'ils étaient encore en vigueur, à qui les appliquer? Il n'existait plus, à la fin du huitième siècle, de Gallo-Romains et de Barbares ; il n'y avait plus au nord de la Loire qu'une population homogène, la nation des Francs. Le sang germain et le sang gaulois s'étaient depuis longtemps confondus.

Une seconde réponse de M. Julien Havet n'a pas mis fin au débat ; mais on ne saurait dire que la question du *wergeld* demeure entière ; nous ne serions pas étonné si, dans quelques années, la solution de M. Fustel avait gagné en vraisemblance et en autorité. A coup sûr, une rude atteinte vient d'être portée à la légende des invasions germaniques, de la sagesse et de la vertu des barbares.

XI.

CHARLEMAGNE ET GENGISKHAN.

L'histoire de nos origines aurait péri, comme s'est évanouie celle de la Grèce primitive, que la légende attesterait encore la grandeur de l'œuvre accomplie, ou du moins tentée, par Charlemagne. Les hommes du onzième siècle, ceux qui pensaient du moins, et ils étaient rares, semblent avoir eu le sentiment d'une décadence profonde. Leur imagination se réfugiait dans le passé, aussi loin que leur ignorance lui permettait d'atteindre ; ils voyaient se dresser à l'horizon l'empereur et ses douze pairs, dominant de la tête une armée innombrable ; et leur propre petitesse grandissait encore ces colosses. Ils leur prêtaient des aventures étranges, de fabuleux exploits ; ils accumulaient à leurs pieds, dans leur ombre, des centaines de poèmes romanesques : tout cela en vain ; la légende arrivait à fausser ou à transfigurer la réalité, elle ne la dépassait point.

Le Charlemagne de l'histoire n'a rien à envier au Charlemagne de l'épopée. Il n'est pas le vieillard auguste, à la barbe grifaigne, à la barbe florie ; mais il est le puissant guerrier à la fière moustache ; il n'a conquis ni l'Afrique ni l'Asie, mais il a contenu l'expansion musulmane et mis fin aux invasions germaniques. En face du chaos de l'Europe orientale, il a constitué et organisé le monde latin. C'est là sa gloire. Son empire a croulé, ses faibles successeurs n'ont pu résister à l'effort de peuples nouveaux qu'il avait

11

appelés à la vie ou qui se sont développés en dehors du cercle de ses conquêtes ; ils ont été ruinés et emportés par une décomposition sociale qui minait l'Occident depuis le cinquième siècle, et que leur aïeul avait enrayée un moment. Mais l'œuvre fondamentale de Charlemagne n'a pas péri ; cet édifice, qu'il a construit avec le monde gallo-romain et les éléments utilisables du monde barbare, subsiste encore, et rien n'a pu briser les liens qu'il a établis entre les peuples divers pour jamais fixés en Italie, en Gaule et en Espagne.

En vérité, quand les Allemands revendiquent Charlemagne, ils cèdent à une illusion bien superficielle : et pas n'est besoin, pour la dissiper, d'inventer aux Pépins et aux Carlomans une généalogie gauloise et romaine. Ce n'est pas l'origine ethnique qui fait la nationalité des hommes. Nul ne conteste la part des Francs dans la formation de la France : elle leur doit son nom, quelques-unes de ses institutions et la plupart des vicissitudes de son histoire. Mais, en s'assimilant aux races dont ils ont pris la direction, les Francs avaient perdu, avaient eu hâte de perdre, leur caractère germanique. Par son titre de patrice, par son baptême, par Tolbiac et par Vouillé, par le massacre des chefs Ripuaires, Clovis avait assez marqué sa résolution de rompre violemment avec la barbarie nomade et de se rattacher à l'ordre civilisé. Les moins obtus de ses héritiers n'eurent pas de plus constant souci. Autour d'eux, les guerriers que la conquête faisait propriétaires avaient accepté volontiers ce qui, dans les lois romaines, assurait et protégeait leurs nouveaux droits. Les Francs Austrasiens n'étaient pas demeurés beaucoup plus fidèles aux coutumes germaniques que les Neustriens ; et ils étaient d'autant plus hostiles à leurs frères d'origine qu'ils se trouvaient plus exposés à leurs incursions. La différence de religion ajoutait encore aux haines réciproques.

Sur la rive gauche du Rhin régnait un christianisme tel
quel ; la rive droite appartenait toujours à Woden, à Thor
et aux Walkyries. Finalement, en théorie comme en fait,
le Franc Austrasien, le Germain Charlemagne se montra
si peu Allemand, qu'il fit dix-sept campagnes contre les
Saxons, deux ou trois contre les Bavarois, autant contre
les Lombards, et qu'il se posa toute sa vie en champion
convaincu de l'Occident romanisé contre le vagabondage
des populations hétérogènes, Teutons, Slaves, Avares, qui
se pressaient entre le Rhin, la Baltique et les Alpes. La Germanie n'a pas eu d'ennemi plus déterminé, plus victorieux,
que Charles *Auguste*, empereur des Romains. Ce n'est pas
la patrie allemande qu'il a créée, c'est la patrie latine et la
nation française.

Mais, à côté des vaines revendications allemandes, il en
est d'autres historiquement plus solides. Les Carolingiens,
par la force des choses, ont été les fondateurs du pouvoir
temporel des papes ; ils ont associé étroitement l'autorité
spirituelle à l'autorité civile. Mais quoi ? En arrachant
l'Italie aux Lombards et aux Byzantins, pouvaient-ils la
remettre en d'autres mains qu'en celles des Zacharie, des
Etienne, des Adrien, des Léon, demeurés seuls dépositaires
du pouvoir moral et quasi légal, seuls gardiens reconnus
de l'autonomie latine ; et quand ils rejetaient au-delà de
l'Ebre les envahisseurs arabes, au-delà du Rhin et de
l'Elbe les hordes païennes, où auraient-ils trouvé un
auxiliaire plus ardent et plus sûr qu'à Rome, au centre de
la foi chrétienne, au sommet de cette hiérarchie épiscopale
et abbatiale qui enveloppait du filet de Pierre les hommes,
les choses, les mœurs et les pensées de l'Occident ? A l'enthousiasme islamique, à l'incohérence païenne, ils ont dû
opposer l'organisme catholique. Les Carolingiens ont été
logiques, les papes ont été habiles ; ceux-là, livrant les
âmes, croyaient garder le corps ; ceux-ci espéraient bien

que la domination intellectuelle incontestée leur assurerait
la direction effective de l'Europe ; ils ne pliaient sous les
bienfaits que pour enlacer plus sûrement leurs bienfaiteurs.
Ils considérèrent comme un triomphe unique, incomparable, le couronnement de Charlemagne agenouillé. Et
en effet la cérémonie de l'an 800 contenait en germe la
querelle des investitures, l'hégémonie d'Innocent III, l'inquisition et toutes les prétentions du cléricalisme moderne. On
peut croire que le roi des Francs, quand la main du pontife
se posa sur son front, sentit le poids du diadème impérial,
qu'il entrevit les dangers de l'immixtion et de la suprématie catholiques : car deux années s'écoulèrent avant
qu'il laissât figurer son nouveau titre sur un acte public.
Mais il était pris au piège, et par sa piété personnelle, et
par sa mission latine, et par la flatterie du saint-siège, et
par l'adhésion unanime du monde occidental. C'est ainsi
que, préservé d'ailleurs par sa toute-puissance de toute ingérence abusive, il livra, pour une heure d'ivresse, pour
un titre prestigieux, ses descendants et leurs successeurs
à la tyrannie, aux tracasseries dix fois séculaires de l'ambition théocratique. Faute amère, mais faute inévitable et
dont il ne pouvait mesurer la portée. Aujourd'hui les cléricaux, les ultramontains, avec plus de raison que les
Allemands, le réclament pour un des leurs, pour le héros
de l'Eglise, pour le fondateur de la suzeraineté papale :
il leur en a donné le droit. Mais ils se trompent s'ils
croient que des évènements accomplis il y a plus de mille
ans peuvent influer sur les destinées de la société moderne. Les pôles ont changé. La place que la discipline
chrétienne, catholique, occupait au huitième siècle vis-
à-vis de l'Islam et de la Barbarie germaine, c'est l'idéal
laïque qui la défend aujourd'hui contre les retours offensifs de la théurgie. Autant l'alliance de Charlemagne avec
l'Eglise, éducatrice unanimement acclamée par ses peuples,

a été naturelle, fatale, nécessaire, autant la collusion des pouvoirs publics avec des doctrines en décadence et réduites à des formes vaines serait chimérique, insensée et impuissante. L'histoire ne fait pas de non-sens.

Ces considérations préliminaires n'étaient pas inutiles. Elles devront demeurer présentes à tous les lecteurs modernes qui voudront aborder l'ouvrage remarquable de M. Alphonse Vétault (1). L'introduction de M. Léon Gautier, le savant éditeur de *la Chanson de Roland*, les préoccupations orthodoxes de l'auteur, les perpétuelles justifications des actes du saint-siège et de l'épiscopat, la ferveur cléricale des jugements et des conclusions, tout, jusqu'au nom de l'honorable éditeur, révèle le but et l'inspiration du livre. Ce *Charlemagne*, si soigné, si érudit, si artistement illustré, est une œuvre de propagande ultramontaine. Dès la première ligne, M. Gautier réclame pour le héros austrasien le titre d'homme providentiel. Nous ne renouvellerons pas ici une controverse oiseuse : si la Providence dirige les affaires terrestres, elle est responsable d'Attila, de Gengis, de Mahomet II, ou encore de Néron et de Busiris, tout autant que de Charlemagne et de saint Louis, du mal comme du bien ; quelle excuse alléguera-t-elle à ses contradictions et à ses crimes ? Une seule, c'est qu'elle n'est qu'un mot tour à tour fidèle à ceux que la chance favorise. Les quantités égales s'annulent, et la Providence, acceptant forcément tout ce qui se produit dans l'univers, ne change rien au cours fatal des choses. Laissons donc,

(1) *Charlemagne*, par Alphonse Vétault, ancien élève de l'École des chartes ; introduction par Léon Gautier ; éclaircissements littéraires, géographiques, monétaires, sigillographiques, etc., par Léon Gautier, A. Longnon, A. de Barthélemy, Demay ; eauxfortes, chromolithographies, gravures, cartes, lettrines, culs-delampe, costumes, *fac-simile*, photogravures, d'après les monuments originaux. Petit in-4°, 1877. Tours, Alfred Mame et Ce.

une fois pour toutes, les expressions vides et les hommes
providentiels. Mais qu'importe ici ? Providentiel ou non,
Charlemagne a agi selon la politique traditionnelle de sa
famille, selon l'état de l'Europe et dans l'intérêt de l'Occident, en Franc latinisé et en chrétien du huitième siècle.
Ses premiers aïeux connus, Arnulf, Pépin de Landen et
Pépin d'Héristall, avaient été des hommes sages et puissants ; son grand-père Charles Martel s'était montré habile
politique et formidable guerrier ; son père Pépin le Bref,
prenant la couronne qui écrasait le front du dernier Méro-
vingien, l'avait portée avec éclat pendant seize ans ; lui, il
fut l'homme de génie, qui arrive à son heure pour achever
et résumer l'œuvre de plusieurs générations.

M. Vétault a très bien compris que la fortune d'un tel
homme, pour s'élever de terre et croître jusqu'au ciel, a dû
longer ses racines loin dans le passé ; il a donc rassemblé
dans ses premiers chapitres tous les faits sociaux, moraux et
politiques qui l'expliquent et la justifient ; il a peint l'anarchie mérovingienne, le césarisme des rois, la rivalité de la
Neustrie et de l'Austrasie, la transformation des alleux en
bénéfices, les empiètements rapides de l'aristocratie ter-
rienne représentée par les maires du palais ; il a suivi,
depuis le commencement du septième siècle, les progrès
des Carolingiens vers le suprême pouvoir, leurs guerres
victorieuses contre les musulmans et les Aquitains, montré
l'unité française fondée par Charles Martel et par son fils
Pépin le Bref, et transmise déjà forte et inébranlable à
celui qui va être Charlemagne. Il insiste, et justement, sur
l'alliance de la royauté avec l'Eglise, alliance doublement
scellée par le triomphe de Charles Martel à Poitiers et par
les victoires de Pépin sur les Lombards. Nous avons dit
plus haut pourquoi les Carolingiens se sont trouvés à la
fois les champions du romanisme et de la chrétienté. Le
cléricalisme de M. Vétault, étant ici d'accord avec la vérité

historique, peut se donner carrière sans danger pour le
lecteur, et l'ouvrage, qui voulait être un livre de combat,
un manuel à l'usage des universités catholiques, peut être
recommandé sans arrière-pensée à tous ceux qui s'intéressent aux grands hommes et aux vieilles gloires de la
France : il est instructif et inoffensif.

Le récit est attachant et bien ordonné, complet et authentique. La formation de l'immense empire, œuvre de
trente-cinq années, 772-807, ne remplit pas moins de dix
chapitres et de 285 pages (173-458). On voit tour à tour
tomber le royaume lombard, l'indépendance saxonne, la
principauté de Bavière ; les Slaves contenus, les Avares,
débris des Huns, détruits, et le trésor d'Attila partagé entre
les nobles francs et l'Eglise ; les Sarrasins, tantôt vainqueurs
(à Roncevaux et à Villedaigne), mais plus souvent vaincus,
chassés en somme de la Navarre et de la Catalogne ; l'infatigable activité de Charles, ses courses du Weser à l'Ebre,
de la Garonne au Tibre ; son génie qui embrasse tout, la
guerre, l'administration, les arts et les sciences de son
temps, de la grammaire à la théologie (*Livres carolins*,
conciles contre l'adoptianisme) ; l'unanime applaudissement qui salue son élévation à l'empire ; la fin de son
règne prodigieux attristée par les déportements de ses
filles, par la mort de ses aînés Charles et Pépin, le vainqueur des Avares, et par les incursions des Northmans.
On lira avec fruit les lettres nombreuses des papes que
M. Vétault a traduites et où apparaît avec mesure, mais
nettement déjà, tout le plan théocratique ; le tableau de la
Saxe encore sauvage, nomade et communiste, de ses révoltes dix-sept fois domptées, noyées dans le sang avec une
implacable fureur ; il y avait là une question de vie ou de
mort : ou bien l'unité latine, la patrie française, triom-
phait, *per fas et nefas ;* ou bien l'Occident demeurait ouvert
aux invasions ; la frontière du Rhin, tant de fois depuis

perdue et reconquise et reperdue, était indispensable à la
sécurité de la Gaule.

Dans les chapitres consacrés à l'empereur, à sa famille,
à sa cour, aux institutions gouvernementales et administratives, l'auteur a fait preuve de sagacité et d'érudition,
même quelquefois de goût anecdotique. S'il a cherché,
bien inutilement, à pallier les irrégularités conjugales de
Charlemagne, à établir la situation légitime des nombreuses princesses (neuf ou dix) qui se sont succédé sur
le trône ou dans la couche de l'empereur, le suivant dans
toutes ses campagnes, mourant de fatigue à côté du héros
robuste et invulnérable, il a soigneusement représenté, à
l'aide de citations et de traductions agréables, le milieu
mouvant, splendide, joyeux, où s'épanouissaient toutes
ces reines de peu d'années. Il n'a négligé ni l'académie
palatine, ni l'école où Charlemagne faisait instruire les
fils de ses généraux et de ses conseillers. Chemin faisant,
il a détruit l'invraisemblable légende qui transforme Charlemagne, un des hommes les plus éclairés de son siècle,
en ignorant naïf. Charlemagne savait et parlait le latin
littéraire et rustique ; il avait quelque teinture du grec. Il
faisait recueillir les chants populaires des Francs, des
Saxons, des Alamans, trésor inestimable qui n'est pas
arrivé jusqu'à nous. Qui croira qu'un tel homme ne sût
pas écrire ? On a mal compris une phrase d'Eginhard :
non content d'écrire, l'empereur voulait calligraphier,
enluminer des manuscrits ; c'est dans cet art que sa main
guerrière eut peine à seconder sa fantaisie ; le maître du
monde dut renoncer à l'espoir de s'illustrer parmi les
scribes. Et voilà d'où est venu son renom d'illettré.

Rien n'a été épargné pour faire de ce livre un digne
hommage à une illustre mémoire. L'Ecole des chartes s'est
plu à compléter l'œuvre de son savant élève. Des éclaircissements qui remplissent près de cent pages nous appor

tent les renseignements les plus précis sur la légende de
Charlemagne, sur ses monnaies, ses sceaux, sur le costume aux huitième et neuvième siècles, enfin sur la géographie de l'empire en 807, après le grand partage qui en
préparait la ruine. M. Léon Gautier a résumé trente chansons de gestes, souvent inédites. M. Anatole de Barthélemy, M. Germain Demay ont décrit et dessiné les types
monétaires, les cachets, les sceaux et contre-sceaux, les
vêtements de paix et de guerre ; enfin, M. Aug. Longnon
a tracé et expliqué une carte considérable. L'éditeur n'est
pas resté en arrière des écrivains : il a fait copier avec une
louable exactitude, pour accompagner et embellir le texte,
des lettres ornées, des bordures, des culs-de-lampe du
neuvième siècle ; des spécimens d'écriture mérovingienne
et carolingienne et toute une vaste charte (*précepte*) éma-
née de la chancellerie impériale. La chromo-lithographie
a reproduit dans tout leur éclat une mosaïque fameuse où
Léon III et Charlemagne sont représentés à genoux à côté
et au-dessous d'un saint Pierre colossal, parlant emblème
de l'ambition théocratique, un grand vitrail composé
d'après la légende de Turpin, enfin cette couronne impériale qui, probablement, n'a jamais coiffé Charlemagne,
mais qui n'en date pas moins du dixième ou du onzième
siècle. Ce n'est pas tout. Une série d'eaux-fortes et de gravures représente la vie de Charlemagne dans la postérité,
telle que l'ont comprise et interprétée les artistes de tous
les temps, du neuvième au dix-neuvième siècle. Deux types
entre tous attirent et retiennent l'attention : d'abord la
figure vraie, le guerrier solide, au visage plein, à la large
moustache, fièrement campé sur un cheval robuste ; et puis
le superbe vieillard d'Albert Durer, à la barbe épandue :
le Charlemagne de l'histoire et celui de la poésie.

Pour apprécier le génie du grand Charles et la portée
de son œuvre, il n'est pas inutile de jeter un coup d'œil

sur le reste du monde pendant les quatre ou cinq siècles
qui suivirent l'organisation de l'Occident. Les races latines
ou latinisées avaient fait preuve d'une vitalité qui n'est pas
encore épuisée ; elles avaient rapidement absorbé les éléments étrangers que les invasions avaient jetés sur leur
sol ; personnifiées enfin dans un grand homme, elles
venaient de rétablir et d'arrêter leurs frontières ; elles
avaient dit aux barbaries de l'Est et du Midi : Vous n'irez
pas plus loin. Résolution d'autant plus noble, d'autant
plus admirable, que les flux et les reflux de la grande marée
dont elles avaient rompu le flot couvraient encore de
tumulte, de sang et de ruines l'Europe et l'immense Asie.
Derrière les Germains, broyés, domptés, christianisés par
Charlemagne, se pressaient les Slaves, mêlés aux débris
des bandes hunniques, flottant des Balkans à la Baltique,
du Danube au Volga. L'empire byzantin devait vivre ou
plutôt végéter six siècles encore ; mais il avait perdu pied
en Italie ; les Arabes lui avaient pris la Syrie et l'Afrique
tout entière, et s'avançaient en Asie Mineure ; du côté de
l'Orient, l'inondation musulmane, ravageant et boulever-
sant la Perse, avait atteint et dépassé le Iaxartes et l'Indus ;
le khalifat jetait un éclat séduisant, mais passager, incapable de fonder un Etat, d'organiser une administration
sérieuse, livré au caprice d'autocrates tour à tour licen-
cieux ou cruels. Ce n'était pas assez de cet islamisme, qui
a été si inopportun, si funeste à l'univers, qui a stérilisé
tout ce qu'il touchait, et ruiné le bassin de la Méditerranée
(car telle a été sa destination, sans doute *providentielle*).
La haute Asie n'était pas vide. Le Turkestan, le pays des
Massagètes, regorgeaient de hordes pillardes dont la brutalité native était encore accrue par le fanatisme musulman ; et tout au fond, par-delà les hautes montagnes, derrière le désert de Gobi, les Mongols buvaient leur lait aigre
et paissaient leurs chevaux dans les prairies glacées, atten-

dant qu'une fantaisie les poussât en avant vers de plus
beaux pâturages. Autour d'eux pullulaient toujours ces
Touraniens, ces Oïgours, ces Tartares qui, sans véritable
puissance intellectuelle, sans génie civilisateur, n'en ont
pas moins, à quatre ou cinq reprises, joué dans l'histoire
un rôle prodigieux. C'est l'ébranlement de ces tribus
obscures qui a déterminé, il y a cinq mille ans, la migration des peuples aryens, point de départ de toute la civilisation ancienne et moderne ; c'est leur expansion soudaine
qui, au cinquième siècle, a précipité sur le monde gréco-
romain les Germains et les Slaves, refoulés, fendus par la
course effrénée d'Attila. Plus tard, ce sont elles qui,
débordant sur la Perse, viendront mettre fin à l'empire
arabe et à l'empire grec, et dénaturer le génie de l'Inde.
Les Seldjoucides et les Ottomans n'ont été, en somme, que
les avant-gardes des Gengis et des Timour.

Vers la fin du douzième siècle, un chef de bande mongol, un vassal chinois, d'abord accablé par des haines
particulières, puis vainqueur en ces querelles dont l'enjeu
était une lande neigeuse et le commandement d'un ou
deux pelotons de cavaliers, le khan Témoudjine, conçut
peu à peu l'idée assez aventureuse et fort déraisonnable
de conquérir le monde, et il la réalisa, pendant trente
années, avec une audace et une fortune sans égales. Dès
1196, allié au khan des Kéraïtes, au fameux « prêtre
Jean » de nos chroniqueurs, il commence à réunir sous
son autorité les tribus qui l'entourent. En 1205, Témoudjine, élevé sur un pavois de feutre blanc, est acclamé
sous le nom de Tchingguis Khagan, le roi des rois inébranlable. En 1209, au nord-est, le royaume des Oïgours
est incorporé au nouvel empire. En 1210, le Thibet est
conquis; en 1218, la Chine est envahie et occupée jusqu'à
la rive gauche du Hoang-ho ; en 1219, la marche vers
l'Occident est décidée ; le Turkestan, le Karisme, la Perse

succombent tour à tour. Nour, Boukara, Khodjent, Samarcande, Balkh, sont successivement prises d'assaut et saccagées. En 1223, une bataille sur l'Indus ouvre à la fois l'Inde et la Perse aux lieutenants de l'Inébranlable. La même année, la Russie méridionale, dès longtemps menacée, est vaincue à la Khalka. La mort de Tchingguis, assassiné, comme Attila, par une femme qu'il venait d'épouser (1226), n'arrêta pas l'élan donné à ses armées. Ses fils, ses généraux achèvent la conquête de la Chine, se ruent sur l'Irak, l'Egypte et la Syrie ; Batou, son petit-fils, prend Moscou, ravage la Pologne, inonde la Hongrie, la Transylvanie, et gagne, en pleine Allemagne, la bataille de Liegnitz (1242). Vers ce temps, le gigantesque empire de Tchingguis était rompu en quatre fractions : Russie et Sibérie, Kharisme, Perse et Irak, Chine et Mongolie. La suzeraineté nominale de la Mongolie n'était pas un lien assez fort pour maintenir une cohésion durable entre tant de peuples inégaux en civilisation et en ressources. Mais ces régions, aujourd'hui vagues sur les cartes aussi bien que dans nos mémoires, ces pays vides, conservaient encore assez de vitalité pour enfanter un Tamerlan et fournir des souverains puissants, parfois intelligents (comme Bàber), à la riche vallée du Gange. Plutarque lui-même aurait peine à établir un parallèle entre un Charlemagne et un Tchingguis : l'un, génie profond et clairvoyant, conquérant par nécessité, organisateur d'un monde ; l'autre, génie trouble, aveugle dévastateur d'un continent, sans but, pour le plaisir, pour relever en lui le vieux titre d'Attila : Fléau de Dieu ou *du ciel ;* car il est douteux que Tchingguis eût une idée quelconque d'un dieu ; il croyait quelquefois aux jongleries d'un sorcier, mais surtout au destin et, comme les Scythes ses ancêtres, au pennon de sa lance plantée en terre.

Quoi qu'il en soit, Gengiskhan est trop dédaigné dans

nos histoires. C'était visiblement un puissant, un impérieux dominateur des volontés humaines, un échantillon
viril des races inférieures et définitivement écartées de la
direction du monde. Ce qu'on n'enseigne pas assez, c'est
encore l'état singulier de l'Asie au moyen âge, quand les
musulmans, les juifs, les chrétiens, les bouddhistes et les
païens vivaient côte à côte et sans trop de heurts, sous le
sceptre de Témoudjine et de ses premiers successeurs. Ce
tableau a tenté M. Léon Cahun, un orientaliste et un hu-
moriste, qui a un faible pour la vie nomade, pour la sauvagerie naïve des Turkomans et des Tartares. Il a com-
pulsé les mémoires originaux, les chroniques mongoles et
turques, les œuvres de Tamerlan, de Bâber, et les ouvrages
européens qui s'en sont inspirés. Il en a tiré la description
fidèle de l'existence pastorale et guerrière des Mongols,
de leurs villages de tentes (yort), des villes fameuses dans
l'Orient, Boukara, Samarcande, Bagdad déjà croulante,
Damas aux jardins délicieux. Arrivé aux bords de la Méditerranée, il a évoqué par contraste les Templiers bardés
de fer, les légers cavaliers d'Égypte, et comparé saint
Louis sous sa tente aux empereurs de Karakorum qui siégeaient sur une selle posée à terre et couverte de feutre
blanc. Pour donner plus d'attrait à ces peintures si étrangères à nos préoccupations modernes, M. Cahun y a mêlé
un roman d'aventures, très simple en sa donnée, très
compliqué dans son développement. *La Bannière bleue* (1)
est l'autobiographie d'un Oïgour bien doué, successivement prisonnier des Mongols, favori d'un des généraux du
Khagan, envoyé secret de Tchingguis, sauveur d'une jeune
princesse chrétienne qu'il ramène en Syrie, captif des
Chinois, officier supérieur, haut baron, enfin ambassa-

(1) *La Bannière bleue*, histoire d'un musulman, d'un chrétien
et d'un païen, au temps de la conquête mongole. Un volume
grand in-8° illustré, 1877. Hachette.

deur d'un des successeurs du conquérant près de saint
Louis en Palestine. Cet Oïgour est, comme l'on dit, un
fort bon diable, fait aux coups, aimant à en donner,
sachant en recevoir, avisé quoique naïf, franc, enjoué,
fidèle à ses amis et surtout au maître suprême, à Tchingguis. En vain, fervent musulman, n'omet-il jamais les
formules de la prière et de l'invocation : ce n'est pas Allah,
c'est le Khagan païen qui est son Dieu. Il vit, il vieillit, il
mourra convaincu que l'Empereur inébranlable est le premier des hommes et les Mongols le premier des peuples.
Le livre, très agréable et très solide aussi, de M. Léon
Cahun, est tout à fait digne de prendre place à côté de ce
Capitaine Magon qui résumait si bien, il y a quelques
années, ce qu'on peut savoir de l'état du monde occidental
aux temps d'Homère. La forme romanesque sied à ces
époques obscures.

Le *Charlemagne* est un modèle de vulgarisation scientifique. *La Bannière bleue* cache la science et amuse l'esprit; il faut savoir gré à ceux qui enduisent de miel les
bords de la coupe.

XII.

LES LÉGENDES NATIONALES ET LA CHANSON DE ROLAND.

I.

(Origines et intérêt historique des « Epopées françaises ». — Les
« Chansons de geste » sont la glorification de l'époque carlo-
vingienne. — Elles sont la première manifestation de l'idée nationale, de la patrie française. — Pourquoi elles associent toujours la Chrétienté, l'Eglise, à la France.

De toutes les branches de l'érudition, la plus accessible,
et non la moins utile à l'histoire, est assurément la philologie, l'étude des monuments de notre littérature, et surtout des plus anciens, de ceux qui remontent à un âge où
rien ne peut les suppléer ; car où trouver ailleurs la pensée
et la vie de nos aïeux ? Il faut bien convenir que, la part
faite au tempérament des écrivains, la littérature est l'écho
des temps où elle se produit. Quand on interroge, quand
on débrouille ce que Boileau, en toute innocence et non
sans justesse relative, appelait « l'art confus de nos vieux
romanciers », on ne tarde pas à y découvrir mille traits
précieux de la physionomie chrétienne et féodale. C'est
dans les Chansons de geste qu'il faut étudier cette société,
qui a eu sa grandeur, mais dont on prétend vainement
faire un type idéal.

A l'entrée de ces recherches et comme placé là pour en
interdire le seuil, nous rencontrons l'axiome péremptoire :

« Les Français n'ont pas la tête épique ». C'est une
phrase un peu démodée. Pourtant, nous la lisions encore
il n'y a pas un mois dans un journal sérieux. On ferait
bien d'y renoncer, car elle est en histoire une contre-
vérité, et en critique littéraire un contre-sens. En fait,
parmi les peuples modernes, les Français figurent au premier rang des créateurs d'épopées ; leurs poèmes nationaux
ont, durant plusieurs siècles, charmé et inspiré les chan-
teurs et romanciers de l'Europe entière. Tandis que les
Nibelungen, les *Eddas*, *Béowulf*, le *Cid* même, sont
restés allemands, scandinaves, saxons ou espagnols, Charlemagne, Roland, Ogier, Renaud ont fait le tour du monde
et parlé toutes les langues. Et si l'on veut remonter plus
haut que le moyen âge germanique et chrétien, on con-
statera des tendances épiques analogues chez les Gaulois ;
les romans de la Table ronde, inventés et conservés en
dehors de toute influence latine ou franque, en sont une
preuve suffisante.

On a beaucoup disserté et l'on dissertera encore sur la
nature de l'épopée ; on a surtout restreint le sens du mot.
Par une distinction, d'ailleurs très fondée, on a mis hors
de cause les grands poèmes artificiels composés après coup
par des hommes de génie, l'*Enéide*, la *Divine Comédie*,
le *Roland furieux*, la *Jérusalem*, le *Paradis perdu*. Il faut
toutefois éviter de pousser trop loin la rigueur critique :
l'*Iliade* et l'*Odyssée* elles-mêmes risqueraient fort de
passer pour œuvres de seconde main ; si, en effet, Homère
a existé, on ne voit pas trop en quoi son travail aurait dif-
féré de celui d'Arioste ; l'un et l'autre poète auraient
pareillement, chacun selon son génie, recueilli et groupé
des légendes populaires. Sans insister sur cette remarque,
nous nous rangeons à l'avis de ceux qui définissent l'épopée
proprement dite, l'épopée naturelle et spontanée, un genre
de poème où « certains peuples, avant la culture litté-

raire, ont célébré leurs dieux et leurs héros » (Littré), ou bien « une narration poétique, qui précède les temps où l'on écrit l'histoire » (P. Paris).

Quatre conditions sont nécessaires à la production de l'épopée populaire : une époque primitive, un milieu national ou religieux, des évènements extraordinaires qui décident de la vie ou de la mort d'un peuple, enfin des héros qui personnifient un pays et un siècle. Ce concours de circonstances s'est rencontré, pour la France, du huitième au onzième siècle, alors que la chrétienté occidentale, aux prises avec l'islamisme conquérant, repoussant l'ennemi pied à pied de la Loire à l'Ebre, le poursuivit à son tour jusqu'en Asie Mineure et en Syrie. Avant cette époque, malgré les unifications momentanées de Clovis et de Dagobert, la France ne s'était pas constituée en corps de nation. Elle n'avait pas de langue : le celtique, retranché dans la Bretagne, n'était plus parlé ni compris ailleurs ; le tudesque, dominant au nord et à l'est, ne s'était pas répandu hors de la caste militaire : enfin les dialectes romans ne s'étaient pas dégagés encore du latin provincial.

C'est aux Carlovingiens, à Charles Martel et surtout à Charlemagne, que revient l'honneur d'avoir formé un groupe, créé une personne morale qui ne fût plus ni gallo-romaine ni germanique, et que la féodalité a morcelée sans l'anéantir. C'est grâce à leur courage et à leur génie que la France, devenue synonyme de civilisation et de chrétienté, prit conscience d'elle-même, soit en face des barbares attardés sur le Rhin et qui voulaient continuer le mouvement d'invasion, soit en face des Sarrasins débordant les Pyrénées ; qu'elle arrêta l'un et l'autre déluge, contraignit la Germanie à l'équilibre et l'Islam à la retraite.

De grands évènements signalèrent la lutte au midi

12

et à l'est : là les grands chocs de Poitiers, de Roncevaux ; ici, l'écrasement des Lombards, des Bavarois et
des Saxons. Les héros ne manquèrent pas. Si profonde
fut l'impression laissée par Charlemagne, qu'elle survécut
à l'œuvre de cet homme prodigieux. Longtemps après
l'écroulement de l'édifice carlovingien, l'empereur à la
barbe fleurie demeura le centre de toutes les légendes nées
du souvenir et de l'imagination. Il absorba en lui ses ancêtres et ses successeurs, Charles Martel comme Godefroi
de Bouillon ; ses conquêtes déjà si vastes, furent étendues
à l'univers connu : il n'y eut royaume ni ville forte qu'il
n'eût conquis, de Saragosse à Jérusalem. Ses généraux,
ses parents, ses ennemis, réels ou imaginaires, avec leurs
pères, leurs frères et leurs descendants supposés, par-
tageaient sa gloire et son ubiquité. Au monde véritable
l'épopée superposa un monde idéal qui, tout en em-
pruntant à la réalité contemporaine les mœurs, les idées,
le costume de ses personnages, garda son autonomie, sa
vie propre, inspira les poètes de tous les pays, fournit des
types à tous les batailleurs chevaleresques et, dépassant le
moyen âge, traversant les temps modernes, glisse encore
dans la balle des colporteurs des romans informes et de
grossières images. C'est le monde de l'Arioste, de Cer-
vantes et de la Bibliothèque bleue.

Or, cette légende de Charlemagne, autrement vivante
que la légende napoléonienne, a eu pour point de départ
la France des dixième et onzième siècles. Ni moralement
ni en fait elle ne procède de l'Allemagne ; sans doute,
comme la France elle-même, qui n'entend renier aucune
de ses origines, elle renferme de nombreux éléments germaniques, bons ou mauvais, assimilés déjà à notre organisme ; mais ce n'est ni à Aix-la-Chapelle ni dans le voisinage du Rhin qu'il faut chercher son berceau. Elle ne
s'est pas formée non plus dans nos provinces méridionales,

qui se prétendent à tort plus profondément latines que les autres. Parmi nos plus anciennes chansons, la langue d'Oc n'en peut réclamer qu'une, *Giratz de Rossilho;* encore ce poème est-il né sur la frontière du provençal et du français. Le premier cycle de notre épopée part de l'Ouest ; son monument le plus fameux est écrit en français-normand, et il est probable qu'il a été rédigé en Angleterre par un compagnon de Guillaume le Conquérant. De l'Ouest, le mouvement épique s'est propagé dans la Picardie et l'Ile-de-France, dans la Lorraine et le pays messin, où l'on n'a jamais parlé allemand ; puis dans la Bourgogne et le Midi, et par-delà les Alpes, où nos poèmes étaient écrits et récités en français à peine italianisé. Des traductions ou imitations allemandes, italiennes, espagnoles, provençales, anglaises, islandaises allaient en même temps porter en tous pays les conceptions de l'esprit français et la renommée de la France. L'art confus (et il l'est) de nos vieux romanciers a donc été une des causes de l'influence française dans le monde. Voilà ce qu'ignorait le sage Boileau.

Cette part notable de notre histoire, un savant et ardent professeur a entrepris de la restituer. Dans un vaste ouvrage (1), qui, sous sa première forme, a été plusieurs fois honoré de récompenses académiques, et que, dans son zèle passionné, il veut tout entier refondre, M. Léon Gautier étudie les origines complexes de nos Chansons de geste, les classe par époques et par cycles, les suit dans leurs remaniements, dans leurs transformations françaises et étrangères, les traduit, les commente, en définit la versification, le style et l'esprit. On s'étonnerait de ne pas trouver ici des réserves formelles sur le but et les con-

(1) *Les Epopées françaises*, étude sur l'origine et l'histoire de la littérature nationale, par Léon Gautier (grand prix Gobert 1868), seconde édition, entièrement refondue, t. I, in-8o, Palmé, 1878.

clusions de M. Gautier. Son fervent cléricalisme éclate à
toutes les pages ; il maudit la Renaissance et la Révolution,
qui par deux fois ont rompu la tradition chrétienne et
française, car il unit indissolublement dans un même
amour la France et l'Eglise. Son patriotisme est double,
mais, hâtons-nous d'ajouter, sincère. Il nous est impossible de mettre en doute l'ingénuité de ses convictions, qui
ne changeront rien au cours de l'histoire : le lamentable
défilé de meurtres, d'atrocités, de guerres privées, qui se
déroule dans nos cent épopées, juge suffisamment l'âge
d'or catholique. L'enthousiasme de l'écrivain est donc
d'une parfaite innocence : nous dirons plus, il a ses côtés
utiles.

Seul peut-être un fils soumis de l'Eglise peut comprendre et faire comprendre ces âmes brutes et simples,
dévotes et féroces, dont la foi du charbonnier était l'unique
lumière. En s'associant pour le dominer à un régime détes-
table, en exploitant, de concert avec lui, la faiblesse et la
crédulité, l'Eglise a dégrossi, affiné ces natures barbares,
détourné leur égoïsme violent vers un intérêt commun
qui se trouva conforme à l'intérêt de la civilisation occidentale ; elle a imposé une sorte de cohésion à la féodalité ; elle a consolé aussi quelques douleurs, pallié quelques maux, *quorum pars magna fuit*. Etant donné le
chaos qu'elle avait préparé en disloquant le monde antique, et dont elle profitait largement, son pouvoir spirituel, comme disent les positivistes, y a introduit un peu de
douceur et de pitié.

L'Eglise a fait des saints ! s'écrie M. Gautier, et
précisément les trois héros des grands cycles épiques :
saint Charlemagne, saint Guillaume de Gellone, saint
Renaud de Montauban. Je le crois bien ! L'un l'avait
sauvée des Lombards ; l'autre, le glorieux vaincu de
Villedaigne (792), de Mahomet. Qui donc aurait-elle cano-

nisé? Mais était-ce pour leurs vertus? M. Gautier en
douterait lui-même, lui qui connaît si bien les scandales de leur vie. Son admiration est excessive, mais elle
n'est point aveugle: Il proclame sans cesse, et avec regret,
les imperfections de ses grands hommes et des poètes qui
les ont chantés. Ils ne sont pas « assez chrétiens » ; leur
foi n'est point éclairée. Leur catéchisme est sommaire.
Comme on sent bien que les trouvères et les jongleurs
n'étaient point des clercs, encore moins des théologiens !
Ils se bornent à célébrer l'unité de Dieu, « l'espirital »,
qui est en même temps « le fils Marie ». C'est l'essentiel ;
mais c'est bien peu dans l'âge des Bernard, des Abailard,
des Bonaventure. Enfin, il se faut contenter. Ne suffit-il
pas que ces chrétiens à la grosse croient au surnaturel?
Ici, M. Gautier s'extasie : combien le surnaturel est supérieur au merveilleux ! Et il ne s'aperçoit pas qu'il distingue entre deux synonymes.

Quoi qu'il en soit, le cléricalisme accentué de l'historien ne l'induit pas en des erreurs notables, et il vivifie
son livre. Deux qualités, d'ailleurs, font équilibre à son
zèle exubérant : une profonde et minutieuse érudition, et
une bonne foi qui charme, le mot n'est pas trop fort. Non
seulement M. Gautier expose et cite à tout propos les opinions de ses adversaires ; mais il ne néglige aucune occasion d'amender les siennes, de les abandonner au besoin.
De tout ce qu'il avance, de tout ce qu'il croit pouvoir
affirmer, il accumule les exemples et les preuves. Son
style est plus d'un professeur que d'un écrivain ; mais les
répétitions, inévitables avec cette méthode démonstrative,
ne nuisent pas à la clarté de l'exposition, que condensent
de page en page des notes placées en manchette. Le lecteur est libre de s'arrêter aux sujets qui l'attirent le plus.

Des préliminaires sur les cantilènes en langue vulgaire
et les poèmes religieux des dixième et onzième siècles

(*Eulalie, Saint Léger, Saint Alexis, la Passion*), le linguiste
et le philologue passeront aux chapitres sur les dialectes
français et sur les systèmes adoptés par les divers éditeurs
de nos vieux textes. Le critique lira avec le plus vif intérêt
le traité de versification où M. Léon Gautier défend ses
idées personnelles sur l'origine de nos formes poétiques.
Selon lui, les différents vers, de huit, dix ou douze syllabes, sont nés de certains rhythmes de la prosodie latine,
par l'intermédiaire des poésies liturgiques où la notation
musicale et l'accent tonique ont peu à peu substitué le
nombre à la quantité des syllabes : cette thèse, combattue
par MM. Gaston Paris et Paul Meyer, est présentée et dé-
fendue avec beaucoup de science, et quant à nous, elle
nous séduit par moments. La quantité supprimée, l'assonance vint en compenser la perte. Puis l'extrême naïveté
de ce composé rhythmique, fort regretté de notre auteur,
apparut si nettement à l'époque où la lecture succédait au
chant, que la rime, approximative d'abord, puis suffisante, puis riche, la rime si rebelle à Boileau, si indifférente à La Fontaine, à Voltaire, à Lamartine, à Musset,
si précieuse et si chère à Victor Hugo, à Th. Gautier et à
Théod. de Banville, fit son entrée, subite et définitive, dans
la poésie française, au treizième siècle. S'il est permis
d'émettre en passant une opinion sur un sujet qui se prêterait à de longs développements, nous dirons que l'assonance, c'est-à-dire la consonnance de la dernière syllabe
sonore, est un procédé trop vague et trop facile, aboutissant à une diffusion sans limite, à un monotone et
assommant verbiage ; quant à la rime, qui n'est étrangère à aucun peuple moderne, elle est nécessaire à toute
langue où l'accent tonique a dévoré les finales et imposé
au corps des mots des contractions qui détruisent toute
quantité ; mais la richesse de la rime est affaire de mode
et de tempérament.

Nous venons d'indiquer que l'assonance suffisait au chant. Nos épopées primitives étaient réellement chantées, comme le furent les rapsodies helléniques, comme le sont les légendes des peuples sauvages, ou encore ces traditions finnoises recueillies par Lonnrot dans son *Kalévala*. Les *Chansons* de longue haleine avaient été précédées par des *lieder* tudesques et des *cantilènes* latines ou romanes. On a conservé quelques chants populaires latins de l'époque impériale, un des chants mérovingiens, où est célébrée une victoire de Clotaire II sur les Saxons. De tous les poèmes franciques recueillis par Charlemagne, rien n'est venu jusqu'à nous ; mais le *Ludwigslied* en l'honneur de Louis III et Carloman est bien un échantillon, le dernier peut-être, des cantilènes tudesques de l'Austrasie. Au neuvième siècle, on parle partout en France français ou provençal. M. Gautier avait soutenu jadis que les Chansons de geste n'étaient que des cantilènes juxtaposées ; il admet aujourd'hui qu'elles ont pu s'inspirer directement de la tradition ; la langue pauvre et hésitante, après s'être essayée à des bégaiements quelque peu informes, avait pris confiance en elle-même ; toute fière de fournir tant de mots pour des récits de longue haleine, elle ne tarda pas à dépasser toutes les bornes de la loquacité. Ce naïf contentement de montrer ce qu'elle savait faire n'eut pas moins de part aux intolérables allongements des treizième et quatorzième siècles que la nécessité de transformer en rimes les assonances démodées.

Le plus ancien de nos poèmes épiques, le *Roland* du manuscrit d'Oxford (fin du onzième siècle), en est en même temps le plus beau, le moins verbeux, et celui où éclate avec le plus de force le sentiment de la patrie, *France la douce*. Devant ce vénérable témoin de notre nationalité, nous avons peine à admettre dans toute sa rigueur l'aphorisme de M. Gautier : « L'épopée française

est germanique dans son origine et romane dans son développement. C'est l'esprit germanique sous une forme romane. » Nous voyons bien dans le *Roland* et dans les
autres Chansons des mœurs brutales, des formes judiciaires, des institutions, que la barbarie de nos aïeux
Francs avait implantées dans notre sol ; mais ce que nous
y cherchons en vain, c'est l'*esprit* germanique. Au contraire, il n'est question dans ces poëmes que de la gloire
de la France, des intérêts de la chrétienté ; beaucoup sont
remplis de guerres nationales, de batailles livrées non seulement aux inévitables Sarrasins, mais encore aux hordes
saxonnes et allemandes.

II.

La Chanson de Roland. — Les quatre cycles et les poëmes
indépendants. — Le trouvère et le jongleur.

*In quo prælio Hruodlandus, limitis britannici præ-
fectus, cum aliis compluribus interficiuntur.* « Dans ce
combat périt, avec beaucoup d'autres, Roland, préfet de
la marche de Bretagne. » (Eginhard, *Vita Karoli*, IX.) Si
ce passage, qui se lit dans quarante-sept manuscrits
d'Eginhard, est bien authentique, il renferme le seul ves-
tige historique d'un héros qui a rempli le moyen âge de
son souvenir et de sa gloire. En effet, Angilbert, dans
ses *Annales*, et l'Astronome limousin ne mentionnent pas
même le nom de Roland. Le désastre de Roncevaux paraît
avéré, autant que tout autre fait constaté par les chroniques du temps et rappelé par des traditions locales. La
date, 15 août 778, en est même fournie par l'épitaphe
d'Egihardus, qui y trouva la mort. Mais Roland (*Rollanz*),
le neveu de Charlemagne, le plus illustre des douze pairs,
aurait passé sans laisser de traces, si la légende et la poésie

ne l'avaient largement vengé du silence de l'histoire. Il a
sans doute existé, il a tenu un rang honorable parmi les
généraux du grand empereur à la barbe fleurie ; mais, dans
ces temps où la personnalité des guerriers disparaissait
sous le heaume et le haubert, rien ne le distinguait de la
foule des chefs : il a fallu pour le mettre en lumière la fantaisie d'un *jongleur*, probablement né près de la province
où Roland commandait au nom du roi. Maintenant, comment un épisode très secondaire, le massacre d'une arrière-garde par quelques montagnards basques, et un nom
pris entre mille ont-ils donné naissance à tous ces chants
héroïques, français, allemands, anglais, italiens, que le
génie de l'Arioste a fondus, défigurés et embellis dans
l'*Orlando furioso*? C'est là une question qui présente un
double intérêt : littéraire, puisqu'elle touche aux origines
et à la formation des épopées chez tous les peuples ; national, puisqu'elle implique le rôle initiateur et l'influence
intellectuelle et morale de la France sur le monde moderne. Nous en demanderons la solution au plus récent et
au meilleur éditeur français de *la Chanson de Roland*, à
M. Léon Gautier, lauréat de l'Institut et professeur à l'Ecole
des chartes (1).

M. Léon Gautier s'est attaché d'esprit et de cœur à ce
précieux monument de notre vieille langue et de notre nationalité ; il en a donné coup sur coup plusieurs éditions, enfin
il a pensé, à bon droit, que nul texte n'avait plus de titres à
initier nos élèves de seconde et de rhétorique aux origines
de notre civilisation. C'est à cette intention excellente que
nous devons le présent volume, dédié à tous les maîtres et

(1) *La Chanson de Roland*, texte critique, traduction et commentaire, grammaire et glossaire, par Léon Gautier, professeur à
l'Ecole des chartes. Ouvrage couronné par l'Académie française et
par l'Académie des inscriptions et belles-lettres. Edition classique,
Tours, Alfred Mame et Cᵉ, 1876.

à tous les jeunes Français qui ont souci de la patrie ; car,
il ne faut pas l'oublier, avant qu'il existât une Italie, une
Espagne, une Allemagne, l'unité française, le sentiment
français étaient constitués : la *dulce France*, France la
douce, qui par cent fois revient dans le *Roland* avec son
épithète homérique, pour laquelle sont morts les douze
pairs à Roncevaux, ce n'est pas la petite province centrale,
le fief des Capétiens, c'est déjà le vaste pays compris entre
les Alpes, les Pyrénées, le Rhin et l'Océan ; c'est l'idée nationale tout entière, manifestée par Clovis, par Charlemagne,
obscurcie par la féodalité, restaurée par Jeanne d'Arc. Et,
contradiction piquante, nul peut-être n'a plus fait pour la
France que l'Austrasien, le Franc, le Germain Karl, si vivement revendiqué par le chauvinisme allemand. Il n'est
resté de son œuvre hâtive qu'un mot, une expression sym-
bolique, la France. Cela est si vrai que, trois siècles après
Roncevaux, malgré la décomposition de l'empire carolin-
gien, l'auteur du *Roland* conserve encore une conception
nette de la patrie, et que, pour lui, Aix-la-Chapelle est
toujours *Ais* en France.

Venons à l'élaboration de notre légende. Aucune épopée ne sort directement de l'histoire ; il y faut un vapo-
reux lointain où la perspective brouille les plans, et qui
donne carrière à l'imagination. C'est ainsi que la grande
invasion sarrasine de 792 et les révoltes des Gascons en
812 et 824 se sont confondues avec les expéditions de Charlemagne en Espagne ; Roncevaux est devenu le plus notable
épisode de la lutte acharnée entre l'Islam et le monde
chrétien. Les Sarrasins ont été substitués aux Basques.
Pour relever le personnage principal, l'hypothèse d'une
parenté avec l'empereur s'est présentée naturellement. Un
héros tel que Roland ne pouvait être tué que par trahison ; on a donc inventé un traître, et on l'a nommé Ganelon. Dès lors, les éléments du poème étaient donnés, le su-

jet avec son ordonnance et ses trois divisions : la trahison,
la mort de Roland, le châtiment du traître. Mais, pendant
ce travail sourd, le temps avait marché ; l'introduction des
mœurs féodales aux neuvième et dixième siècles modifiait
lentement la physionomie du récit futur. Enfin l'éclat de
certaines renommées, l'intérêt personnel, engageaient
l'auteur à placer dans ses vers les ancêtres de quelques héros contemporains, tels que Geoffroi Grise-Gonelle, duc
d'Anjou, et Richard sans Peur, duc de Normandie, morts
en 987 et 996. Si l'on compte bien, il s'est opéré, du huitième au onzième siècle, sept modifications de la donnée
primitive. A chacun de ces états successifs aurait pu cor-
respondre une rédaction différente ; mais il n'est resté aucune trace, soit de cantilènes et fragments lyriques inspirés par le souvenir de Roncevaux, soit de chants épiques
antérieurs à notre chanson. Toutefois, certaines allusions
à des évènements réels accomplis de 990 à 1012 permettent d'attribuer aux vingt premières années du onzième
siècle une première forme du *Roland*. Quant à notre
poème, œuvre d'un Normand qui a séjourné en Angleterre,
il est certainement postérieur à l'expédition de Guillaume
le Conquérant (1066) et probablement antérieur à la première croisade (1096). Il n'y est question ni des croisés ni
de la prise de Jérusalem par les chrétiens. La ville sainte y
est toujours une possession des Sarrasins, et les conquêtes
du Charlemagne légendaire s'y arrêtent à Constantinople.
D'autre part, les chausses de mailles, dont l'usage a commencé durant le second tiers du onzième siècle, ne figurent pas encore dans le costume guerrier. Enfin le *Roland*
n'est séparé du *Saint-Alexis* que par de très légères différences de langue et de versification. Or, M. Gaston
Paris fixe la date du *Saint-Alexis* vers la moitié du onzième siècle. D'ailleurs l'unique manuscrit de *la Chanson
de Roland* appartient au milieu du douzième, et les nom-

breuses erreurs du scribe nous défendent d'y voir le texte
original.

Le dernier vers du *Roland :*

> Ci falt la geste que Turoldus declinet,

nous livre-t-il le nom de l'auteur? Génin s'est hâté de
penser à un Théroulde, mort en 1098, précepteur ou fils
d'un précepteur de Guillaume le Conquérant. Il a allégué
comme preuve subsidiaire la présence, attestée par les historiens, de deux manuscrits de *Roncevaux* dans la bibliothèque de la cathédrale de Peterborough, ville où un Turold fut abbé. Mais son opinion laisse prise à bien des
doutes. Le sens de *declinet* est très vague. Ce Turold ou
Touroude qui *termine,* qui *achève,* ou bien encore qui
raconte tout au long, peut être le rapsode, le jongleur
qui chante ou le scribe qui copie.

Pour la publication du texte, l'autorité fondamentale,
unique, avons-nous dit, est le manuscrit de 1150-1160, le
manuscrit Digby 23, conservé à la Bodléienne d'Oxford.
C'est une médiocre copie anglaise et anglisée, pleine d'in-
terversions, de vers boiteux, d'assonances inexactes,
petit volume de quelque ménestrel errant. On peut y soupçonner des omissions de strophes entières. Plusieurs corrections postérieures, sans valeur critique, semblent des
essais de rajeunissement.

Vient ensuite le manuscrit français italianisé de Saint-
Marc, à Venise, exécuté entre 1230 et 1240 par un copiste
fort ignorant. Il ne reproduit le manuscrit d'Oxford que
jusqu'au vers 3682, mais il contient des passages omis
dans le précédent; la fin, complètement remaniée, est
consacrée à la prise de Narbonne par Aimery.

D'autres textes, qui se succèdent du treizième au quinzième siècle, ne sont que des remaniements et des délaya-

ges qui doublent la longueur du poëme sans en augmenter
le mérite ; bien loin de là. C'est le misérable travail de
jongleurs qui ont rajeuni la langue, transformé l'assonance en rime, refondu, allongé, interpolé, substitué l'a-
lexandrin au décasyllabe. On y sent le changement des
mœurs et de l'inspiration ; « Rome, dit M. Gautier, y est
moins aimée..., la patrie et Dieu sont absents. » Cependant l'éditeur soigneux ne doit pas négliger ces sources
altérées ; les manuscrits de Paris, de Versailles (aujour-
d'hui à Châteauroux), de Venise et de Lyon fournissent
d'utiles variantes. Quant aux nombreuses imitations en
vers et en prose, nous ne les mentionnons que pour mémoire. Parmi ces dernières, trois ont pénétré dans la bibliothèque bleue et propagé dans le peuple la légende de
Roland : ce sont le *Galien* (quinzième siècle), la *Con-
queste du grant roi Charlemagne des Espaignes* (1498, arrangement de *Fierabras*) et les *Guérin de Montglave* in-
cunables.

La popularité de la Chanson de Roland est attestée par
une foule de traductions, surtout d'imitations étrangères.
On doit citer : en Allemagne, la version latine et la traduction en vers allemands (*Ruolandes liet*) du curé Con-
rad, souabe ou bavarois (milieu du douzième siècle) ; le
Karl, de Stricker, remaniement du *Ruolandes liet* (1230) ;
le *Karl-meinet*, du quatorzième siècle ; et aussi les nombreuses statues de Roland, *Rolands saülen*, répandues dans
la basse Saxe ; en Néerlande, les fragments thiois des
treizième et quatorzième siècles, récemment publiés par
M. Bormans ; et une *Bataille de Roncevaux* en prose, du
seizième ; en Scandinavie, la huitième branche d'une com-
pilation islandaise du treizième, *Karlamagnus saga*, traduction d'abord servile, puis abrégée ; un résumé danois du
quinzième, *Karlmagnus Kronike*, traduit de nos jours en
hollandais sous le titre de *Kronike om Kaiser Karlamagnus ;*

en Angleterre, un *Roland* en vers, du treizième ; en Italie, les grossières statues de Roland et d'Olivier au porche de la cathédrale de Vérone ; le huitième livre des *Reali di Francia*, en prose, et le poëme de Sostegno di Zanobi, *Spagna istoriata* (quatorzième siècle), le *Morgante maggiore* de Pulci (1485), l'*Orlandino* de l'Arétin, l'*Orlando furioso* de l'Arioste (1516) ; en Espagne, les *Chroniques* d'Alphonse X et de Rodrigue de Tolède, où la légende est altérée par patriotisme (treizième siècle), et l'*Historia del imperador Carlomagno* (quinzième siècle), empruntée à notre *Fierabras*.

L'Eglise a vénéré Roland comme martyr. Les Bollandistes ne l'ont rejeté qu'à regret du nombre des saints. Dès le douzième siècle, il était considéré comme un personnage réel, auquel les Parisiens attribuaient, sans raison aucune, la fondation de l'église Saint-Marceau. Sa valeur guerrière était passée en proverbe : *Rolandum dicas Oliveriumque renatos*, s'écrie l'historien de la première croisade, Raoul de Caen ; et au treizième siècle, Adam de la Halle, ou l'auteur de *la Vie du monde*, écrivait ce beau vers :

Se Charles fust en France, encore y fust Rolans.

La Renaissance, rompant avec le moyen âge, oublia Roland, le supprima pour trois siècles. Il ne reparut qu'en 1832, lorsque M. Monin attira l'attention sur le *Roman de Roncevaux* (remaniement de Paris). 1837 vit la première édition du *Roland* d'Oxford, par Francisque Michel. Puis vinrent *la Chanson de Roland, poëme de Théroulde, texte critique et traduction,* par Génin (Impr. nationale, 1850) ; l'excellente reproduction du manuscrit d'Oxford, par Théodor Müller (Gœttingen, 1851, 1863) ; l'édition critique de Bœhmer, sans introduction et sans notes (Paris, Franck, 1872); trois éditions Gautier ; enfin,

celle de Hoffmann, tout à fait récente. Il existe, en français,
trois traductions en vers de la *Chanson de Roland* (Jônain,
Lehugeur, baron d'Avril, celle-ci estimable, 1865), et
trois en prose (Génin, Alexandre de Saint-Albin et Léon
Gautier).

M. L. Gautier avait à choisir entre trois systèmes. Se
bornerait-il à reproduire exactement Oxford, moins les
erreurs grossières? Tenterait-il, comme a fait M. Gaston
Paris pour le *Saint Alexis*, de restituer savamment un dialecte dans son originalité rigoureuse? Ou bien rétabli-
rait-il le vieux poëme, tel que le scribe l'eût écrit, s'il
avait observé les lois phonétiques, grammaticales et pro-
sodiques indiquées par son propre texte? C'est à cette dernière méthode qu'il a donné la préférence. Grâce à une
connaissance parfaite des règles grammaticales et phonétiques du dialecte français-normand, à une table complète
des assonances et du vocabulaire, il a pu corriger plusieurs
milliers d'erreurs. Le manuscrit de Saint-Marc et les
meilleurs remaniements lui ont permis de compléter le
texte d'Oxford par des additions qui ont trop souvent,
peut-être, le caractère de répétitions et de variantes. Nous
ne pouvons que louer, sans plus de détails, les divers appendices où sont mises en œuvre toutes les ressources
d'une érudition spéciale. Le commentaire qui court au
bas des pages, illustré de menus dessins exécutés par
MM. Jules Quicherat, Demay et R. de Lasteyrie ; les
éclaircissements, où sont résumées trente *Gestes*, souvent
inédites, sur les légendes de Charlemagne et de Roland,
sur le costume de guerre et la géographie ; les notes pour
l'établissement du texte ; la phonétique, la grammaire et
la rythmique élémentaires ; enfin le lexique, complément
indispensable.

Pour le texte, M. Léon Gautier a adopté l'unité d'or-
thographe, seule compatible, les Allemands l'oublient trop,

avec toute édition classique, ou seulement critique ; pour
la traduction, il a voulu concilier la fidélité avec l'usage
moderne, et en ceci nous regrettons de ne pouvoir l'ap-
prouver ; un décalque plus littéral eût été plus sage et,
sans dérouter le lecteur, aurait mieux fait valoir la force
et la concision du poëte. La langue du *Roland*, si elle ne
possède ni l'ampleur ni la grâce homériques, ni la variété
du seizième siècle, ni l'ordonnance du dix-septième, ni le
mouvement, la légèreté, la souplesse du français moderne,
ne s'en recommande pas moins par de rares mérites ; elle
est très supérieure à la verbeuse confusion qui toujours a
été croissant du douzième au quinzième siècle.

L'auteur inconnu est loin d'être un écrivain ; il est,
dirai-je, avant l'art d'écrire ; son style nu, sans recherche,
sans poésie dans l'expression, respire la monotonie ; mais,
d'instinct, il se conforme à la loi première du style : il
n'admet rien d'explétif dans le tissu de la phrase. C'est
cette qualité maîtresse, très justement signalée par M. Gautier, qui nous a paru quelque peu amoindrie dans sa
traduction. Quant à l'allure générale, à la composition,
qui est un style supérieur, elle paraît bien vague au premier abord ; un peu d'attention finit cependant par distinguer trois parties, en somme logiquement enchaînées :
*la trahison de Ganelon ; la mort de Roland ; le châtiment
de Ganelon.*

Le poème se compose de 4002 vers de dix syllabes, avec
une césure à la quatrième sonore, où il n'est tenu aucun
compte des désinences muettes ; il est divisé en 210 strophes ou *laisses* inégales, dont l'unité réside dans l'assonance. L'assonance ne porte que sur la dernière voyelle
accentuée du vers et néglige absolument la terminaison,
les signes de nombre, de genre ou de personnes : à ce
point que Charlemagne, par exemple, assonne avec accompagnent, avec campagnes, avec albâtre, âne, âme, embus-

cade, entrailles, câble, etc. Toute laisse est construite sur
une seule assonance. On comprend que ce décasyllabe
grossier, que M. Léon Gautier rattache à grand'peine et
sans grande probabilité à un vers dactylique latin, que
cette informe ébauche de la rime, ne pouvaient convenir
qu'en des poèmes chantés devant des auditeurs illettrés,
dont pas un sur mille ne savait lire. Des procédés si rudimentaires laissent du moins au conteur une grande liberté d'allure; l'assonance ne l'embarrasse guère, et il
n'en change que par besoin de variété, tous les six ou huit
ou quinze vers. Quant au décasyllabe, aujourd'hui court
et étriqué, l'absence d'élisions lui permet ici d'atteindre
à l'ampleur de l'alexandrin.

L'auteur du *Roland* est d'une remarquable ignorance :
la géographie est pour lui un mystère ; il place Cordoue
près des Pyrénées. La terre est pour lui divisée en deux
camps : amis de Dieu, *France la douce;* ennemis de
Dieu, païens. Sa religion n'est que la foi superstitieuse du
charbonnier ; il se figure Dieu sans cesse penché sur le
monde, écoutant les prières des hommes de bonne volonté ; il croit que le mahométisme est l'adoration de
trois idoles : *Mahum, Apollin* et *Tervagan.* De l'histoire
et de la littérature anciennes, bien qu'il cite une fois *Virgile* et *Omer,* il n'a pas la moindre teinture.

« *Roland* », nous dit M. Gautier, « est le premier des
poëmes populaires parvenus jusqu'à nous, qui ont été
écrits dans le monde depuis l'avènement de Jésus-Christ.
On peut juger par lui combien le christianisme a agrandi
la nature humaine et *dilaté* la vérité parmi nous. » Hélas !
voilà un enthousiasme qu'on serait tenté de prendre pour
une ironie.

Au moins le vieux trouvère est-il un observateur naïf
et précis ; il connaît les armes, les mœurs et les
hommes de son temps On a dit que tous ses héros se res-

                                                13

semblent ; c'est qu'en effet leur intelligence simple n'admet qu'un petit nombre d'idées toujours les mêmes ; ils mènent la même vie, manient les mêmes armes, frappent les mêmes coups ; chez eux, l'emploi de la force n'est pas varié par la plus vulgaire habileté. Le butin, le désir de vaincre, la vengeance, l'empereur, la douce France, voilà les seuls mobiles, animaux et humains, de leurs actions. Quand ils sont battus ou contrariés, ils pleurent, ils se pâment : puis, comme des enfants, ils oublient et se relèvent ; mais ce sont des enfants rudes et tristes ; ils ignorent la gaieté : rien de comique et de fin dans leurs divertissements. La femme même ne tient aucune place dans leurs préoccupations. Etrangers à l'amour, comment soupçonneraient-ils cette galanterie chevaleresque d'où est née la courtoisie (et aussi la fadeur)?

De là la monotonie du *Roland*. Mais c'est un fond qui ne fait que mieux ressortir la diversité naturelle de certains caractères tranchés, de certaines figures saillantes : Charlemagne, vieillard majestueux et vert, sage, méditatif, avec des retours de violence et de colère ; Naimes, prudent conseiller ; Turpin, archevêque guerrier, plein, par exception, de belle humeur et d'entrain ; Olivier, type du courage sensé ; Roland enfin, sanguin, fougueux, entêté, père de cette chevalerie qui a perdu les batailles de Crécy et de Poitiers. Une rapide analyse du poème les fera mieux connaître.

Les Sarrasins vaincus tiennent conseil à Saragosse. Leur roi Marsile se résout à envoyer une ambassade à Charlemagne, avec des présents et des promesses. Mais laissons autant que possible de côté le monde musulman, auquel le poète n'a rien compris et dont il a fait une pâle et encombrante contrefaçon du monde chrétien.

Charlemagne est assis sous un pin, dans l'herbe verte, entouré de ses chevaliers ; les jeunes gens s'exercent à

l'escrime, les hommes et les vieillards jouent au trictrac
(aux *tables*) et aux échecs. C'est un tableau rapide et animé. L'armée se repose, avant de marcher sur Saragosse.
L'envoyé de Marsile se présente et répète mot pour mot
les propositions insidieuses de son roi : des ours, des
lions, des lévriers enchaînés, neuf cents chameaux, mille
autours après mue, quatre cents mulets chargés d'or et
d'argent, cinquante chars, et des besants d'or fin pour
payer tous ses soldats. L'empereur baisse la tête et réfléchit profondément, puis il résume les offres de Marsile. Roland les repousse. Ganelon, Naimes et tous les
Français (*Franceis*) proposent de les accepter. Mais qui
portera aux Sarrasins la réponse et les dures conditions
de Charles? Naimes, Roland, Olivier, Turpin s'offrent
pour cette mission dangereuse. Non, dit Charles, aucun
des douze pairs. C'est alors que Roland désigne Ganelon,
le mari de sa mère. Celui-ci, indigné, menace Roland et
les pairs, déclare qu'on l'envoie à la mort, recommande à
ses vassaux sa femme, son fils Bauduin, son ami Pinabel,
et part, roulant de noires vengeances.

Durant la route, il ne pense qu'à Roland. Si Roland
mourait, la paix nous serait rendue à tous. *Seit ki l'ociet,*
dit-il à l'ambassadeur sarrasin, *tute pais pois avrumes!*
L'insinuation n'est pas perdue. Des compliments adroits,
de riches présents suffisent pour sceller la trahison. Ganelon voit son crime, il en caresse la pensée « *Mort sunt*
li cunte, se est ki mei en creit! Ils sont morts, s'écrie-t-il,
si l'on m'en croit! » Et il s'engage à faire en sorte que
Charles, dans sa retraite, laisse derrière lui Roland, Olivier
et les douze pairs. Sur son épée Murglais, il jure la mort
de Roland. A son tour, Marsile a juré sur le livre qui
contient la loi de *Mahum Tervagan.* Chaudement félicité
par les païens, Ganelon conduit à l'empereur le tribut,
les otages, et lui présente les clefs de Saragosse. Il n'y a

plus qu'à retourner vers *dulce France*. Ganelon n'a pas
plutôt suggéré de confier l'arrière-garde à Roland, que
le héros accepte; il voit le danger; il sent la trahison,
mais il accepte, parce que son orgueil lui interdit de recu-
ler, et cependant Charlemagne, averti par des songes,
s'inquiète, s'emporte, verse des larmes. Mais le sort en
est jeté. Roland, dont les douze pairs ne veulent pas se
séparer, prend position à Roncevaux; et tandis que l'empereur *ki ad barba florit*, pleurant sur ses preux abandonnés, s'épanche dans le sein du vieux Naimes, les chevaliers païens défilent devant leur roi, jurant l'un après
l'autre la mort de Roland. Les pairs entendent à la fois
le bruit de l'armée qui s'éloigne et la marche de l'ennemi.
Grand et saisissant contraste qui clôt noblement la première partie du poème. Ce qui suit est digne d'Homère.

Olivier, du haut d'une colline, aperçoit à l'horizon prochain l'ost immense des Sarrasins, les heaumes gemmés
d'or, les écus, les hauberts brodés, les épieux, les lances,
le fourmillement des bataillons. La trahison de Ganelon
éclate à ses yeux. La valeur n'exclut pas la prudence.
« Sonnez de votre cor », dit-il à Roland; Charlemagne
averti viendra. Mais *Rollanz est pruz e Oliviers est sages;*
Roland refuse avec une obstination, avec une fureur inju-
rieuses pour son ami :

> Sempre ferrai de Durendal granz colps
> Sanglenz en iert li branz entresqu'à l'or.

« Toujours frapperai-je de Durandal grands coups;
sanglant en sera le glaive jusqu'à l'or de la garde! » Il
adresse aux Français un discours net et énergique. Turpin
bénit les troupes, il leur promet le paradis :

> Asoldrai vuz pur voz anmes guarir.
> Se vuz murez, esterez seint martir;
> Siéges avrez el'greignur paréis.

Par penitence, lur cumandet à ferir!

« Montjoie! Montjoie! » et la mêlée commence. Roland,
Olivier, Turpin, Gérin, Gérier, Samson, Anséis, Engelier
abattent les païens par centaines. Olivier n'a pas le temps
de tirer son épée *Halteclère*, tant il est occupé à en assom-
mer du tronçon de sa lance. Ce ne sont que provocations,
insultes homériques, blessures qui fendent le col *en dous
méitiés*, qui coupent en deux le cheval avec le cavalier.
Mais le grand trait qui domine dans cette chaude peinture,
celui qui nous prend au cœur, c'est le caractère national
de la lutte, c'est l'esprit alerte et déjà tout français de ces
braves qui se battent pour la France. *Gente est nostre bataille!* s'écrie Olivier. Turpin juge les coups en connaisseur : *Dist l'arcevesques, cist colps est de barun!* Il plaisante :

> Ce Sarrazin me semble moult hérétique,
> Plutôt mourir que de ne pas l'occire!
> Oncques n'aimai les couards ni la couardise.

Et les Français : « L'archevêque défend bien sa crosse.»
Promet-il le ciel aux braves, on lui répond : « Nous y en-
trerons tous ! »

L'avant-garde sarrasine est broyée, mais elle est suivie
de trois corps d'armée. Engelier, Samson, Anséis, Gérin,
Gérier, Bérengier, cent autres succombent, vengés par les
survivants. Roland, Olivier, Turpin s'excitent l'un l'autre:
« Male chanson sur nous ne doit être chantée! » Mais
l'heure fatale a sonné; des prodiges l'annoncent; la terre
tremble, les vents mugissent, les ténèbres couvrent le ciel
en plein midi. Roland aux abois veut sonner du cor. Olivier lui dit qu'il n'est plus temps. « Sonnez, dit Turpin,
le cor ne nous sauvera pas, mais Charles viendra et nous
ne serons point abandonnés aux loups, aux porcs et aux
chiens! » Roland sonne à perdre haleine, ses tempes se

fendent. On l'entend à trente lieues. Ganelon, qui essaye
d'irriter Charlemagne contre Roland, est convaincu de
trahison, livré aux gens des cuisines impériales, lié, roué
de coups. L'armée rétrograde ; on marche sur Roncevaux,
trop tard, il est trop tard ! Hauts sont les puyts et ténébreux et grands, le val profond, les eaux rapides. Les trom-
pettes répondent au cor, à l'olifant qui sonne toujours.
Charles chevauche, plein d'une sombre fureur.

Et cependant, Roland pleure sur les Français. *Terre de
France, moult êtes doux pays !* Il dit à Olivier de douces
paroles et, prenant son cor, sonne la charge, abat le poing
droit de Marsile, tue le fils de ce roi : *Que dulce France
par nus ne seit hunie !* et il frappe. Mais Olivier l'appelle,
Olivier blessé à mort : « Compagnon, tout près de moi ! A
grand douleur serons-nous aujourd'hui séparés. » Roland
se pâme sur son cheval. Olivier, qui ne voit déjà plus, le
frappe cruellement, pourfend son casque. C'est alors que
Roland lui adresse ces sublimes paroles :

> Sire cumpainz, feites le vus de gret ?
> Ja est ç'Rollantz ki tant vus soelt amer.

« Je ne vous vois, » répond le moribond ; et Roland reprend : « Je vous pardonne devant Dieu. » Olivier,
couché à terre, expirant, joint les mains et prie pour
Charles, pour la *France douce*, et pour Roland *desur tuz
homes*. La mort de Turpin est accompagnée de circonstances non moins admirables ; en tombant il s'écrie : « Je
ne suis pas vaincu !» Roland apporte auprès de lui leurs
amis morts pour qu'il les bénisse, et Turpin les bénit,
disant : *Ja ne verrai le riche empereur.* Epuisé par ce dernier effort, et par le sang qui coule de ses tempes (par les
orilles fors en ist le cervel), Roland se sent mourir. Il gît
sur l'herbe verte, priant pour les pairs, pâmé. L'audace
d'un païen qui veut lui voler Durandal le ranime. De son

olifant il frappe si rudement le Sarrazin, que *fuz en est li cristal e li ors*. Il parle à son épée, lui rappelle leurs exploits, leurs conquêtes, les reliques qui sont dans sa garde dorée ; puis, pour ne pas la laisser aux païens, peut-être à un lâche, il en frappe par dix fois la lame sur un rocher voisin. Il prie et rend à Dieu son *destre guant ;* saint Gabriel le reçoit ; Dieu envoie un chérubin et saint Michel du Péril qui

> L'anme de l'cunte portent en paréis.

Il est mort. Avant de le pleurer, Charlemagne le venge. Déroute énorme et capilotade de Sarrasins ; un ange a arrêté le soleil. Les païens, à Saragosse, injurient leur dieu Apollin ; Tervagan reçoit des coups de bâton ; et Mahomet est jeté dans un fossé où les porcs et les chiens le mordent et *défulent*. Il faut voir le vieil empereur lutter corps à corps avec le général ennemi, un certain Baligant de Babylone, amiral de vieille antiquité, et lui trancher la tête ; il a vingt ans ! Saragosse est prise et la guerre est terminée. La douleur de Charles sur le corps de Roland est grandiose et touchante ; il s'évanouit, il parle au mort, il s'arrache la barbe. « En France, les étrangers demanderont où est le comte capitaine, je leur dirai qu'il est mort en Espagne ! » Et cent mille Français pleurent avec lui.

L'épisode final détonne un peu, mais il est instructif : on y voit combien était faible et vacillant au onzième siècle le sentiment de la justice. Charlemagne, à Aix-la-Chapelle, convoque les nouveaux pairs pour juger Ganelon : celui-ci avoue son crime, mais il l'explique, il fait valoir les griefs qu'il avait contre Roland, il déclare enfin que son champion, Pinabel, est prêt à combattre en champ clos les juges qui auront prononcé la sentence. Qui croirait que les barons hésitent, qu'ils supplient l'empereur de par-

donner à Ganelon? « Roland est mort, le ferons-nous revivre? A quoi bon se priver d'un serviteur?» Il faut
qu'un jeune chevalier accepte le duel et tue le malheureux
Pinabel, pour convaincre les juges. Pinabel a succombé :
Ganelon, tout d'une voix, est déclaré coupable. Il est pendu.

Mais l'œuvre du grand empereur n'est pas terminée ;
Roncevaux n'est qu'un épisode dans sa vie sans repos. Il
est vieux ; il est las. Qu'importe? Gabriel l'envoie dans un
pays invraisemblable, en terre de *Bire*, au secours d'un certain roi Vivien :

> « Deus », dist li reis, « si peneuse est ma vie! »
> Pluret des oils, sa barbe blanche tiret.

Il pleure, il tire sa barbe blanche, et il repart.

Ainsi finit l'épopée, et déjà pullulent en Chansons de
geste les légendes auxquelles elle a donné l'essor. On voit
que le *Roland* n'est pas seulement un des plus vénérables
débris de notre vieil idiome, c'en est le plus beau, certes,
et le plus français. Il est le titre le plus authentique et le
plus noble de notre nation et de notre patrie ; mais il est
aussi, par bien des pages héroïques, un chef-d'œuvre qui
ne serait point déplacé à côté de l'Iliade.

Autour de Roland et de Charlemagne se sont groupés
tous les poèmes de la *Geste* du roi (une *geste*, c'est à la
fois la vie et la famille légendaire d'un héros), *Berta de li
gran pié, Aspremont, Fierabras, Huon de Bordeaux*. La
seconde *Geste* se rattache à ce Guillaume qui arrêta les
Sarrasins à Villedaigne et, en somme, vengea Roncevaux ;
elle comprend de nombreux récits dont les plus dignes de
renommée sont le *Moniage Guillaume, Aliscans, Bataille
Loquifer, Garin de Montglane*. Le troisième grand cycle
(ensemble de poètes et de poèmes groupés autour d'une

même famille héroïque), déjà féodal, le cycle des ennemis de Charlemagne, porte le nom de *Geste de Doon de Mayence*, bien que Ogier de *Danemarche* et Renaud de Montauban y tiennent le principal rôle ; on y cherchera la touchante histoire de *Parise la duchesse*. Une quatrième division doit être réservée aux croisades, dont le cycle a été refondu et résumé au quatorzième siècle dans *le Chevalier au Cygne* (M. Hippeau a donné une bonne édition de ce poème).

Ce n'est pas tout. Entre ces quatre cercles où évoluent les astres réels et imaginaires du ciel carlovingien, et, pour mieux préciser, entre le troisième et le dernier, s'agitent de petits groupes indépendants, des planètes isolées qui ne sont pas les moins brillantes, ni les moins antiques. De ce nombre sont *Garin le Lohérain*, *Giratz*, *Amis et Amiles* (un des plus étranges); les *Lohérains*, terrible image de la férocité désordonnée des temps féodaux, un des plus sombres aspects de cet âge de fer ; *Ayol, Betonner, Florence de Rome*.

La plupart de ces épopées, dans leurs formes premières, que nous ne possédons pas toujours, se sont produites de 1066 à 1200. Les onzième et douzième siècles sont la période de la spontanéité naïve et de l'assonance. Au treizième siècle, commencent les arrangements, les remaniements, les prétentions littéraires cent fois pires que l'absence d'art. Un homme au talent souple et ennuyeux, Adenet ou Adenès, passa dans ce temps pour une merveille, et ne fut qu'un délayeur. Mais combien d'autres l'imitèrent et le dépassèrent ! Au-dessous des élucubrations du quatorzième siècle, il n'y a plus que les romans en prose du quinzième, ces chevaleresques sottises qui s'emparèrent de l'imprimerie naissante et, après avoir brouillé la cervelle du pauvre Don Quichotte, amusent encore dans nos campagnes les fidèles des *Quatre Fils Aimon* sur pa-

pier à chandelle. M. Léon Gautier distingue soigneusement
les âges des Chansons de geste; il réserve, comme de juste,
toute son admiration pour les plus originales, qui sont à
la fois les plus courtes et les plus anciennes. Et c'est caractériser bien faiblement les mérites de son livre que de
dire qu'avec lui on suit depuis le germe jusqu'à la fleur,
à la maturité et à la corruption finale, cet arbre épique
qui avait en France de si profondes racines et qui a om-
bragé quatre siècles de ses végétations luxuriantes.

Pour bien comprendre des héros comme Roland, Ogier,
Renaud, des amis comme Amis et Amiles, et aussi le succès des Chansons de geste dans les villages et dans les
châteaux, il faut sans cesse avoir présents à l'esprit la
rude vie féodale et la tristesse profonde du paysan, du ma-
nouvrier vassal ou serf, le besoin que ce monde sombre
avait de distraction quelconque. Ni réunions joyeuses, ni
salons, ni livres, ni conversations. En haut, la force; en
bas, la faiblesse inquiète. Les femmes, enfermées dans
l'épais donjon pendant que le baron giboye aux voyageurs
ou pille son voisin absent, les femmes ouvrent l'étroite
fenêtre, écoutent le chanteur, toutes prêtes à s'enfuir, à
se jeter dans les bras du premier venu. Les Chansons
abondent en pareilles aventures; il y est souvent question
de jeunes filles nobles, d'ailleurs parfaites chrétiennes,
qui vont se cacher dans le lit d'un *trop bel home*. Telles
étaient les mœurs de ces temps chers à l'Eglise.

Cependant le trouvère, ou plutôt le jongleur qui lui
avait acheté son manuscrit, et qui tenait à la fois de l'éditeur, du colporteur et du baladin ambulant, annonçait à
la foule accourue le sujet de la Chanson, l'incomparable
héros dont il allait conter les aventures. Puis, s'accompa-
gnant de la mandoline ou de quelque autre guitare, il dé-
clamait sa mélopée de couplets monorimes, se répétant
aux endroits pathétiques, s'arrêtant par moments pour

boire une lampée et pour faire la quête. Il parcourait ainsi la France dans tous les sens, sachant se faire comprendre dans toutes les provinces ; il passait le Rhin, les Alpes surtout, faisait tournée en Lombardie et descendait jusque dans les Deux-Siciles, où l'empereur Frédéric II et, après lui, les Angevins goûtaient fort le gai savoir. Le métier était lucratif, et d'abord honorable. Quand on commença de savoir lire, il perdit de son lustre, et l'épopée de son intérêt. La Chanson de geste baissa le ton et laissa presque toute la place au roman d'aventure, originaire de Bretagne, et surtout à la poésie personnelle et d'observation, préparée par les Rutebeuf et les Coquillart, vraiment inaugurée par Villon.

M. Gautier nous promet une chrestomathie épique ; il espère qu'elle sera mise entre les mains de nos élèves de seconde et de rhétorique ; nous attendons son *recueil* avec impatience et nous nous associons à son désir.

XIII.

LA VIE MUNICIPALE AU MOYEN AGE.

Importance des études municipales. — La formation et les progrès
rapides de la ville de Saint-Omer. — Les communes de l'Artois
et de la Flandre. — Leurs chartes. — Leur organisation judiciaire, administrative, commerciale et industrielle. —Leur prospérité au treizième siècle. — Les causes de leur décadence
rapide.

C'est le développement de la vie municipale qui a lentement refoulé la féodalité et l'Eglise, au profit d'abord de
la monarchie, et finalement de la nation. L'histoire des
villes tient, dans l'histoire des peuples modernes, la même
place que l'anatomie et la physiologie dans l'histoire des
êtres vivants. Si nul corps organisé ne peut être isolé des
conditions extérieures propices ou défavorables à sa durée,
il porte en lui, dans sa propre structure, des principes
d'activité, des ressorts complexes dont les dissonances et
les harmonies déterminent sa santé, son tempérament, sa
destinée. L'importance historique des institutions municipales avait frappé Augustin Thierry ; elles ont été l'objet
de ses derniers travaux. Mais l'amour des généralisations
(dont il ne faut pas trop médire), satisfait de résultats
approximatifs, a, paraît-il, ralenti chez nous l'impulsion
donnée ; et, dans ces études locales qui exigent autant de
patience que de jugement, la France s'est laissé dépasser
par la Belgique, l'Italie et l'Allemagne. Cependant, aux
quatre volumes parus des *Monuments inédits* relatifs à

l'histoire du tiers état, viennent s'ajouter déjà de nombreux *Inventaires sommaires* d'archives départementales,
les mémoires des sociétés de province, et les précieux monuments publiés par quelques villes, Bordeaux, Lyon,
Arras, etc. Nous avons sous les yeux un ouvrage considérable qui, à bien des titres, peut servir de modèle en ce
genre de restitutions érudites. M. Arthur Giry s'est pris
d'affection pour Saint-Omer ; il a recueilli dans ses riches
archives toutes les pièces authentiques de son état civil,
judiciaire, administratif, industriel, plus de deux cents
pages in-8° de textes curieux en latin et en français-
picard ; il a fouillé, retourné, interprété, ordonné tous ces
débris, et il en a tiré une monographie étendue, pleine de
science, de sagacité et de vie ; car les idées générales ne
lui manquent pas, et il n'a négligé aucune occasion de
comparer, de rattacher l'histoire et les institutions de
Saint-Omer à celles des cités voisines. Ce beau livre (1),
qui lui a valu en 1875 le titre d'élève diplômé des Hautes-
Etudes, est une histoire municipale de l'Artois et de la
Flandre, depuis le troisième siècle jusqu'au quatorzième.

Dans l'ouest de la Gaule septentrionale, sur les bords de
la mer, au milieu des marécages, végétait la tribu des
Morins, que Virgile appelle les derniers des hommes, *ex-
tremi hominum*. Gallo-Belges, Germains, descendants des
vieilles races ichthyophages qui nous ont laissé les *amas
coquilliers* ? C'est affaire aux systèmes. En fait, le nom,
rapproché d'Ar*mor*ique, semble gaulois. Les Morins auraient été des peuples *mar*itimes, ce qui ne nous apprend
rien sur leur origine. L'archéologie a vainement cherché

(1) *Bibliothèque de l'Ecole des hautes études,* publiée sous les
auspices du ministère de l'instruction publique. Sciences philolo-
giques et historiques, 31e fascicule : *Histoire de la ville de Saint-
Omer et de ses institutions,* par A. Giry, in-8°, XII-609 pages.
Paris, Vieweg, 1877.

sur leur sol des traces de villes antiques, ou même d'établissements romains. Les premiers rudiments de civilisation furent apportés à ces barbares, vers le troisième
siècle, par les missionnaires chrétiens Fuscien et Victoric,
apôtres de Térouane. C'est du moins l'opinion adoptée par
M. Giry. Une tradition du dixième siècle attribue à ces
deux saints personnages la fondation d'une chapelle sur le
plateau d'Hellefaut, en face de la colline où s'éleva Saint-
Omer. Au siècle suivant, il existait des diocèses dans cette
partie de la Gaule. L'évangélisation, interrompue par les
invasions, fut reprise au sixième et au septième siècle. A
cette époque, les Germains, les Francs de Mérovée et de
Clovis, ou plutôt des Bas-Allemands, avaient imposé à la
population conquise une langue qui devint le flamand. Il
est à remarquer toutefois que, si tous les noms d'hommes
et de lieux ont pris des formes germaniques, l'influence
latine est demeurée la plus forte. L'usage du français, à
Saint-Omer, paraît aussi ancien que dans les vallées de la
Somme et de la Seine. Tous les actes, rédigés d'abord en
latin, le sont en français à partir du treizième siècle
(1221).

En 648, l'emplacement de Saint-Omer s'appelait *Sitdiu*,
nom corrompu en *Sithiu*, et qui reste inexpliqué. Sitdiu,
villa rurale située en Ternois, faisait partie d'un domaine
plus vaste dont le centre était *Ascio, villa dominica*.
C'était un grand marécage, avec quelques îlots émergés,
où l'évêque *Audomarus* (Omer) avait fondé un *vieux mou-
tier* (en flamand Oudemonstre), aujourd'hui Saint-Mom-
melin, dans un terrain qui n'est pas encore desséché. Il y
avait là des habitations éparses, des moulins, bois, prairies, étangs, serfs, bergers, troupeaux, des dépendances à
Wisques, Tatinghem, Zudausques. Le tout fut donné par
le propriétaire, Adroald, à trois protégés d'Omer, Bertin,
Mommelin et Ebertramm. Les ruines de Saint-Bertin indi-

quent où s'éleva un monastère bientôt célèbre et puissant, pourvu de toutes sortes d'immunités par les rois
Thierry III et Clovis III, et confirmé dans ses privilèges
par les Carolingiens. C'est là que mourut le dernier Mé-
rovingien, Childéric III. Il ne faudrait pas croire que les
cent trente moines de Saint-Bertin fussent des ascètes con-
templatifs ou de simples machines à bêcher, comme les
chartreux et les trappistes. Ils ressemblaient à ces pion-
niers puritains qui ont fondé tant de villes en Amérique ;
leurs abbés paraissent avoir été des administrateurs et des
négociants très entendus. Ils se faisaient autoriser à
chasser sous prétexte de se procurer des peaux pour
leurs reliures, leurs ceintures et leurs gants ; ils appliquaient certains revenus à l'achat de tissus anglo-saxons,
qu'ils revendaient sans doute à leurs marchés du vendredi.
Pour répondre aux besoins de la population qui commençait à se grouper sur la colline au-dessus du débor-
dement de la rivière Aa, ils avaient construit un hospice,
une église avec son cimetière, un moulin dont ils gardaient encore le monopole au dixième siècle. Leur exploitation était d'ailleurs sage et paternelle ; grâce à l'école
qu'ils avaient instituée, ils recrutaient parmi les habitants,
nobles, inférieurs, pauvres, qui ne tardèrent pas à se réfugier derrière les murailles de la ville naissante, des
clercs et des demi-civilisés.

C'est au neuvième siècle qu'on voit se relâcher ces liens
où l'affection avait autant de part que l'autorité. La première restriction apportée à la tutelle et aux droits de
Saint-Bertin vint du pouvoir central. En leur qualité de
bienfaiteurs et de fils aînés de l'Eglise, les Carolingiens
disposaient des bénéfices, des abbayes, aussi librement
que purent le faire Louis XIV et Louis XV. L'an 820, un
chancelier de Louis le Débonnaire, déjà possesseur de
Cormery et de Saint-Martin de Tours, obtint de l'em-

pereur la riche abbaye de Sithiu. Cet abbé laïque, qui eut
pour successeurs un fils de Charlemagne et un oncle de
Charles le Chauve, ne prit pas seulement pour lui-même
un large morceau du domaine : il coupa le reste en deux
parts, et de l'église bâtie sur la colline il fit une collégiale
de chanoines, indépendante du monastère. La féodalité,
qui va naître, poussera plus loin l'usurpation. Il est bon
de noter ici qu'au temps de leur prépondérance rivale, la
noblesse et le clergé ont rarement vécu en bonne intelligence. Leur accord ne date que du jour où ils ont cessé de
pouvoir se nuire.

Les incursions des Normands, dont les conséquences se
sont fait sentir si rudement et si longtemps en France, en
Angleterre, en Italie et jusqu'en Russie, eurent une part
vraiment extraordinaire dans la formation du comté de
Flandre, dans le développement de la féodalité, mais aussi
dans la naissance des solidarités municipales. Il est des
plantes qui ne peuvent fleurir et fructifier sans le concours
de certains insectes nuisibles.

Devant ces nuées de pillards et de meurtriers, les collines se hérissent de châteaux et de bourgades fortifiées.
Les habitants désertent les campagnes ; ils se réfugient
avec leur avoir, avec les reliques de la contrée, derrière les
murs de terre et les palissades de l'*oppidum* ou du *castrum*
le plus voisin. Là, ils trouvent soit le comte, soit son délégué le châtelain, qui les arme à la hâte, les protège, les
nourrit au besoin. En Flandre et en Artois, la résistance
fut efficace, et, notamment à Sithiu, les envahisseurs
éprouvèrent plusieurs déroutes complètes ; ils saccagèrent
bien le couvent, mais ils échouèrent toujours contre l'enceinte de la colline. Baudouin Bras de Fer, gendre de
Charles le Chauve et premier comte de Flandre, sut
mettre à profit une popularité bien gagnée : il étendit son
pouvoir suzerain sur toutes les classes de la société, sur

14

tous les châtelains et propriétaires fonciers, sur les hommes libres qui avaient combattu avec lui, enfin sur le clergé dont il avait si efficacement secondé les prières. Les comtes se déclarèrent tout d'abord *avoués* judiciaires, militaires, pouvoir exécutif des abbayes : ou bien ils se firent abbés, sans cesser d'être laïques : ils tenaient leur titre d'une concession royale ou d'un droit plus expéditif, la violation et le meurtre. Ceux qui rétablirent des abbés ecclésiastiques eurent soin de les prendre à leur dévotion et d'expulser les anciens moines. Saint-Bertin subit toutes ces avanies. En 1056, l'abbaye dut, moyennant une taxe fixe annuelle, abandonner toute juridiction en dehors d'un certain enclos ; sa justice était réduite à la presqu'île de l'Aa. Cependant son marché et les droits y afférents subsistèrent durant tout le moyen âge.

Que devenait la ville de Saint-Omer, peu à peu bâtie au huitième siècle autour de la collégiale, entourée d'une enceinte fortifiée entre 878 et 891, souvent visitée et habitée par les comtes de Flandre? Saint-Omer, pendant les dixième et onzième siècles, ne cessait de croître en population et en richesse. A côté, au milieu même, du monde féodal des officiers et des vassaux du suzerain, s'était formée une classe de commerçants et gens de métiers qui avait ses intérêts particuliers et qui, en échange de son obéissance, demandait aux nobles chevaliers et au suzerain une protection efficace. Or, il arriva souvent que, dans cet âge d'épouvantable anarchie, de brigandages féodaux et de jacqueries, de guerres privées, sans parler des famines et des pestes, les hommes des villes furent obligés de s'organiser pour leur propre défense. Tous les représentants de l'autorité, requis par le service militaire, quittaient les châteaux et laissaient les villes à elles-mêmes. Alors il fut question de *communio*, d'associations ou *gildes*, plus semblables de nom que de fait aux anciennes *gildes* germaniques ; alors il y eut des bourgeois, *burgenses*, des jurés, *jurati ;* une organisation arbitrale, sinon judiciaire, qui fonctionnait longtemps avant l'entrée officielle des villes dans la hiérarchie féodale. La commune future se débattait comme elle le pouvait entre les abbés, les chanoines, les comtes, s'arrangeant avec le défenseur le plus utile et le moins coûteux, peu à peu tolérée, reconnue comme une personne civile. Vers la fin du onzième siècle, on voit la *ville* de Saint-Omer acheter une pâture, un véritable communal.

Mais, en fait, la commune existait depuis longues années. Plus d'un siècle auparavant, des caravanes de marchands anglais, en route pour l'Italie, se fournissaient, en passant, de tapis, de toiles, d'objets ouvrés, et laissaient en échange des laines et autres matières premières. La *gilde* de Saint-Omer s'affiliait à la Hanse de Londres. Bientôt elle organisait une assistance publique, élevait une église paroissiale indépendante, constituait des foires très suivies. En 1099, la ville fut le siège d'un concile qui réglementa la trêve de Dieu et condamna le mariage des prêtres. En 1114, les grands de la Flandre y tinrent une assemblée où fut solennellement jurée la *charte de paix publique*, promulguée en 1111. Il y avait, au commencement du douzième siècle, trente-cinq villes en Flandre qui trouvaient moyen, comme Saint-Omer, de vivre et de prospérer au milieu des agitations inséparables du morcellement féodal. C'est à la faveur de ces troubles qu'elles réussirent à s'assurer une existence officielle. Les seigneurs étaient intéressés de toute manière à vivre en bonne intelligence avec ces centres de production imposable, qui étaient en même temps des refuges solides. Les compétiteurs au pouvoir comtal recherchaient leur appui. Dans l'espace de cinq ou six ans, Furnes, Aire, Valenciennes, Ypres, Arras avaient obtenu des chartes,

véritables traités où la reconnaissance de leur individualité,
de leurs droits judiciaires et commerciaux était le prix de
leur hommage. Les historiens aux gages des comtes ont
vainement cherché à dissimuler ces concessions, à en
altérer le caractère bilatéral. La charte octroyée à Saint-
Omer en 1127 est bien, quoique la signature de la ville
n'y figure pas, un pacte solennel de vassal à suzerain. La
garantie du roi de France, des comtes de Vermandois, de
Saint-Pol et de vingt et un autres barons en fait un acte
public, un titre perpétuel, à l'abri des caprices féodaux.
En effet, cette charte, indéfiniment renouvelée, confirmée,
accrue, à chaque changement de suzerain, est désormais
la loi des rapports réguliers entre la ville et les comtes ou
les rois.

Avant de définir, s'il est possible, le régime constaté
plutôt qu'établi par la charte de 1127, résumons les circonstances qui assurèrent l'autonomie de la ville. Le
comte Charles le Bon venait d'être assassiné. Parmi les
prétendants qui se disputaient sa succession, l'appui du
roi Louis le Gros fit d'abord triompher un jeune prince
anglo-normand, Guillaume Cliton, qu'il n'avait pu élever
au duché de Normandie. A peine Guillaume eut-il été pro-
clamé comte à Arras, que les villes, dont il avait besoin,
et qui n'avaient pas été consultées, s'entendirent pour réclamer des exemptions d'impôts et de péages, le droit de
s'administrer et de fixer leur coutume, enfin part à l'élection du suzerain. Une grande assemblée eut lieu dans un
champ, près de Bruges. L'autorité précaire du nouveau
suzerain dut s'accommoder de ces conditions. Dans chaque
ville où Cliton faisait son entrée, il se hâtait de prévenir
par des concessions les offres de ses concurrents. Moyennant
quoi, il était accueilli par de brillantes cavalcades et d'infinis festoiements. A Saint-Omer, pour prix de sa réception, prix débattu et convenu d'avance, il accorda des

immunités de toute sorte, précises et explicites, les fran-
chises des villes flamandes les plus favorisées, l'exemption
du duel judiciaire, du service militaire en dehors du
comté, une justice échevinale nettement distinguée des
juridictions seigneuriales et ecclésiastiques, enfin le droit
d'acquérir et celui de battre monnaie. C'était, comme
nous l'avons dit, la consécration d'un état antérieur, et,
au fond, c'est là le caractère de toute charte communale.
Que la reconnaissance des communes ait été pacifique ou
bien violente, précédée et accompagnée de révoltes et de
luttes acharnées, c'est un fait accessoire et secondaire.
Partout la véritable raison d'être des communes a été la
force des choses, les intérêts parallèles ou contraires des
populations assemblées dans une enceinte et des princes
féodaux obligés de laisser vivre leurs sujets, dont le travail les faisait vivre eux-mêmes.

Thierry d'Alsace, qui succéda l'année suivante à l'éphé-
mère Guillaume Cliton, dut, comme lui, se soumettre aux
conditions de ses bonnes villes. Pendant un règne de quarante ans, il confirma et accrut leurs privilèges. Ce fut
une époque relativement heureuse. Des additions et des
éclaircissements sans cesse consignés dans les nouvelles
chartes nous font assister à la formation du droit civil et
criminel, à la fixation des institutions, aux règlements des
points contestés. Celle de 1199 permet aux autorités de
Saint-Omer d'améliorer à leur gré le régime intérieur
l'administration et la justice. Dès 1158, la ville est propriétaire du terrain où s'élève sa Gilde-Halle, qui est tout
ensemble sa maison commune, sa bourse et son marché.
Tout en changeant de maîtres, en passant avec l'Artois
des mains des comtes flamands à celles de Philippe-
Auguste, de Louis VIII, de Louis IX ou de Robert, frère
de saint Louis, elle ne cesse de maintenir son autonomie,
de l'accroître, de racheter ou d'usurper, au risque des ex-

communications, les droits de justice qui appartenaient
soit au monastère, soit à la collégiale. Le treizième siècle
est l'âge d'or de Saint-Omer. Le chapitre que M. Giry
consacre à l'industrie et à l'organisation des métiers
montre quel essor avaient pris la fabrication des draps,
des feutres, des tapis, des lainages, le commerce en gros,
le transit, la banque, les foires. Les étrangers affluaient,
la population était nombreuse et riche.

Maintenant, quel était le régime qui favorisait ou plutôt
permettait un pareil développement? Il ne faudrait pas
croire qu'il fût bon ; nous verrons qu'il recélait plus de
germes funestes que d'éléments de prospérité ; il était le
moins mauvais possible, et le seul qui fût compatible avec
l'état social le plus précaire et le plus incohérent. « Cette
organisation, dit M. Giry, qui, à un observateur superficiel,
pourrait sembler assez logique, était au contraire compliquée, désordonnée, vicieuse, grosse de conflits, de contes-
tations, de luttes et d'émeutes, tout entière formée historiquement de pièces et de morceaux juxtaposés et à peine
ajustés. » Et d'abord, à ne consulter que les chartes, bans
et règlements municipaux, on pourrait croire « qu'ils disposaient pour toute la ville, que toutes les personnes habitant l'enceinte de la ville étaient soumises aux mêmes conditions ». Il n'en était rien. Les gens de Saint-Omer,
comme partout ailleurs, étaient livrés en proie à une hiérarchie, à un enchevêtrement de juridictions rivales. Telle
personne, tel lieu, tel délit, relevait soit du comte, soit du
couvent, soit des chanoines, soit de l'église, soit du châtelain, soit d'un hobereau, soit enfin de l'échevinage. Et,
comme chacune de ces autorités tirait de sa justice un
gros revenu, elles s'arrachaient les causes, les accusés, les
amendes. Nul n'était à l'abri de leur ingérence : innocent
devant un juge, on était coupable devant l'autre. M. Giry
détermine, le plus souvent avec une extrême précision, les

limites des diverses juridictions, leurs empiètements
mutuels, leurs degrés, leur compétence, la composition
de leurs tribunaux, le prétendu droit qu'elles appliquaient.
La justice la moins irrégulière était, en somme, la justice
municipale, rendue par les *échevins* assistés des *jurés*, qui
faisaient fonctions de témoins. Nous ne pouvons essayer
ici une définition de ces deux classes d'officiers municipaux,
et de leurs attributions fort complexes. Disons seulement
qu'elles ont souvent correspondu à deux classes dans la
population ; que les *jurés* représentaient d'ordinaire le
commun peuple, les échevins l'aristocratie bourgeoise.
Ceux-ci, tout ensemble juges, législateurs, tuteurs des
orphelins, administrateurs, présidés par un ou deux
maieurs, tantôt élus, tantôt nommés ou désignés par le
comte et le bailli, étaient, selon M. Giry, les *scabini* germaniques, dont les fonctions avaient été conservées et
probablement renouvelées par Charlemagne. Le droit
coutumier dont ils s'inspiraient était aussi foncièrement
germanique ; il n'en était pas meilleur. La composition, le
Wergeld, régnait encore sur le droit criminel, avec la
vengeance privée, la confiscation et le brûlement des
maisons, le duel judiciaire, les épreuves de l'eau et du
feu, la peine du talion appliquée aux étrangers. Les supplices et les mutilations étaient atroces. Voici, à titre de
curiosité, un tarif dressé par un vieux praticien, Ghis
l'*Escrinewerkere*, pour le prix des simples coups et blessures :

Les contusions, deux et quatre sous ; les coups de masse
ou de patins cloués, chaque marque de clou, quatre sous ;
les plaies *outrées*, bris d'os, de bras, de jambes, soixante
sous, et si elles sont multipliées, « la moitié d'un homme »,
c'est-à-dire douze livres parisis ; dents cassées, côtes en-
foncées, vingt sous chacune ; les jointures des doigts coupées, trente sous l'une ; celle du pouce, quarante ; quatre

doigts, six livres ; la main entière, douze livres ; l'œil crevé, *
le nez coupé « duskes à l'osselet par ensi ke on veist tout
apert en le teste, par le lieu là ou les narines furent », les
parties génitales tranchées, « la moitié d'un homme ».
Voilà qui donne une haute idée des mœurs du quatorzième
siècle.

Si nous passons à la condition des personnes, nous
trouvons des bourgeois, liés entre eux par des serments
particuliers et pourvus de notables privilèges, des manants,
simples hommes libres de diverses catégories, des serfs, des
étrangers ; puis des corporations réglementées, jalouses
de leurs métiers, avec leurs maîtres, compagnons et
apprentis ; par-dessus tout, des riches et des pauvres ; une
oligarchie d'industriels et de commerçants, pesant de
tout son poids sur les ouvriers et les prolétaires. Partout
des semences de haine, des divisions intestines, qui, jointes
à d'autres causes, ont précipité la ruine de l'édifice artificiel si laborieusement élevé. Le quatorzième siècle a vu
la décadence, l'effondrement des communes et de cette
vie municipale, pourtant si intense et si florissante.

A la rigueur, les vices de l'organisation intérieure auraient pu être palliés par la conquête progressive de
l'égalité dans la commune autonome. Mais l'indépendance
des villes ne pouvait s'accorder avec les prétentions des
rois ; disons qu'elle était incompatible avec une centralisation nécessaire à l'unité nationale. L'échevinage, en élu-
dant, en annulant les diverses autorités judiciaires et
fiscales, marchait à une sorte d'omnipotence *intra muros*.
Il échoua contre la résistance du bailli, qui peu à peu
avait hérité des attributions fort variables des châtelains,
puis était devenu le représentant direct du pouvoir comtal
ou royal. Ses fonctions se trouvèrent en peu d'années
réduites et subordonnées, et du même coup l'aristocratie,
dont il émanait, fut atteinte dans son orgueil et dans sa

force. Le *commun*, le populaire cessa de la craindre, mais non de la détester ; le pouvoir central trouva en lui son principal allié. Le peuple joua le rôle du cheval de la fable ; et il avait raison ; et il ne s'en est repenti que du jour où la monarchie, inintelligente, aveugle, en vint à faire contre lui cause commune avec les privilégiés qu'avec lui elle avait vaincus. Mais nous devançons là l'ordre des temps. La décadence de Saint-Omer et des villes de la France septentrionale eut une cause plus immédiate et plus douloureuse : la guerre et l'invasion.

Les expéditions de Philippe le Bel et de Robert d'Artois contre Guy de Dampierre ouvrent la série des guerres qui ont désolé la Flandre, l'Artois, la Picardie pendant cinq cents ans et qui ont duré pour ainsi dire sans interruption jusqu'à la fin du règne de Louis XIV. La rupture avec l'Angleterre et la Flandre, les pays de la laine, amena l'émigration de la draperie, la dépopulation. La fiscalité de Philippe le Bel, les altérations de la monnaie, aggravèrent le mal. Les artisans sans travail, attribuant leurs souffrances à l'administration presque héréditaire de la haute bourgeoisie, recoururent au pouvoir central. Leurs plaintes étaient fondées ; mais la réforme des lois échevinales, les élections compliquées, à trois degrés, avec participation du peuple, ne pouvaient ramener à Saint-Omer le travail et le commerce. Les sources mêmes de la prospérité étaient taries. Il était resté quelques drapiers dans les villages voisins, en dehors des lignes de péages et d'octrois. Même cette industrie modeste disparut de la contrée. Les nouveaux privilèges accordés à la ville en 1316 par Robert d'Artois ne pouvaient, en effet, qu'écraser la banlieue. La guerre de Cent ans rendit vains tous les remèdes. Le roi Charles VII (1440), le duc Philippe le Bon (1447) échouèrent dans leurs tentatives pour repeupler et acquitter Saint-Omer. Au reste, la vie municipale

n'était plus qu'une apparence. Les échevins, les chefs des
corporations, les maires avaient cessé de représenter un
corps autonome. Présentés ou nommés par le bailli, fonctionnaires obéissants, ils ne pouvaient plus faire d'illusion
qu'à eux-mêmes. Ainsi jugeaient, délibéraient, s'agitaient
les innocents édiles et les magistrats locaux des municipes
romains, marionnettes graves dont le proconsul tenait les
fils.

Aurons-nous une expression de regret pour les laborieuses et brillantes communes du moyen âge? Peut-être,
et leur souvenir doit nous mettre en garde contre les
excès meurtriers de la centralisation. Mais il ne faut pas
oublier que cet éclat fut précaire, sans cesse menacé
d'éclipse par les ténèbres ambiantes. Qui voudrait retourner aux juridictions féodales, aux guerres privées, aux
corporations? Qui voudrait échanger l'égalité civile, base
de la liberté et de la justice, contre les privilèges primés
par d'autres privilèges?

XIV.

LES FOIRES DE CHAMPAGNE [1].

M. Félix Bourquelot croit devoir, à plusieurs reprises, s'excuser des développements qu'il a donnés à son étude sur les foires de Champagne. Qu'il se rassure, nul n'accusera de longueur et d'inopportunité toutes ces citations, tous ces détails, fruit de patientes recherches, dont chacun ajoute pour sa part à la vérité du tableau et à l'utilité du livre. L'auteur n'est point sorti de son sujet et ne s'en est pas exagéré l'importance. Quand il énumère les villes et les pays qui apportaient périodiquement au cœur de la France leurs productions et leur numéraire, les marchandises qui se donnaient rendez-vous sur nos marchés champenois, les monnaies, les poids et mesures, les règlements, les impôts qui étaient les moyens, les conditions et les garanties des transactions commerciales, il ne fait que rassembler sous nos yeux et remettre en lumière les éléments trop peu connus de la vie sociale au moyen âge, vie dont les foires de Champagne furent la plus éclatante manifestation. Il a compris que l'histoire extérieure est insuffisante à expliquer la formation, les mœurs et le caractère des peuples. Déjà l'étude des littératures, des idiomes et des arts a pris le pas sur les simples relations de batailles

(1) Par M. Félix Bourquelot. Extrait du tome V des Mémoires présentés par divers savants à l'Académie des inscriptions et belles-lettres. 2 tomes in-4, 335 et 391 pages. Imprimerie impériale, 1865-1866.

et de conquêtes. Sous les gros faits dont s'est composée
jusqu'ici la trame historique, une infatigable érudition
recherche et retrouve chaque jour les menus traits qui font
la physionomie des époques et des nations. M. Bourquelot
vient à son tour joindre à la moisson commune tout ce
qu'un long et obstiné travail lui a fourni de renseignements sur les industries et le commerce de l'Occident au
moyen âge; il les a naturellement groupés autour des
foires de Champagne, type des grands marchés de l'Europe du dixième au quinzième siècle. Nous allons essayer
d'analyser succinctement l'important ouvrage qui lui a valu
la première médaille du concours des antiquités nationales,
et d'en donner pour ainsi dire une exacte réduction.

L'échange des denrées et des marchandises, à la faveur
d'une paix nécessitée par des besoins mutuels, voilà ce qui
se rencontre même chez les hordes sauvages et ce qui s'est
vu de tout temps, depuis qu'il y a une industrie humaine.
Les foires peuvent être définies « des réunions de gens qui
se rencontrent volontairement dans des lieux fixes, à des
intervalles périodiques ou non, pour vendre et pour acheter ». Leur importance décroît de jour en jour comme leur
utilité; mais elles ne pouvaient qu'être florissantes dans
un état social où les communications étaient difficiles, et
les transactions surchargées de droits. Il y en eut, sous
divers noms, en Grèce et en Italie; au dire de Strabon,
Eumène, Sidoine, Grégoire de Tours, elles abondaient en
Gaule; celle de Troyes remonterait au moins jusqu'au
cinquième siècle de notre ère. On les trouve au moyen âge,
nommées indifféremment *nundinæ* et *feriæ*, établies de
longue date par la coutume ou fondées par les souverains
d'abord, et ensuite par les suzerains, lorsque le principe
féodal eut émietté la souveraineté. La foire de Saint-Denis
doit son origine à Dagobert Ier (629); elle dure un mois et
jouit de monopoles et privilèges. Charlemagne décide qu'il

n'y aura de marchés que ceux qui existent d'ancienneté et en vertu d'autorisations légitimes.

M. Bourquelot incline à croire que presque partout les fêtes du christianisme ont été l'occasion des foires, et surtout la cause déterminante de leurs immunités. Cette occasion et cette cause, je les verrais plutôt dans l'intérêt des pays et des propriétaires des foires. Je me bornerais à dire que les époques des foires coïncidaient, naturellement, avec celles des solennités religieuses locales, admettant bien volontiers, d'ailleurs, que le clergé trouvait là une source de revenus considérables, directs et indirects, par les taxes, les impôts, les libéralités au profit des monastères et des églises. Le trafic était interdit aux clercs ; mais notons que la défense était illusoire.

La Champagne, malgré bien des guerres et des calamités, malgré l'enchevêtrement de suzerainetés diverses qui couvraient comme d'un filet la terre et les personnes, ne fut point malheureuse au moyen âge. Ses comtes, en la gouvernant au mieux de leurs intérêts, ne méconnurent pas les siens. Son clergé n'était pas d'humeur sombre et fanatique. La vie municipale, qui ne s'y était jamais complètement éteinte, s'y réveilla de bonne heure, assez forte pour être reconnue sans trop de peine par les seigneurs féodaux : moyennant un impôt proportionnel nommé *Jurée*, ou des abonnements débattus de gré à gré, les communes purent, dès le douzième siècle au moins, jouir d'une certaine indépendance. Les habitants, favorisés par la fécondité du sol, se livraient dans une sécurité relative à la culture des céréales et de la vigne, à la fabrication du drap. Ils défrichaient, construisaient des villes neuves en assez grand nombre, exploitaient les tourbières et les mines, et s'enrichissaient par un commerce très actif.

Tout porte à penser que les foires existaient à Troyes sous le régime romain. La plupart sont visiblement anté-

rieures à Henri le Libéral (1152) qu'on leur donnait pour
fondateur. Les plus anciens documents où elles soient
mentionnées (1114, 1128, 1137) ne font que confirmer
leurs privilèges ; l'absence d'actes constitutifs prouve leur
antiquité. Au treizième siècle, elles passaient pour exister
de temps immémorial ; et le passage du roman d'Anséis
(branche de *Garin le Loherain*) où la fondation des foires
de Bar-sur-Aube, Provins, Troyes, Lagny, est attribuée à
Charles le Chauve, permet de croire qu'elles ont été réglementées par les Carlovingiens.

Parmi les nombreux marchés qui portaient le nom de
foires, à Bar-sur-Seine, Bescherel, Châlons, Château-
Thierry, la Ferté-Gaucher (1177), Langres, Méry, No-
gent-sur-Seine, Provins, Reims, Saint-Florentin, Sézanne,
Tonnerre, Troyes, Vitry (1137), etc., six furent distingués
des autres dans le courant du treizième siècle, et formèrent comme un marché continu qui passait de Lagny à
Bar, de Bar à Provins, de Provins à Troyes, de Troyes à
Provins, et de Provins à Troyes pour revenir à Bar. Chacune avait une durée normale de six semaines environ,
divisées en périodes de rigueur pour l'entrée, la vente et
le payement des diverses marchandises. D'ordinaire les
huit premiers jours d'installation étaient exempts de taxes ;
la seule foire de Lagny était franche dans toute sa durée.
Le temps des foires se divisait en outre en *corps* ou *cors
de foire* et périodes de *droit payement*. Les actes auxquels
on voulait assurer les privilèges et garanties fixés par la
coutume devaient être conclus en corps de foire.

Il y a quelque incertitude sur le sens des mots *droit
payement* : était-ce l'acquittement des droits sur les marchandises vendues, ou bien le terme consacré pour toute
espèce de payements, la limite de rigueur ? La première
opinion, soutenue par M. Paulin Pàris, est ici adoptée par
M. Bourquelot ; mais, dans son tome II, p. 103, il revient

à la seconde, vers laquelle il avait d'abord penché : c'est, à notre gré, la meilleure.

Le cri de *hare, hare,* qui indiquait la clôture des ventes spéciales et de la foire elle-même, est l'objet d'intéressants rapprochements. On disait *haro* en Normandie, et *ara* en Flandre, à Ypres, Bruges, Malines. Plusieurs opinions, plus ou moins hypothétiques, ont été émises sur l'origine de ce cri ; M. Bourquelot les rapporte, sans se prononcer.

Les limites topographiques des foires étaient fixées avec soin par l'autorité compétente. Un, deux ou trois gardes, un chancelier, de nombreux notaires et sergents, surveillaient les opérations, enregistraient les actes et assuraient la régularité des transactions de toute sorte. Toutes les foires, même celle de Lagny, dont les revenus appartenaient au monastère de Saint-Pierre, et la Saint-Ayoul de Provins, exploitée sept jours durant par les religieux de Saint-Ayoul, étaient soumises, en dernier ressort, à la justice du comte, leur protecteur. Leurs privilèges, garantis par divers seigneurs puissants, tels que les rois de France et les ducs de Bourgogne, admis et reconnus en tout pays, même chez les infidèles, formaient une sorte de code de commerce international. *Ne pas savoir ses foires de Champagne,* c'était ignorer l'A B C du commerce.

Les foires n'étaient point fréquentées des seuls marchands. Les *ménétriers du guet,* les bateleurs, les bêtes curieuses, mille occasions de plaisirs plus ou moins canoniques y attiraient la foule des oisifs, des riches, des joueurs et des aventuriers. Les voleurs n'y manquaient pas, et tous ceux qui exploitent la crédulité et les passions. Le roman manuscrit d'*Hervis* (branche des *Loherains*), analysé dans le tome XXII de l'*Histoire littéraire,* nous présente, dans plusieurs passages que M. Bourquelot a transcrits, un tableau assez complet et fort animé de la vie extra-commerciale à Provins et à Lagny.

La principale force et le soutien des foires, c'était une
association des villes manufacturières du Nord et du Centre,
dont les marchands s'étaient engagés à y amener leurs
draps, sans pouvoir vendre ailleurs en gros et pour l'expor-
tation. On a plusieurs listes de ces villes. De dix-sept et de
vingt-quatre, leur nombre s'était, dans le courant du treizième siècle, élevé au moins jusqu'à cinquante. Cette
association se nommait la Hanse de Londres; on s'y faisait recevoir soit à Londres, soit à Bruges, à des taux différents, selon qu'on était fils d'un membre ou étranger à
la société. Bruges fournissait le comte de la Hanse, et Ypres
le porte-enseigne.

A cette population régulière dont les foires étaient assurées, se joignaient des représentants de tous les pays.
Non seulement les plus lointaines provinces de France,
mais la Flandre, le Brabant, le Hainaut, la Hollande, l'Angleterre, l'Ecosse, l'Allemagne, la Suisse, la Savoie, l'Italie, l'Espagne, l'Orient même, envoyaient à Provins, à
Troyes, à Lagny et à Bar, de grandes compagnies commerciales, sortes de caravanes conduites par des recteurs,
des capitaines, des consuls, dont le plus important semble
avoir été le capitaine de Montpellier. La plupart des villes
connues en Europe avaient dans les villes de foires leurs
magasins ordinaires, leurs hôtels dont le nom s'est quelquefois conservé jusqu'à nous. On voit par l'*Extenta terre
comitatus Campanie et Brie*, que Limoges, Toulouse,
Nîmes, Narbonne, Béziers, Montauban, Orange, Reims,
Châlons avaient des maisons à Provins et à Troyes.

On demeure saisi d'étonnement devant l'universalité de
ce commerce. Toiles et pelleteries d'Allemagne, draps et
laines d'Aurillac et Saint-Flour, cordouan de Limoges et
de Toulouse, étoffes précieuses de Lucques, orfèvrerie de
Paris, *avoir de poids* (épices), comestibles, bêtes de somme,
esclaves sarrasins, dont un diplôme de Louis le Débonnaire

autorisait la vente, toutes les marchandises, toutes les
denrées, traversant incessamment la France, venaient se
ranger dans des halles spéciales qui leur étaient destinées
tout à l'entour de l'emplacement des Foires. Mais le fond
du trafic, c'était la draperie, principale industrie de la
Champagne et de la Flandre. La fabrication en était rigoureusement réglementée, les aunages divers fixés selon
l'usage, les tissus, les couleurs, classés avec un soin méti-
culeux. Le centre de la draperie en France était Provins,
où travaillaient trois mille deux cents métiers.

Les deux chapitres que M. Bourquelot consacre aux relations des marchands français et étrangers avec les foires
et à l'énumération des marchandises, sont remarquables
entre tous par le soin vraiment infini qui a présidé à l'as-
semblage de tant de données éparses en des documents
sans nombre. L'auteur y a prouvé toute sa patience et
toute sa sagacité. Nous recommandons tout particulièrement, au début du chapitre VII, son manuel historique de
la draperie au moyen âge. On trouvera, peu après, une
discussion qui semble probante sur le mot *moison*. M. Douet
d'Arcq y avait vu une mesure de largeur ; M. Bourquelot
établit que c'est une mesure de longueur.

Pour fréquenter ainsi des marchés lointains, il fallait
que les étrangers y trouvassent à la fois sécurité et profit.
C'est ce qui avait lieu. Du moins, certains itinéraires très
suivis, moyennant des péages relativement modérés, étaient-
ils activement protégés par les autorités féodales. Les Flamands arrivaient par Bapaume, Péronne, Compiègne,
Crépy, Meaux ; les Allemands, par la Suisse et la Franche-
Comté ; les Italiens, par Aigues-Mortes et Nîmes. En dehors
des routes ordinaires, le voyage était entouré de garanties
moindres. Toutefois nombre de chartes et d'ordonnances
prouvent que les torts faits aux personnes et aux marchandises étaient réparés dans la mesure du possible.

15

Le chapitre IX nous fait comprendre quelle était la réelle
prospérité des villes de Foires en un temps où la commune, sœur en plus d'un point de la cité antique, vivait de
sa vie propre, aimée et servie comme une patrie par ceux
qu'elle garantissait des exactions et des violences ; quelles
richesses répandaient en nos pays tous ces courants commerciaux et industriels ; quelle fusion insensible s'opérait
des caractères et des mœurs en ces marchés cosmopolites ;
et comment cette activité municipale s'associait, en y con-
tribuant, à l'unité naissante de la France. Si l'on ne sentait
toute la supériorité de l'état moderne où l'individu, prêt à
la liberté, n'appartient plus à des corporations exclusives,
on regretterait l'intensité de cette ancienne vie provinciale,
surtout en considérant la décadence profonde d'une ville
jadis aussi peuplée, aussi riche que l'était Provins aux
douzième et treizième siècles. « Aimée des comtes de Champagne, qui se plaisaient à y faire leur séjour, protégée sur
la hauteur par un château puissant et par de bonnes murailles, alimentée, au fond du vallon qu'elle avait envahi,
par les eaux rapides de deux petites rivières, la ville de
Provins renfermait alors une population nombreuse et
active ; elle apportait aux foires établies dans son enceinte
les draps de diverses couleurs qu'elle fabriquait en quantités considérables, les cuirs sortis de ses tanneries, les
blés excellents des campagnes d'alentour, sa monnaie
acceptée partout avec faveur, un vin que nos ancêtres ne
dédaignaient pas ; les étrangers venaient y échanger les
produits naturels ou manufacturés du Nord ou du Midi. »
Et de tout cela, que reste-t-il ? De très-grandes ruines et
une petite sous-préfecture.

Toutes les monnaies d'Europe, tournois, parisis, besants, esterlings, etc., se donnaient rendez-vous chez les
changeurs des Foires. Mais les monnaies locales abondaient ; il y avait des ateliers à Sens, Reims, Troyes et

Meaux, dès le commencement du onzième siècle. Provins, surtout, fabriquait des sous très répandus sous le nom de *provinois* ou *provénisiens*. Du douzième au quinzième siècle, leur cours fut si bien accepté, qu'on les imita même à Rome. Les *provinois du Sénat* sont une des curiosités de la numismatique.

Le mouvement de l'argent était donc considérable aux Foires et favorisait les opérations de banque et de crédit. La lettre de change y fut employée dès les premières années du treizième siècle ; M. de Rozière en possède une de 1204. Le prêt à intérêt florissait, on peut le dire, au moyen âge ; pour Philippe le Bel, 20 pour 100 était un taux fort raisonnable ; on pouvait, sans usure, monter à 50 et 60 pour 100 (1218). Aux Foires, en 1311, le taux fut fixé à 15 pour 100. M. Bourquelot a joint à ces renseignements nécessaires une digression, courte d'ailleurs, sur la légitimité du prêt à intérêt.

Les changeurs de Lyon, de Lorraine, de Plaisance, Lombards, Juifs et Cahorsins, autorisés par l'administration, choisis même, à partir de 1327, par les gardes, allaient par puissantes compagnies, se chargeant des recettes, prêtant aux seigneurs et aux grands, véritables ancêtres de nos banquiers. Les Juifs étaient déjà puissants, mais leur prospérité précaire dépendait du caprice des grands. Chaque haut baron avait ses Juifs, demi-serfs protégés et rançonnés.

On a élevé des difficultés bien stériles sur l'origine et le sens du mot *Cahorsin* ou *Caorsin*. Voyant les Lombards volontiers traités de Caorsins, *et vice versa*, quelques érudits ont tiré ce nom de Caorsa, localité italienne. Mais un ancien commentaire de Dante ne laisse place à aucun doute : il s'agit de Cahors. Selon M. Bourquelot, « les Caorsins sont des Italiens ; ce nom leur vient des établissements commerciaux qu'ils avaient à Cahors. » Son opinion

nous semble par trop conciliante. Les Caorsins ne sont pas
plus Italiens que Français ou Lorrains. On disait Caorsin
de Douai, Caorsin de Bourg. C'est le nom générique des
changeurs, banquiers, usuriers ; des natifs de Cahors il a
passé à toute une classe de trafiquants.

Les produits pécuniaires des Foires, impôts, droits, tonlieux, amendes, exploits, faisaient retour aux propriétaires
de ces foires, et notamment aux comtes de Champagne.
C'était un de leurs gros revenus. D'autres bénéfices, tels
que loyers d'étaux, de halles, demeuraient soit aux communes, soit aux particuliers. Un chapitre très complet
passe en revue ces divers rapports. Nous y notons une juste
interprétation du mot *créhue, crûe* : c'est la somme affé-
rente à l'officier public pour frais d'adjudication. On avait
aussi proposé le sens de dédit ; mais un grand nombre de
textes se rapportent évidemment à celui qu'adopte M. Bourquelot.

Nous avons mentionné plus haut le personnel administratif des Foires. On trouvera dans le chapitre XIII la liste
de tous les noms qui ont pu être réunis en fait de gardes,
maîtres et baillis des Foires ; suivent les fac-simile de plusieurs des sceaux particuliers que le chancelier appendait
aux actes formulés en *Cor de foire*. Toute contestation judiciaire venait en dernier ressort à la Cour des *Grands
jours* de Troyes, que M. Bourquelot assimile avec pleine
raison à la *Cour des barons*, véritable parlement de Champagne. Lorsque les rois de France héritèrent des comtes,
les *Grands jours* continuèrent à fonctionner ; seulement
leurs décisions purent être réformées par le parlement du
royaume.

L'organisation des Foires nous a été conservée tout
entière par deux documents, qui sont transcrits dans un
appendice de cinquante pages. L'un porte le titre de
« Privilèges et coustumes des Foires, lequel le sire du

lieu promet à tenir. » Il est du treizième siècle. Le texte,
assez altéré, n'existe plus qu'à la bibliothèque de Provins,
dans les manuscrits de Michel Caillot. Le second réglement,
qui appartient à la fin du quatorzième siècle, est intitulé :
« Stylle et usaige de la Court et chancellerie des Foires. »
Après avoir commenté avec soin ces législations spéciales
et en avoir fait ressortir les avantages et la sagesse, il ne
reste plus à M. Bourquelot qu'à expliquer la rapide décadence des Foires.

« J'ai esquissé, nous dit-il, l'historique des Foires de
Champagne et de Brie à leurs débuts ; j'ai donné en outre
des notions détaillées sur les marchands des divers pays
qui fréquentaient ces foires et sur les objets qui s'y vendaient, sur les droits et impôts qui y étaient perçus,
sur les usages qu'on y observait et les règles auxquelles les
transactions y étaient soumises, et l'on a pu juger par là
de l'activité commerciale qui y fut déployée pendant plusieurs siècles au moyen âge. On sait maintenant dans
quelle mesure les Foires de Champagne ont contribué au
mouvement général dont l'effet a été de rapprocher les
hommes entre eux, d'unir ensemble l'intérêt particulier
et l'intérêt public, d'augmenter le bien-être des masses et
de développer la liberté et l'égalité. »

Le décadence commença de bonne heure, dès la fin du
treizième siècle, sous les comtes-rois de Navarre. Des
droits onéreux sur les draps et les teintures, les faveurs
accordées à Nîmes par Philippe le Hardi, en 1278, des
émeutes qui, à Provins, aboutirent au meurtre du maire
Guillaume Pentecôte, les embarras de la minorité de la
comtesse Jeanne, les désastres de la guerre de Cent ans,
l'établissement de foires privilégiées à Lyon (1443), à
Bourges (1486), les troubles religieux du seizième siècle :
telles sont les phases et les causes de la longue agonie des
Foires de Champagne. Tous les remèdes furent impuis-

sants. En vain Philippe le Bel, Charles le Bel, Philippe
de Valois, Charles VII, Louis XI confirmèrent les anciennes coutumes, supprimèrent des droits onéreux, lan-
cèrent ordonnance sur ordonnance ; quelques bonnes
mesures ne purent effacer les mauvaises. Le compte de
1340, comparé à l'*Extenta*, constate une diminution considérable dans les revenus. Les halles, les étaux, les écuries se louent à bas prix. A Provins, en 1399, le nombre
des métiers est tombé de trois mille deux cents à trente.
Sous le règne de l'Anglais Henri IV, quatre drapiers
provinois, les seuls qui restent, en sont réduits à labourer
pour vivre. Lorsque la France retrouva une paix relative,
les Foires de Champagne étaient mortes. La force des
choses les avaient tuées. La diffusion du commerce rendait
inutiles les grands marchés périodiques. Si quelquefois ils
subsistent encore, c'est grâce à la vente de produits spéciaux.

Nous n'avons pu suivre pas à pas M. Bourquelot dans sa
laborieuse étude ; du moins avons-nous fidèlement reproduit l'ordonnance d'un ouvrage définitif, qui traite à fond
l'une des questions les plus importantes de notre histoire.
En affirmant qu'il honore grandement notre érudition
nationale, nous restons en dehors de toute exagération, et
dans la mesure de la simple justice.

XV.

LE SEIZIÈME SIÈCLE VU A TRAVERS « L'ÉLOGE DE LA FOLIE » [1].

La Folie n'est jamais absente du monde ; mais il est des temps où elle le gouverne. Quand le vice et la luxure siègent dans les palais ; quand la perfidie, la cruauté et l'incohérence président aux conseils des rois ; quand le passé se rue contre l'avenir ; quand les professeurs de charité se baignent dans le sang et dans l'or ; quand la foi domine la science ; quand la superstition condamne la raison ; quand les mœurs contredisent les doctrines : on peut bien dire alors que c'est le règne de la démence, et que les grelots de la Folie mènent la danse de l'humanité. Nous avons connu ces temps-là ; nous les avons traversés plus d'une fois ; nous avons subi ce mal endémique, ce vertige qui s'empare de l'individu, de la famille, de la cité, de la nation, tantôt de l'un, tantôt de l'autre, souvent de tous ensemble. Mais sur aucun siècle, sans même en excepter le nôtre, la railleuse déesse n'a plus visiblement exercé son empire que sur l'élégant, le féroce, le dévot, l'impie seizième siècle ; la sagesse et la vérité

(1) *L'Eloge de la Folie*, composé en forme de déclamation, par Érasme. Traduction nouvelle, avec préface, introduction historique, notes, biographie, par Emmanuel des Essarts, professeur à la Faculté des lettres de Clermont ; 81 eaux-fortes d'après Holbein, frontispice de Worms, portrait de l'auteur. In-8°, LVII-232 pages. Paris, Arnaud et Labat, 1877.

n'en étaient-elles pas réduites à lui emprunter son masque
pour se faire entendre par la voix de Panurge et de Pan-
tagruel? Ses sujets occupaient tous les trônes : ici, un
Henri VIII faisait tuer ses femmes en cérémonie quand il
ne les aimait plus ; là, un pape libidineux, successeur d'un
pape soldat, appelait à ses banquets des danseuses peu
vêtues, ou bien, entre deux fêtes, empoisonnait ou laissait
tuer par son fils les gens dont il convoitait les domaines ;
les cardinaux païens juraient *per Bacco* ou *per Venere* ;
un roi passait son temps à sonner du cor ou à massacrer
ses sujets ; un autre s'habillait en femme et portait des
petits chiens dans une corbeille ; Luther halluciné se bat-
tait avec le diable ; Calvin l'hérétique brûlait Servet le
dissident ; les prêtres d'une religion de paix prêchaient
l'émeute, le massacre, l'assassinat ; les peuples affolés se
déchiraient eux-mêmes en l'honneur d'une ou deux syllabes latines qu'ils ne comprenaient pas. Partout l'humanité s'agitait sans suite et sans raison, dans un sinistre
carnaval. En écrivant l'*Eloge de la Folie*, Erasme ne faisait pas œuvre de rhétorique, il résumait d'un mot signi-
ficatif l'histoire de son temps ; et non pas sur ouï-dire,
d'après des informations plus ou moins dignes de foi ; il
avait vu ce qu'il peignait. A peine dépassait-il alors la qua-
rantième année ; et déjà, dans son existence errante et
précaire, il avait connu les peuples, les rois, les grands,
les moines, les cardinaux et les papes. Il avait éprouvé par
lui-même tous les effets et toutes les formes de l'universelle démence.

Erasme était enfant naturel, mais bien contre la volonté
de ses parents, dont on avait méchamment empêché le
mariage. Son père fut obligé de fuir, de se réfugier à
Rome ; on lui fit croire que son amie était morte ; il entra
dans les ordres. Trop tard, il apprit qu'on l'avait trompé,
qu'elle vivait ; il revint alors s'établir non loin d'elle, et

tous deux veillèrent à l'éducation des deux fils nés de leur
union, jusqu'au jour où l'une fut emportée par la peste,
l'autre par la douleur. Le jeune Erasme, Gérard de Gérard, comme il s'appela d'abord, du nom de son père,
était né à Rotterdam, en 1467. Orphelin à treize ans, il fut
arraché par ses tuteurs aux études qu'il avait brillamment
commencées à Deventer, sous Alexandre Hégius et Ro-
dolphe Agricola. On le poussait à la vie conventuelle dont
il avait horreur et qui fut toujours pour lui un supplice,
soit dans une communauté de Bois-le-Duc, où il perdit
trois ans, soit à Stein, où l'attirait du moins un camarade
d'enfance, Corneille Verdénus. C'est en 1486 que, de
guerre lasse, il endossa l'habit monastique. Il avait trouvé
sa consolation dans la culture des lettres. Laissant croupir
ses compagnons de captivité dans la paresse et l'ignorance, il s'était adonné aux langues anciennes, surtout à
ce latin qui était encore l'idiome consacré de tout enseignement et de toute érudition. A vingt ans, plusieurs
opuscules lui avaient acquis une réputation précoce, qui
le fit bien venir d'un riche prélat, Henri de Bergues,
évêque de Cambrai. Celui-ci, après l'avoir tiré de son
couvent, lui permit d'aller à Paris achever ses études au
collège de Montaigu. Une année de cette geôle fameuse
par l'atrocité de ses châtiments et la saleté de son installation suffit à ruiner la santé du pauvre Gérard, ou *Desi-
derius*, nom qu'il s'était donné lui-même et qu'il rem-
plaça par une sorte de synonyme grec, *Erasmus*.

Rétabli par un séjour en Hollande, il revint à Paris,
sans argent, vivant de répétitions, puis de nouveau à Cambrai, où il fut ordonné prêtre (1492). Battus, un savant
renommé dans son temps, fort oublié aujourd'hui, le mit
en relations avec une noble dame de Zélande, la marquise
de Weere, qui se posait, à peu de frais, paraît-il, en protectrice des lettres. De faux rapports l'avaient brouillé

avec ses anciens amis. Son élève, le jeune lord Mountjoy,
l'emmena en Angleterre, lui promettant monts et merveilles (1498). Mais son espoir fut trompé ; après avoir
fréquenté Oxford et Cambridge, toujours étudiant, toujours nécessiteux, il repasse en France ; on le voit à **Paris,**
à Orléans, puis en Hollande, en Angleterre encore, où il
est précepteur d'un fils de Jacques III d'Ecosse. Il se fait
recevoir bachelier en théologie à Cambridge. L'année **1506**
le trouve en Italie, à Turin, à Bologne, à Padoue, à Venise, à Sienne, à Florence, à Rome, à Cumes, toujours à
l'affût des manuscrits, compilant, éditant, publiant. Il
avait quarante ans, il était docteur en théologie. Ces péré-
grinations, au milieu desquelles on a peine à le suivre,
l'avaient frotté à tous les hommes, à toutes les idées. La
plupart des savants contemporains étaient ses hôtes et ses
correspondants. A Paris, il avait logé chez le professeur
Auguste Caminade ; à Orléans, chez le canoniste Jacques
Tutor ; à Venise, chez Alde Manuce, qui imprimait son
vaste recueil d'*Adages*, cette *logotheca Minervæ* (trésor de
Minerve), comme disait Budé. La faveur d'un prince royal
(Henri Tudor, bientôt Henri VIII) et d'un futur pape, le
cardinal Jean de Médicis, l'estime des érudits Asulanus,
Musurus, Lascaris, Pierre Bembo, Alde, en Italie, de Guil.
Warrham, Th. Cramer, Grocin, Linacer, Charnoce,
Colet, en Angleterre, du cardinal Grimani, des légats Am-
monio et Canossa, enfin l'amitié fidèle de Thomas Morus,
pouvaient lui rendre légère la haine jalouse d'un Scaliger
et d'un Bedda.

En 1508, lorsqu'il reparut en Angleterre, pour professer avec éclat à Cambridge la langue grecque et la théologie, Érasme n'en avait pas fini avec les tribulations et
les misères, il était déjà un homme célèbre, le plus grand
esprit assurément de la Renaissance, l'auteur des *Adages*
et bientôt du pamphlet excellent qui constitue avec les

Colloques son principal titre de gloire, *Morias encomium*, *l'Éloge de la Folie*. Ce petit livre, gros de vérités, conçu en Italie, en pleine orgie cléricale, écrit en Angleterre, n'obtint que tardivement les honneurs mérités de l'*Index* et de la condamnation en Sorbonne (1542). C'était pourtant un vif réquisitoire contre l'hypocrisie et la superstition ; mais nul ne défendait les abus flétris par Érasme ; le souffle de la réforme religieuse agitait tous les esprits, le clergé lui-même. Il fallut la révolte et le schisme de Luther pour rattacher les orthodoxes aux institutions dont ils n'ignoraient pas les vices, mais dont la chute eût compromis leurs intérêts. C'est ainsi qu'aux approches de la Révolution française, les nouveaux principes sociaux et philosophiques avaient trouvé des champions résolus parmi les nobles et les prêtres ; mais quand le mouvement eut éclaté, on vit les deux anciens ordres privilégiés, grossis plus tard de la haute bourgeoisie, se cramponner avec une ténacité désespérée aux débris, aux souvenirs, aux récriminations du régime qu'ils avaient, pour leur part, contribué à renverser. Plus heureux même que les dialogues de Diderot ou de Voltaire, souvent brûlés au pied de l'escalier du parlement, *l'Éloge de la Folie* ne brouilla Érasme avec aucun pouvoir public. Les cuistres montrèrent les dents ; mais un rire universel couvrit leurs hurlements ; tous les esprits cultivés, clercs et laïques, applaudirent aux hardiesses du fin railleur. Quand le couvent de Stein le réclama comme déserteur et transfuge, c'est un bref du pape qui le mit pour le reste de ses jours à l'abri des obligations monastiques, et lorsque, en 1513, au milieu des ovations, il traversa l'Allemagne pour retourner en Italie, il répondait à une amicale invitation de Léon X.

Pour écarter le voile transparent dont Érasme s'est couvert, pour montrer la sagesse sous le masque de la folie, il nous a suffi d'évoquer les divers milieux où se

sont déroulées les vicissitudes d'une vie laborieuse et
agitée. La fiction a disparu. Le badinage même n'est plus
qu'un tour d'esprit personnel, contracté ou plutôt ren-
forcé dans une lutte constante contre la sottise et les
préjugés. C'est le spirituel enjolivement d'un fond sérieux, d'un faisceau d'observations directes, rétorquées en
flèches aiguës aux hommes et aux choses qui les avaient
fournies. On sent tout cela mieux que nous ne pouvons
dire dans l'élégante édition de M. Emmanuel des Essarts.
Les quatre-vingts dessins d'Holbein, un peu lourds, mais
d'autant plus accentués, ajoutent encore à la précision
d'une traduction soignée, fidèlement calquée sur le latin
subtil et serré du modèle. Précieuse et véritable illustration du texte qu'ils éclairent, ils nous remettent sous les
yeux, à chaque page, les originaux sur lesquels s'est
exercée la verve du satirique ; et le portrait figuré atteste
la ressemblance de la caricature écrite.

En dédiant sa « petite déclamation » à Thomas Morus,
aussi étranger à la folie par ses fonctions et son caractère
qu'il lui est allié par son nom (*Morus, Moria*), Erasme
semble nous avertir qu'en son livre, la réalité diffère de
l'apparence. « J'ai fait, dit-il, l'éloge de la Folie, mais
non pas comme un fol. » Et s'il s'ingénie à excuser la forme
de cet écrit, son principal souci est d'en défendre le fond :
l'ordre même dans lequel il présente ces deux apologies
préliminaires est la mesure de l'importance qu'il leur
attribue. Il commence par la plus facile et finit par la plus
délicate. Aux « chicaneurs calomnieux » qui trouveraient
« ses plaisanteries trop frivoles pour sa théologie, » il oppose à bon droit la *Batrachomyomachie* d'Homère, le *Mo-
retum* de Virgile, la *Noix* d'Ovide, la *Calvitie* de Synésius,
l'*Apokolokyntose* de Sénèque, l'*Ane* de Lucien et d'Apulée.
Puis, se tournant vers ceux que pourrait choquer la liberté
de ses discours et la vérité de ses peintures, il leur lance

le trait bien connu : « Si quelqu'un se trouve offensé, c'est qu'il trahira une mauvaise conscience ou du moins certaines alarmes. » Et il ajoute : « Celui qui reprend le genre humain» sans nommer personne, « je me demande si l'on doit le traiter de satirique, et s'il n'est pas plutôt *un précepteur et un censeur;* » ce qu'il est, et ce qu'il veut être.

La Folie est lasse de l'ingratitude humaine. Tous acceptent ses bienfaits ; nul ne les célèbre. La fièvre quarte, la mouche ont trouvé des panégyristes. Elle, qui a droit à des hymnes, elle en est réduite à faire son propre éloge. Mais quoi ! « on fait bien de se louer soi-même, quand on n'a pas d'autre louangeur. »

La Folie est fille de Plutus, père, n'en déplaise à Homère et à Hésiode, des dieux et des hommes, de Plutus qui souverainement dirige « les guerres, les paix, les empires, les conseils, les jugements, les comices, les hymens, les pactes, les traités, les lois, les arts, enfin toutes les affaires publiques et privées des hommes. » Sa mère, la nymphe Démence, l'a conçue, non dans une union maussade, mais « dans les mélanges de l'amour. » Elle a pour compagnes et pour serviteurs l'amour de soi et la flatterie, l'insouciance et la haine du travail, la mollesse et la volupté, l'ivresse et l'oubli, le rire et le sommeil. Avec de tels auxiliaires, elle commande aux monarques eux-mêmes. Son joug est doux ; elle est « la donneuse de biens » ; elle a inventé les dragées et les festins, elle préside au banquet de la vie, elle en allège les maux ; elle prolonge la jeunesse, ramène la vieillesse à l'enfance.

L'amour est son triomphe ; elle l'inspire, même aux vieillards. Elle a complété la folie de l'homme par la femme. Qui dira qu'elle manque au mariage ? Cet amoureux qui se lie pour toujours, cette fille qui s'expose aux souffrance de la maternité, ce père qui se fait tirer la barbe

par un marmot impérieux, ne sont-ils pas ses sujets et
ses tributaires? Toutes les passions relèvent d'elle : qui
donc échapperait à son empire? Le poète, l'artiste? Mais
ils se laissent abuser par leurs propres fictions. Le politique! Mais il croit diriger les évènements qui l'entraînent.
Le guerrier? Il donne son sang pour une fumée, la gloire.
Les érudits qui s'entre-mordent ou s'entre-grattent à la
façon des mulets? Les théologiens faméliques, les alchi-
mistes qui font de la cendre avec de l'or, les astrologues
qui attachent des fils aux étoiles, les médecins qui s'attribuent les guérisons de la nature, les légistes qui font le
droit? Et les monomanes de la bâtisse, et les joueurs « qui
aiment mieux frauder avec qui que ce soit qu'avec leur
gagnant, » et les chasseurs, flairant comme cinnamome
« l'odeur des excréments des bêtes ! » Que dirons-nous de
ceux qui s'amusent à régler leurs funérailles, de ceux qui
achètent ou supposent des titres de noblesse? Autant vaut
parler des enfants et de leurs hochets. Quant aux super-
stitieux, les plus insensés de tous, ils auront leur place à
part.

Y a-t-il une sagesse? Son nom est misère ; elle conduit
Socrate à la ciguë. En vain, disciple du Portique, tu pré-
tends te soustraire à la folie en niant la douleur et le
plaisir : « retrancher toute passion, c'est supprimer
l'homme. » Vous, hôtes de la caverne de Platon, qui re-
gardez passer des ombres et des simulacres, vous criez :
« c'est misère d'appartenir à la folie, à l'erreur, à la déception, à l'ignorance ! — Point du tout ; c'est être homme.»
Vous raillez les fous ; en vérité « le fou se moque du fou.»
Le vrai n'est pas le plus à plaindre : témoin ce fou guéri
qui regrettait son bonheur. Oubliez-vous que « le bouffon
a le privilége de tout dire, même la vérité, odieuse aux
rois ? » Enviez son innocence : voisin de la brute, il ne
saurait pécher, « d'après les théologiens eux-mêmes. »

L'idéal des religions, on l'établira tout à l'heure, c'est
la folie.

« La vie humaine n'est qu'un jeu de la Folie. Je considère tous les mortels comme autant de statues qui me sont
érigées, vivantes images de moi... Pour en rire, mille Dé-
mocrites ne suffiraient pas. Encore leur faudrait-il un
autre Démocrite pour rire d'eux... Les dieux emploient les
heures qui précèdent midi, les heures sobres, à entendre
les prières ou les reproches des mortels. Quand ils se sont
humectés de nectar et qu'il ne leur plaît plus de rien faire
de sérieux, ils se réunissent au plus haut du ciel et regardent en bas la comédie des mortels, » et leurs agitations, pareilles à des tourbillons de mouches ou de mou-
cherons.

Pythagore a parcouru tous les étages de la vie ; tour à
tour homme, femme, roi, simple citoyen, philosophe,
guerrier, coq, poisson, cheval, grenouille, éponge, il a
déclaré que, de tous les animaux, l'homme est le plus
malheureux. Et pourquoi ? parce qu'il croit faire preuve
de sagesse en s'éloignant « de l'inspiration de la nature. »
Les heureux, les sages, ce sont les abeilles et les petits
oiseaux ; ils suivent leur instinct et satisfont leurs besoins.
L'art, l'étude, sont les fléaux de l'existence. « Une seule
grammaire suffit abondamment pour l'éternel tourment
d'une vie entière ; » nos dialecticiens « usent trente-six
années sur les traités physiques et métaphysiques d'Aristote et de Scot. » Dans les écoles, ces « moulins, » ces
« lieux de supplice, » les pédants rompent de coups les
enfants pour leur faire entrer dans la tête le jargon d'une
science illusoire. Laissez toutes ces chimères, suivez la
Folie au lieu de la combattre, revenez à la nature, et vous
reverrez « l'âge d'or. »

Ici la Folie devance Rousseau ; elle développe le paradoxe oiseux cher à tous les misanthropes, et que les mys-

tiques uniquement attachés au salut individuel ont con
densé en peu de mots : « heureux les pauvres d'esprit ! »
Que si vous reprochiez à Erasme d'être tombé dans cette
vieille erreur, lui surtout dont la vie laborieuse n'a été
qu'un long culte de la science, il vous répondrait sans
doute : Ce qui sort des lèvres de la Folie ne tire pas à con-
séquence.

Si la *déclamation* d'Erasme ne contenait que ces remarques générales, ces critiques, souvent spirituelles,
parfois hasardées, on n'y verrait, malgré bien des traits
hardis, qu'un recueil de lieux communs plaisamment dé-
guisés. Mais cette première partie n'est qu'une précaution
oratoire. Quand la Folie a secoué ses grelots sur l'univers,
qu'elle a étourdi ses auditeurs en les amusant, elle quitte
insensiblement le ton badin, l'allure sautillante, elle
choisit ses sujets et s'y arrête, posant brusquement le doigt
sur les vices contemporains, sur les questions brûlantes.
Elle s'attaque aux moines qu'Erasme connaît trop, aux
théologiens, aux cuistres, aux prédicateurs ; les prélats et
les papes ne sont pas épargnés. Elle flagelle les superstitions, et tant pis pour l'Eglise, pour la religion même,
si elles empochent leur large part de la correction destinée aux épaules des dévots et des saints !

Elle n'a point assez de sarcasmes contre la saleté, la
mendicité, les règlements ridicules, les sottes pratiques,
l'ignorance des moines, ces frélons de la ruche sociale.
« Ils ne savent pas lire. » Religieux et moines sont deux
noms usurpés et qui jurent ensemble, « car la plus
grande partie d'entre eux est très-éloignée de la religion,
et je ne connais pas de gens moins solitaires. » Ce sont
des chiens qui ne « cessent d'aboyer que la bouche fermée
par un gâteau. » Il recherchent les femmes. « Confidents
des récriminations féminines contre les maris... ils tiennent tous les secrets par la confession. »

Les théologiens sont réalistes, nominalistes, thomistes, albertistes, occamistes, scotistes ; leurs subtilités scolastiques ont réponse à tout et n'expliquent rien. « Avec leur cortège de définitions magistrales, de conclusions, de corollaires, de distinctions, formalités, quiddités, eccéités, ils se tireraient du filet même de Vulcain. N'expliquent-ils pas d'ailleurs tous les mystères à leur fantaisie, » la création, la tache originelle, la durée de la Conception, l'Eucharistie ? Voici les thèmes qu'ils jugent dignes de théologiens *illuminés :* « Y a-t-il un instant dans la génération divine ? Y a-t-il eu plusieurs filiations dans le Christ ? Cette proposition : Dieu le père hait son fils, est-elle possible ? Dieu aurait-il pu s'unir avec une femme, avec le diable, avec un âne, une citrouille, une pierre ? Une citrouille aurait-elle pu prononcer des discours, faire des miracles, être crucifiée ?... Après la résurrection, sera-t-il permis de boire et de manger ?... Ainsi, ni le baptême, ni l'Évangile, ni saint Paul, ni saint Pierre, ni saint Jérôme, ni saint Augustin, ni même Thomas d'Aquin, le grand aristotélique, ne peuvent faire un chrétien, si les bacheliers ne s'en mêlent. » En vérité, ajoute Erasme, on ferait bien d'envoyer contre les Turcs et les Sarrasins une croisade de scotistes criards, d'occamistes entêtés, et d'invincibles albertistes, les sophistes brochant sur le tout. « Ce serait une bien belle bataille ; une victoire sans précédent ! »

Le portrait du prédicateur est achevé : Voyez-le gesticuler, se remuer ; entendez-le chantonner doucement son exorde, puis, donnant de la voix à plein gosier, entasser *allégoriquement, tropologiquement, anagogiquement* les grands mots et les petits faits, les anecdotes saugrenues, rire en s'escrimant du crucifix, tonner la péroraison, et tomber comme épuisé de son effort. Ont-ils à parler de la charité ? « ils puisent leur exorde dans le fleuve du Nil ; » du mystère de la croix ? « ils débutent

16

par Bel, ce dragon de Babylone. Est-ce le carême qu'ils
doivent exposer? ils ouvriront leur discours par les douze
signes du Zodiaque; un sermon sur la Foi s'inaugurera
par la quadrature du cercle. » Voici un moine, «sot personnage, pardon, je voulais dire docte ; » il a sué huit
longs mois sur la trinité; il va la prouver par l'alphabet
et les éléments de la grammaire ; il jongle avec les lettres,
les syllabes, les mots, « la concordance » du nom et du
verbe, de l'adjectif et du substantif. « Enfin…, jamais sur
le sable géomètre n'a tracé démonstration plus évidente. »
Passons au mystère de Jésus : Est-ce que S, M, U, qui
marquent les trois cas du saint nom, ne signifient pas
summus, *medius*, *ultimus*? Est-ce que Jésus n'a pas été
au Sommet, au Milieu et à l'Ultime degré ? Que voilà une
belle et *scotique* découverte !

Que dirons-nous des superstitions exploitées par l'Eglise?
La liste en serait longue : spectres, lémures, larves,
enfers et autres visions, «balivernes» auxquelles on croit
« d'autant plus qu'elles sont plus éloignées de la vérité ; »
adorations d'images peintes et de statues de bois, sainte
Barbe qui préserve des blessures, saint Erasme qui enrichit, saint Georges, autre Hercule, nouvel Hippolyte,
patrons locaux, saints particuliers, excellents contre le
mal de dents, contre les loups, contre le naufrage, contre
le vol, contre les suites de couches. Il y en a « dont le
crédit a plus de valeur, principalement *la Vierge, mère
de Dieu, à qui le vulgaire attribue plus de puissance qu'à
son fils.* (Les apôtres connaissaient la mère de Jésus ; mais
lequel d'entre eux a démontré dialectiquement *par quel
privilége Marie a été préservée de la tache originelle,
comme ont fait nos théologiens?*) »

Et les ex-voto ? Il suffit de rappeler le mot de Diagoras:
«Que serait-ce si tous ceux qui ont péri avaient pu apporter les leurs ? » Et ces formules de prières, ces petites

marques de dévotion « qu'un pieux imposteur a inventées comme des pratiques de magie ! » Et ces chandelles inutiles, allumées « en plein midi aux pieds de la Vierge ! » Le Christianisme est altéré par ces extravagances ; néanmoins le clergé n'a pas honte de les admettre et de les entretenir, *n'ignorant pas combien ses gains en sont accrus.*

« Passerai-je sous silence ces gens qui se contentent avec de fausses rémissions de leurs crimes et mesurent, comme à la clepsydre, les espaces du Purgatoire, sa durée en siècles, en années, en mois, en jours, en heures, comme sur une table de géométrie, » et ceux qui s'y retiennent des places comme à un théâtre? Une bonne *indulgence* est un billet de paradis. Quoi ! de par ces contremarques à bas prix, « un trafiquant, un soldat, un juge n'ont qu'à jeter un denier, pris sur tant de rapines, et ils s'imagineront avoir purgé le marais de Lerne de leur vie, et ils croiront que tant de parjures, de débauches, d'ivrogneries, de rixes, de meurtres, d'impostures, de perfidies, de trahisons, peuvent être rachetés comme dans une spéculation, et tellement rachetés, qu'il leur est permis de recommencer une nouvelle période de crimes! » Vous voyez bien, ajoute la Folie, et qui la démentira? « tout ce que me doit cette race d'hommes qui, avec de vaines cérémonies, des pratiques dérisoires, des hurlements, exercent sur les mortels une sorte d'empire tyrannique, en prétendant marcher sur les traces de Paul et d'Antoine. » Encore si le mal n'infectait que les régions basses de l'Eglise, mais il s'étale sous les simarres et les camails.

Nos prélats ne vivent que « pour leur agrément ». Ils laissent au Christ, ou à leurs grands vicaires, le soin de leurs brebis. « Mais pour attirer de l'argent, ils s'en souviennent fort bien. » Les cardinaux, traînant leur large cape, qui enveloppe « la mule du révérendissime et qui suffirait encore à couvrir un chameau, » sont ministres,

batailleurs, voluptueux ; ils ne songent guère à instruire,
à consoler, à reprendre, à conseiller, encore moins à
calmer la furie de la guerre ou à résister aux mauvais
princes. Les papes donnent l'exemple. Béatissimes, sanc-
tissimes, révérendissimes suppléants du Christ, ils de-
vraient prier pour les hommes, relever les faibles, expliquer l'Ecriture. « A la besace, au bâton ! » successeurs
des apôtres ! Mais alors, comment payer « tant d'écrivains,
de copistes, de notaires, d'avocats, de promoteurs, de
secrétaires, de muletiers, d'écuyers, d'officiers de bouche,
d'entremetteurs (j'adoucis la chose par respect pour les
oreilles tendres), enfin cette foule de parasites » qui
dévorent la substance des peuples ? Qu'ont-ils besoin de
faire des miracles ; ils ont l'excommunication et le bras
séculier (1).

« Comme l'Eglise chrétienne est née dans le sang, a été
confirmée par le sang, accrue par le sang, les papes la
gouvernent aussi par le sang. » Ne faut-il pas exterminer ceux qui, à l'instigation du diable, veulent rogner
le patrimoine de Pierre ? Pierre disait à son maître : Nous
avons tout abandonné pour te suivre ! « Et voilà que le
patrimoine de saint Pierre se compose de champs, de
villes, d'impôts, de douanes, de domaines, » que les papes
défendent par le fer et le feu, « non sans effusion de sang
chrétien. » Ah ! quels pires ennemis de l'Eglise que « ces
pontifes impies, qui laissent s'abolir dans le silence la
doctrine du Christ, qui la tiennent enchaînée par des lois
vénales, l'altèrent par des interprétations forcées, et enfin
l'anéantissent par la pestilence de leurs exemples ! »
Derrière eux, marchant sur leurs traces, les prêtres combattent, « avec une assurance toute militaire, » pour leur

(1) Erasme est sans pitié pour les persécuteurs d'hérétiques,
p. 180-184.

dîme : « épées, javelots, pierres, aucune arme ne leur fait
défaut. » Et comme ils manient les textes et les terreurs
du vulgaire ! « De même que les papes, très diligents pour
la moisson dorée, renvoient leurs travaux apostoliques
aux évêques, ceux-ci se déchargent sur les curés, ceux-là
sur les vicaires, les vicaires sur les frères mendiants, et
ceux-ci enfin sur les gens qui savent bien tondre la laine
des brebis. »

La Folie donc gouverne l'Eglise. Quoi d'étonnant ? N'est-
elle pas l'âme, le but, la sagesse même de la religion ?
Erasme va jusque-là ; il ne recule pas devant cette téméraire et terrible ironie. Les preuves ne lui manquent pas.
Paul dit : « Accueillez-moi comme un fou ; » et aussi :
« je ne parle pas selon Dieu, mais comme si j'étais fou ;
nous sommes fous pour Jésus-Christ ; celui d'entre vous
qui veut être sage, qu'il embrasse la folie ; la folie de
Dieu est plus sage que la sagesse humaine ; Dieu a choisi
dans le monde ce qu'il y a de fou ; il a jugé à propos de
sauver le monde par la folie ; le mystère de la croix est
folie pour ceux qui périssent. » *Credo quia absurdum.*
Paul a proscrit la science (p. 189).

Le Christ lui-même, « le Christ, la sagesse du Père, »
pour venir en aide à la folie humaine, « s'est rendu en
quelque sorte fou en s'unissant à la nature humaine. » A
ses apôtres il recommande la folie ; il leur propose en
exemple les lis, les enfants, les passereaux, le grain de
sénevé, « tous êtres sans raison. » Il monte sur un âne,
paraît sous forme de colombe ; il aime les cerfs, les faons,
les agneaux. « Agneau de Dieu, » il appelle « ses brebis »
ceux qu'il destine à la vie éternelle. « Or, rien n'est plus
sot que la brebis. » Un proverbe d'Aristote l'atteste : Tête
de brebis !

« Pour en finir avec ce qui serait infini, pour tout
abréger, la religion chrétienne, en son ensemble, paraît

avoir une certaine parenté avec la folie et nul rapport avec la sagesse. » Qui prend le plus de plaisir aux sacrifices, aux cérémonies du culte ? « Les vieillards, les enfants, les femmes, les sots. » *Tous les fondateurs de religion*, faisant profession d'une *simplicité* merveilleuse, ont été les plus acharnés ennemis des belles-lettres. Enfin, « il n'est pas de fous plus extravagants » que ceux qui ont été saisis tout entiers par l'ardeur de la piété chrétienne. La sagesse consiste à user de toutes nos facultés corporelles et intellectuelles ; la religion, à les atrophier ; la sagesse règle les passions et les affections ; la religion les supprime. S'il en est de grossières, n'en est-il pas de nobles? L'amour de la patrie, la tendresse pour les enfants, les parents, les amis ? « Le commun des hommes leur accorde quelque chose, mais les gens de piété travaillent à se les arracher.» Méditez sur cette déclaration : « tant que l'âme emploie d'une façon normale les organes du corps, on l'appelle saine et sage; mais lorsque l'âme, rompant ses liens, s'efforce de se mettre en liberté, et médite une évasion hors de la prison corporelle, alors on traite de folie cette manière d'agir. » C'est le délire du céleste amour, l'hallucination de l'extase, l'avant-goût de la béatitude. D'accord. Qui a jamais dit que la folie fût incompatible avec le bonheur?

Erasme est au bout de son « badinage » ; de l'animal à l'homme, de l'homme à Dieu, il a fait le tour des choses. « Et maintenant la farce est jouée ! » C'est le mot de Rabelais mourant, c'est la conclusion de la Folie.

On comprend que l'adversaire de la mariolâtrie, du culte des saints, des pratiques dévotes, des superstitions, que l'ennemi des sycophantes et des persécuteurs ait eu à combattre toute sa vie « l'engeance des cuistres, des théologiens et des moines plus ou moins réguliers ; » mais on comprend aussi la déception et la colère des réformateurs, de

Luther, d'Ulric de Hutten, quand celui qui souvent parlait comme eux, le correspondant, l'ami de Lefèvre d'Etaples, de Louis de Berquin, de Mélanchthon, d'Œcolampade, de Luther lui-même, refusa de quitter l'Eglise où il était entré malgré lui. Les fureurs des uns ne l'ébranlèrent pas plus que les calomnies et les perfides menaces des autres.

Les dominicains, les moines de toute robe l'assaillent de pamphlets ; un frère mineur le traite de bête, de bûche, d'âne, de grue. Le farouche Bedda, principal de Montaigu, écrit : « Si l'on m'en croit, ce n'est plus que par le feu qu'il faudrait agir contre ces sortes de gens. » Le déchaînement catholique fut tel, que, en 1521, Léon X crut devoir couper court à la publication de pamphlets contre Erasme.

Luther ne cesse de tonner contre son défenseur, le qualifiant de serpent, de vipère, de païen, de Momus, d'ennemi le plus décidé qu'ait eu Jésus-Christ, d'image fidèle et complète d'Epicure et de Lucien, de grand bouffon et de misérable (*Propos de table*).

Erasme, imperturbable, écrit aux uns, combat les autres, garde l'amitié des évèques et des papes éclairés ; il défend avec succès contre le fanatisme le célèbre hébraïsant Reuchlin ; il compose contre les rhéteurs son *Cicéronien*, contre les fouetteurs d'enfants son *De pueris instituendis*, premier essai de pédagogie raisonnable ; il continue, dans ses *Colloques*, l'*Eloge de la Folie*, qui est comme son programme de moraliste ; il accumule des *Apophthegmes*, un *Mariage chrétien*, une *Veuve chrétienne*, un *Commentaire du symbole*, une *Préparation à la mort*, un *Manuel du soldat chrétien*, de quoi gonfler huit in-folios. Ce n'est pas tout, il publie des textes sacrés et profanes, Plaute, Térence, Euripide, Démosthènes, J. Chrysostome, Lactance, un Jérôme, un Irénée, un Ambroise, un Augustin, un Basile. Il fonde la critique littéraire et l'exégèse.

« Erasme est avant tout pour lui », disait Ulric de Hutten. C'est là une vue mesquine et fausse. Erasme était pour la tolérance, pour l'humanité. Chrétien sans doute, il n'a jamais cessé de l'être, il voyait, bien au-delà du catholicisme et du protestantisme, une philosophie rationnelle sans subtilité, déiste sans rigueur. Il était contemporain de Voltaire. Pourquoi serait-il sorti de l'unité catholique ? Il voulait, non la réformer, mais la transformer. Pourquoi aurait-il favorisé des dissidences, des sectes, qui ne pouvaient que briser cette unité, et changer en forteresses, en camps irréconciliables chacun de ses débris ? Certes, dans la voie où ils s'engageaient, les promoteurs et les martyrs de la Réforme devaient déplorer une abstention qu'ils considéraient, à leur point de vue, comme désertion et lâcheté. Mais ils étaient de leur temps. Erasme vivait dans l'avenir.

L'esprit moderne est né au seizième siècle. C'est alors que le principe de liberté où réside l'avenir du monde commença à se poser en face du principe suranné d'autorité. Le seizième siècle a entamé la lutte dont nous devons, sous peine de mort, sortir vainqueurs ; comment ses merveilleux efforts ont-ils abouti à une défaite ? Comment le despotisme religieux et monarchique restauré par les Philippe II et les Louis XIV a-t-il conservé assez de force pour survivre même à notre grande révolution, pour tenir encore, au déclin du dix-neuvième siècle, contre la science et la raison conjurées ? C'est que le seizième siècle a commis une grande faute ; il s'est heurté à des obstacles qu'il fallait laisser tomber d'eux-mêmes ; il a fait une réforme lorsqu'il fallait faire table rase.

Loin de nous de méconnaître les vertus des protestants, leur zèle sincère pour la vérité, les bienfaits évidents de leur schisme pour une moitié de l'Europe, les lumières qu'ils ont éveillées dans l'intelligence allemande, si engourdie avant eux. Certes, beaucoup de bons esprits, d'âmes généreuses, indignés des turpitudes romaines, ont cru faire preuve de hardiesse et d'honnêteté en revenant à l'Evangile selon Luther et selon Calvin. Ils ont cru pousser le libre examen à ses limites dernières. Que leur erreur soit oubliée, ils l'ont payée assez cher, hélas ! et nous aussi. En attaquant l'Eglise ils l'ont avertie et mise sur ses gardes ; ils lui ont rendu une force qui allait lui échapper ; ils ont galvanisé une mourante. Si l'esprit d'E-rasme avait prévalu, l'esprit de Montaigne et de Rabelais, aurait-on vu la Saint-Barthélemy, les guerres civiles, les dragonnades ? Est-ce qu'il aurait existé une bulle *Unigenitus*, une Immaculée Conception, un *Syllabus* ? Que de siècles de discorde auraient été épargnés à l'humanité ! que de misères à la France !

L'énormité de la faute où tombèrent tant d'intelligences d'élite doit augmenter notre amour et notre vénération pour un esprit libre comme Erasme, pour un libre génie tel que Rabelais. Ah ! maître Alcofribas Nazier, caloyer des îles d'Hyères, joyeux curé de Meudon, ah ! Gérard de Gérard, votre *Folie*, vos *Colloques*, vos *Apophthegmes*, vos *Chicquanous*, vos *Papimanes*, et *l'Isle sonnante*, et *Grippeminaud*, et *Bridoye* ont plus fait pour l'humanité que les écrits sans nombre, les psaumes et les sermons de tous les protestants du monde ! On ne saurait trop vous relire, et depuis quelques années il semble qu'on vous comprenne mieux. C'est que vous exécriez la guerre, la superstition, les iniquités judiciaires ; c'est que vous inscriviez sur les portes de votre Thélème la devise de la liberté : *Fais ce que tu voudras*. Et nous avons plus que jamais soif de liberté, de justice ; plus que jamais nous luttons contre les fictions sociales et religieuses derrière lesquelles s'abrite le droit divin sous le nom de pouvoir et d'autorité.

M. Emmanuel des Essarts a très finement indiqué dans

son *Introduction* les mobiles d'Erasme, la doctrine publique, et secrète aussi, qui l'établit en dehors et au dessus des partis.

Et puis, la mauvaise fortune s'était lassée ; bien vu de Philippe le Beau, de François Ier, auquel sa reconnaissance demeura fidèle après Pavie, enfin pourvu par Charles-Quint d'un traitement et du titre de conseiller, il aspirait à la sécurité, au loisir, non pas un loisir fainéant, certes : il voulait tout son temps, et il en avait besoin. Tout entier à son œuvre, il avait décliné les offres brillantes des prélats, des princes, des rois, de Léon X, d'Adrien VI, de Clément VII, de François Ier, d'Ernest de Bavière, de Henri VIII, tout ce qui pouvait empiéter sur son indépendance. En 1521, il vint se fixer à Bâle, auprès de son imprimeur et de son ami, Jérôme Froben ; il y vécut, entouré d'admiration et de respect. Toutefois ses relations avec plusieurs réformateurs, notamment avec Œcolampade, inquiétaient l'Eglise. Par deux fois sa santé lui avait rendu impossible un voyage à Rome, où on l'appelait ; ses ennemis cléricaux intriguaient contre lui ; et il lui fallut promettre, par deux fois, une révision de ses œuvres et la rétractation de ses doctrines. Il avait osé déplorer la fin tragique de Louis de Berquin. Il dut s'exiler pour détourner l'orage ; après six années passées à Fribourg (1529-1535), il rentra dans Bâle, pour y mourir (nuit du 11 au 12 juillet 1536). Il allait être fait cardinal.

Erasme a toujours vécu entre le bûcher et la pourpre. L'un et l'autre étaient inutiles à sa gloire ; et qu'y aurait gagné l'humanité ? Il eut la fortune de vivre et de mourir simple savant et simple philosophe, comme il sied à un grand esprit, comme il sied au génie.

XVI.

L'ÉDUCATION D'UNE REINE.

Jeunesse d'Elisabeth d'Angleterre : son enfance précaire, ses dis-
grâces, ses études, ses amours réels ou supposés, ses projets
matrimoniaux, sa captivité à la Tour et à Woodstock.

La liste serait longue des grands personnages historiques que l'on admire parfois, même souvent, mais qui
repoussent, qui glacent la sympathie. Leurs talents ne
peuvent être contestés, mais ni leurs vices ni leurs vertus
ne sont aimables. Il y a dans leurs âmes une sécheresse
cruelle, quelque chose d'inexorable et de froid bien plus
déplaisant que la fureur passagère. Au premier rang,
parmi ces figures ambiguës, apparaît, ce nous semble,
Elisabeth d'Angleterre, qui, par une administration sage,
une ferme politique, le maintien d'une paix intérieure où
ont pu se développer les lettres et les arts, a bien mérité
de donner son nom à un siècle, mais dont nous avons
peine à accepter, même à comprendre, les abus judiciaires
et l'impassibilité féroce. Je ne pense pas qu'on se sentît
fort à l'aise dans le voisinage de cette prétentieuse et prétendue vierge-reine ; on devait éprouver près d'elle un
peu de cette inquiétude qui flottait dans l'air autour d'un
Louis XI, d'un Richelieu, d'une Catherine II. Sans doute,
dans les jugements que nous portons sur certaines personnalités redoutables, nous ne pouvons nous défaire de
nos habitudes et de nos sentiments modernes. Aussi, pour
éviter les partialités excessives, pour apprécier avec moins

de rigueur dans le passé les actes qu'il nous est impossible d'absoudre, devons-nous toujours nous reporter dans le milieu qui a produit un caractère, au sein des circonstances qui ont déterminé les volontés et les actions.

La jeunesse d'Elisabeth (1) suffit à rendre compte, et de sa précoce maturité et de sa défiante froideur. Quand elle ceignit la couronne, Elisabeth n'était âgée que de vingt-cinq ans ; mais déjà elle avait vécu toute une vie, vie d'études, d'alarmes, de dangers continuels, que lui imposaient, dès avant sa naissance, les fantaisies amoureuses, religieuses et despotiques de son père Henri VIII, un des esprits les plus bizarres auxquels ait donné carrière l'impunité du pouvoir absolu. Comme le dit très bien M. Wiesener, ses premières années ne ressemblent point à celles du commun des princes et des hommes. « Son règne fut précédé d'une véritable période d'élaboration ; et cette période constitue pour elle une histoire personnelle d'autant plus digne d'une étude spéciale qu'elle contient le germe de l'avenir, qu'elle pose les jalons et détermine l'unité de sa vie.» Un assez grand nombre d'auteurs anglais ont abordé ce difficile sujet, mais sans se dégager assez de leurs préjugés personnels, soit religieux, soit nationaux. M. Wiesener s'est donné la tâche de recourir à toutes les sources d'informations, aux papiers diplomatiques de Simon Renard et des Noailles, aux archives d'Angleterre, aux correspondances et aux rapports des maîtres, des geôliers, des amis et des ennemis d'Elisabeth. En dépit d'une involontaire et sourde bienveillance pour Marie Tudor et Philippe II, il nous semble, en ce qui concerne son héroïne et le monde

(1) *La Jeunesse d'Elisabeth d'Angleterre* (1533-1588) par Louis Wiesener, ancien professeur d'histoire de l'Université, etc., etc. In-8°, Hachette, 1878.

étrange où elle a grandi, avoir réuni les éléments d'un tableau exact et rigoureusement consciencieux. Chacun de ses dires est appuyé d'un texte authentique patiemment commenté et contrôlé à l'aide d'autres pièces non moins certifiées : accumulation de preuves qui, si elles ajoutent peu à l'agrément de la lecture, entraînent du moins la confiance du lecteur.

Elisabeth, fruit du mariage secret contracté par Henri VIII avec Anne Boleyn, naquit le 7 septembre 1533. Marie, fille de la femme légitime, encore vivante, Catherine d'Aragon, Marie, qui avait alors dix-sept ans, se trouva dépouillée de son titre de princesse de Galles, frappée de bâtardise, menacée de mort. Mais voici que, trois ans plus tard, Anne Boleyn est décapitée ; et c'est le tour d'Elisabeth de perdre ses droits et sa douteuse légitimité. Toutefois, pour rentrer en grâce, Marie dut signer un acte rédigé par le chancelier Cromwell, où elle reconnaissait la nullité du mariage de sa propre mère, comme entaché d'*inceste*, et la suprématie spirituelle du roi sur l'Eglise d'Angleterre. Dans le même temps, d'ailleurs, Cranmer, archevêque de Cantorbéry, s'empressait de déclarer nulle de plein droit l'union contractée avec Anne Boleyn ; et c'était le même Cranmer qui, instigateur du divorce avec Catherine et de la rupture avec Rome, avait été le parrain d'Elisabeth. Les serviteurs étaient aussi lâches que le despote était insensé. Mais si l'on perdait le temps à approfondir ces ridicules et inutiles infamies, on en manquerait pour raconter les autres.

Quatre femmes, comme on sait, succédèrent à Catherine et à Anne Boleyn, Jeanne Seymour, morte en couches, Anne de Clèves, répudiée, Catherine Howard, décapitée, enfin Catherine Parr, qui faillit l'être, *pour crime de protestantisme* (Henri VIII, le pape anglican, ne s'en prétendait pas moins défenseur de la foi catholique).

La naissance d'Edouard VI (1537), si funeste à l'Angleterre qu'elle livrait aux intrigues et aux rivalités des Seymour, oncles du futur roi, assura du moins quelque répit
à ses sœurs, toutes deux bâtardes et rejetées au second
plan. En 1539, Henri VIII daigna leur envoyer sa « béné-
diction ». Elisabeth fut même élevée avec son jeune frère,
et, sauf une disgrâce d'un an, qui demeure inexpliquée
(1543), elle n'eut plus à souffrir des caprices paternels.
Une lettre écrite en italien à Catherine Parr témoigne à la
fois de l'instruction et de l'expérience précoces acquises
par cette politique de dix ans. On y distingue déjà cette
absence de naturel, cet *euphuisme* qui fut la marque du
style d'Elisabeth et le vice du grand siècle littéraire anglais.

Edouard, devenu roi en 1547, se serait volontiers confié
à ses deux sœurs. L'aîné des Seymour, devenu duc de Somerset et lord protecteur, ne l'entendait pas ainsi : il ne
lui convenait pas de partager avec qui que ce fût l'innocent instrument de ses vengeances et de ses concussions.

Elisabeth, recueillie par la reine douairière Catherine
Parr, ne cessa pas d'être soumise à une stricte surveillance. Elle atteignait l'âge dangereux de la puberté, et ses
affections importaient à l'Etat ; à vrai dire, elle avait peu
de chances de les bien placer : une princesse, sœur d'un
roi mineur et débile et d'une vieille fille aigrie, maladive
et catholique, devait être le point de mire des ambitieux
et des conspirateurs. Dès l'avènement d'Edouard, le second
des Seymour, Thomas, grand amiral, avait demandé sa
main, qu'il aurait peut-être obtenue de Henri VIII. Pé-
remptoirement repoussé par Somerset, il se rejeta sur la
reine Catherine, jeune encore, et qui l'aimait. Quant à lui,
il ne renonçait pas à Elisabeth. Libre désormais de la voir
tous les jours et à toute heure, il s'étudiait à éveiller ses
sens par de certaines privautés, un peu bien vives de la
part d'une sorte de beau-père de trente-trois ans, plein

d'élégance et de hardiesse. Vainement Catherine Parr
éloigna sa rivale. Aussitôt qu'elle fut morte en couches
(1548), Thomas Seymour reprit l'intrigue interrompue.
Mais ce beau seigneur était un bien misérable amant et un
bien pauvre politique. Tandis qu'Elisabeth cachait avec
une prudence excessive ses sentiments et ses espérances, il
s'informait indécemment de la dot qu'il convoitait ; bien
plus, avec toute l'arrogance d'un étourneau, il affichait ses
mauvais desseins contre son frère, cherchait ouvertement
à gagner le roi, à effrayer le conseil privé. Il eut le sort
qu'il méritait : frappé d'un bill d'*attainder*, condamné
sans défense et sans jugement, il fut décapité.

Pendant que Seymour attendait la mort, Elisabeth,
séquestrée, interrogée, circonvenue, à moitié trahie par
ses serviteurs les plus intimes, se défendit avec un extrème
talent. Elle avait éprouvé une heure d'angoisse et de dé-
faillance. Somerset, qui s'acharnait on ne sait trop pourquoi à sa ruine, prétendait lui faire avouer qu'elle avait
consenti au mariage sans demander le consentement du
roi et du conseil privé : c'était un cas de haute trahison.
Mais cette jeune fille de seize ans sut ne rien dire et ne
rien écrire qui autorisât une accusation si terrible. Le
Protecteur se vengea de cet échec en la déshonorant, il
publia les familiarités auxquelles elle s'était prêtée et répandit le bruit d'une grossesse, voire même d'un accou-
chement secret. Vainement Elisabeth avait vigoureu-
sement protesté contre ces calomnies : elle sentait que le
sang-froid et l'énergie pouvaient seuls lui reconquérir la
faveur publique. Le cœur se bronze et se cuirasse à de
telles épreuves. Quand la tète de Seymour tomba, elle dit,
devant les espions du Protecteur : « Il est mort un homme
de beaucoup d'esprit et de peu de sens. » Impassible, im-
pénétrable, elle avait tourné l'écueil où avait failli sombrer
sa fortune. Mais elle paya d'une longue prostration cet

effort surhumain. Ce ne fut qu'au bout d'un an que la jeunesse triompha de la maladie.

Dans sa longue disgrâce, l'étude lui servit de refuge.
Sous la direction de maîtres fort savants, mais dont les
méthodes sont peut-être un peu surfaites par M. Wiesener, elle apprit, comme beaucoup de princesses de son
temps, tout ce qui constituait alors les humanités. « Tout
ce qu'Aristote requiert de qualités », écrivait Ascham,
son principal professeur, « s'est donné rendez-vous dans
sa personne : beauté, grandeur d'âme, sagesse, amour du
travail, elle possède tout au plus haut degré. Elle compte
un peu plus de seize ans, et l'on n'imaginerait jamais tant
de gravité à cet âge, ni d'affabilité dans ce rang élevé. Elle
parle le français et l'italien comme l'anglais ; le latin, avec
facilité, propriété et jugement ; le grec médiocrement,
mais souvent et volontiers dans nos entretiens... S'il faut
parler de sa toilette, elle préfère de beaucoup l'élégance
simple à la recherche. A voir son mépris des artifices de la
coiffure et des ornements d'or, ce n'est pas Phèdre, c'est
Hippolyte que rappellerait sa manière d'être. » Nous avons
tenu à citer quelques fragments de ce portrait, qui est certainement fidèle ; Ascham ajoute toute sorte d'éloges sur
son instruction religieuse. Elisabeth, zélée protestante,
était confite en toutes les subtilités oiseuses qui passionnaient ses contemporains, tout ce *biblisme* qui a laissé
une si profonde empreinte dans le tenace génie anglais.
Est-il permis de penser que ce puritanisme, si ennuyeux,
si nauséabond pour nous autres modernes, n'allait pas
sans une dose convenable d'hypocrisie ? Nous verrons
qu'Elisabeth, comme Henri IV, mais avec moins de désin-
volture, subordonna plus d'une fois sa croyance à son
intérêt. Elle avait le tempérament d'une reine et non d'une
martyre.

Laissant Warwick abattre Somerset, et Northumberland

préparer la funeste aventure de Jane Grey, elle écrivait à
son frère, qui l'appelait « ma douce Tempérance », force
lettres latines alambiquées. Lorsque, en 1551, elle fit à
Londres une rentrée solennelle, ses peccadilles étaient ou-
bliées ; elle reprenait possession d'une popularité qu'elle
ne reperdit jamais. « Sa tenue virginale, dit le docteur
Aylmer, faisait rougir les femmes et les filles de la noblesse de se parer et de se peindre comme des paons ; et
le très-vertueux exemple qu'elle donnait les touchait plus
que tout ce que Pierre et Paul ont écrit sur la matière. »

Edouard mourut. On sait comment échoua piteusement
l'entreprise de Northumberland, appuyée par les intrigues
de Noailles, notre ambassadeur, et facilement acceptée
par les protestants. Jane Grey, petite-nièce de Henri VIII,
était fervente calviniste. L'incapacité des conspirateurs
perdit cette malheureuse victime. Marie, conseillée par
son proche parent Charles-Quint, guidée par le cauteleux
Simon Renard, revendiqua son droit, qui n'était guère contestable. Elle triompha, pour le malheur de l'Angleterre.
Son règne ouvrait l'ère des représailles catholiques. Elisabeth était demeurée neutre entre les deux rivales, mais
avec cette nuance que, si elle ne leva pas de troupes pour
secourir sa sœur, elle réserva les droits de son aînée et
refusa toutes les offres de Northumberland. Elle savait
très bien que le premier soin des usurpateurs serait de la
marier soit à un des leurs, soit, pire alternative, à un
prince étranger. Enfin, dès que la victoire parut se déclarer pour Marie, elle gagna Londres la première et,
suivie d'un riche cortège, se porta fort à propos à la rencontre de la nouvelle reine. L'entrée fut pour elle un
triomphe. De sa jeunesse, — elle avait vingt ans (1553),
— de sa belle taille, de sa ressemblance avec le « beau roi
Henri », elle écrasait, sans avoir l'air d'y toucher, la vieille
fille de trente-sept ans, petite, maigrie, fanée, ridée, cou-

17

perosée. Mais un antagonisme plus profond que des rivalités de femmes séparait la protestante érudite et la dévote
catholique, la fille d'Anne Boleyn et la fille de Catherine
d'Aragon. L'une ne pouvait être légitime sans que l'autre
fût bâtarde. Marie sur le trône en écartait pour toujours
Elisabeth.

Le premier choc se produisit aux funérailles d'E-
douard VI. Elisabeth refusa d'assister à la messe. Aussitôt Charles-Quint fit presser Marie de « prendre des mesures », et Simon Renard commença contre la huguenote
une rude et odieuse campagne de cinq ans. Ce fut lui encore qui ne cessa de réclamer la mort de Jane Grey ; mais
s'il réussit, à la longue, contre une pauvre délaissée, il
rencontra dans Elisabeth un subtil et solide adversaire.
Menacée de disgrâce, celle-ci comprit qu'il fallait plier ;
elle se fit convertir et parut à la messe. A ce prix, elle
resta en pied à la cour et put assister au couronnement,
sur un char d'argent, en compagnie de l'ancienne reine
divorcée Anne de Clèves. Elle demeurait princesse royale.
Cependant Marie faisait déclarer nul le prétendu divorce
prononcé jadis entre sa mère et Henri VIII, moyen sûr,
quoique indirect, d'invalider le mariage d'Anne Boleyn.
Elisabeth ressentit vivement cette injure inévitable ; elle se
trouva dès lors mêlée de cœur, d'intention au moins, à
tous les complots suscités par l'abolition de la liturgie protestante, par le retour pur et simple au papisme, surtout
par l'ingérence trop visible de l'empereur et le mariage
étranger.

M. Wiesener démêle avec beaucoup de soin le rôle de
nos ambassadeurs, les Noailles, dans tous les troubles qui
pouvaient à la fois affaiblir la puissance anglaise et contre-
carrer les plans, bien illusoires d'ailleurs, de Charles-
Quint. Que penser d'un profond politique qui blesse à la
fois le sens commun en essayant de marier une reine de

trente-neuf ans à un prince de vingt-six, et l'amour-propre national du plus fier des peuples en lui imposant un roi intermittent, un roi de passage à qui d'autres intérêts ne permettent pas de se consacrer au gouvernement de l'Angleterre ? On ne peut imaginer une plus chanceuse, une plus insensée combinaison que le mariage de Philippe II et de Marie Tudor. Les Noailles avaient pour eux le sentiment public, et, s'ils avaient trouvé un autre homme que Courtenay, ils devaient réussir. Mais ce Courtenay, jeune homme de sang royal qui languissait en prison depuis l'âge de douze ans, se laissa entraîner aux ivresses d'une liberté tout à fait inespérée.

Tout en convoitant la main de la reine, il ne sut ni ménager sa pruderie, ni mettre à profit sa bienveillance, sa tendresse, pourtant visibles. Expressément repoussé, il se tourna vers Elisabeth qui, soupçonnée, traquée par Simon Renard, quitta la cour après quatre mois de résidence. Marie, qui n'était pas encore Marie la sanglante, l'hystérique affolée ; Marie, dont M. Wiesener se fait volontiers le chevalier, n'était pas éloignée d'abord de marier sa sœur à Courtenay. C'est, paraît-il, Renard qui l'en détourna.

Que Courtenay et Elisabeth, chacun de leur côté, fussent de la conspiration de Thomas Wyatt ; que l'un et l'autre aient correspondu avec les insurgés ; que l'un, en fuyant devant les rebelles dans les rues de Londres, ait tenté de leur assurer la victoire ; que l'autre, priée par la reine de venir se ranger auprès d'elle, soit restée dans son château d'Asbridge, c'est de quoi l'on ne peut guère douter. Courtenay, arrêté, n'échappa aux journées meurtrières où périt la pauvre Jane Grey que grâce à la bienveillance secrète d'un ministre, jaloux des Espagnols. Elisabeth ne fut sauvée que par elle-même ; encore vit-elle de près la hache ; Renard et Charles-Quint ne cessaient de réclamer sa mort. Transférée, en février 1554, d'Asbridge à Whi-

tehall, à moitié convaincue de commerce épistolaire avec
Wyatt et ses adhérents, de connivence avec Noailles, elle
résista vaillamment à l'évidence, récusa les lâches aveux
des conjurés ; et, quand on lui conseilla de s'en remettre
à la clémence royale, elle répliqua que le pardon était fait
pour les coupables. On a la lettre qu'elle écrivit à Marie
au moment même où on lui lut la décision qui l'envoyait
à la Tour ; c'est un document remarquable, moins alambiqué que ses autres écrits (il ne s'agissait pas de tourner
des périodes), mais soigneusement libellé, fermement
tracé ; avec les formules habituelles de respect, elle pro-
teste de son innocence et de sa loyauté, et demande à être
entendue par sa sœur. « Le paraphe élégant et compassé
de la signature ne manque d'aucun des enjolivements dans
lesquels la plume d'Elisabeth aimait à se jouer. » Le lendemain de cette lettre restée sans réponse, une barque la
déposait au pied de la Tour, à la *Porte des Traîtres*. Elle
entra assez résolument dans cette prison dont on sortait
peu, un livre de piété à la main, débitant à voix haute une
sorte de prière ou homélie remplie de sentences, d'images,
de citations, assommante phraséologie qui commande
« un ton de nez fort dévot ». On ne peut douter qu'Elisabeth, comme ses contemporains, ne crût un peu à ce
qu'elle récitait ainsi, et cela nous la gâterait si, au fond,
son discours d'entrée à la Tour n'était un serment d'inal-
térable constance : « Ni cela, ni plus encore, n'abattra
jamais mon âme ! » Voilà la note dominante de sa litanie
demi-chrétienne, demi-stoïque. « Rondement poussées »,
les procédures n'aboutirent pas ; elle sortit de la Tour le
19 mai 1554, mais pour être enfermée à Woodstock sous
la garde de plusieurs espions. Lettres à la reine, requêtes
au Conseil, maladies réelles ou feintes, communion solennelle (août), colères même, elle ne négligea rien pour re-
couvrer sa liberté. Au reste, elle passait le temps à

méditer sur les livres saints, à réfléchir dans le parc à l'ombre morbide que projettent les hautes futaies sur les arbrisseaux et les fleurs des taillis, songeant déjà peut-être aux percements qu'elle voulait faire dans la forêt aristocratique.

Chose singulière ! Ce fut l'arrivée de Philippe, le nouveau roi, qui valut à Elisabeth son rappel. Songeait-il, comme on l'a supposé, à épouser une sœur après l'autre ? M. Wiesener repousse ici l'opinion commune. Philippe II, selon lui, cherchait seulement un peu de popularité, dont il avait grand besoin. De fait, ce prince se montra toujours favorable à Elisabeth, soit que, réconciliée avec Marie, elle assistât en fidèle catholique aux cérémonies papistes et aux terribles persécutions qui en étaient le corollaire, soit que, impliquée faiblement dans le complot de Kingston, dans le soulèvement de Cléobury, elle se trouvât menacée de nouvelles rigueurs. Philippe semble n'avoir qu'un but : marier Elisabeth à l'étranger, avec son propre fils Don Carlos, avec son meilleur général, le duc de Savoie, enfin avec Eric, fils de Gustave Wasa. Pour le second, les pourparlers avaient été fort loin ; mais Elisabeth, qui voyait dépérir Marie, qui de ses yeux constatait chaque jour la désaffection croissante du peuple pour la femme de l'Espagnol, se fût bien gardée de risquer sa couronne à ce jeu des prétendus mariages politiques. On peut dire qu'également prévenue, non sans raison, contre l'amour problématique d'ambitieux sans cervelle, elle était dès lors résolue à garder sa liberté entière.

Elle avait fait à Londres, dans ces dernières années, plusieurs promenades d'apparat, et, sûre de l'avenir, elle attendait, fêtée, entourée de ses futurs ministres, que la pseudo-grossesse de Marie Tudor tournât en hydropisie mortelle. Lorsqu'elle eut appris, à n'en pas douter, qu'elle était reine, on rapporte qu'elle tomba à genoux et, avec une religion cette fois bien sincère, répéta les paroles du psaume : « Ceci est l'œuvre du Seigneur ; elle est admirable à nos yeux. » (17 novembre 1558.)

Ainsi grandie au milieu des terreurs, des prisons, des billots et des bûchers, vierge malgré elle, prémunie contre toutes les séductions des sens, lettrée, savante, raisonnable, mais susceptible comme une bâtarde légitimée, orgueilleuse jusqu'à la fureur, dissimulée pourtant, sensuelle et glaciale, sans tendresse et sans pitié, elle monta sur le trône dont l'avaient séparée un frère et une sœur, dont l'avaient écartée à plus d'une reprise les chances de la politique, pour être une des plus sages, et des plus triomphantes reines qui aient jamais existé. A quoi tient le sort des peuples livrés à la prétendue stabilité monarchique ! Ne semblerait-il pas que ce soit (relativement à eux du moins) le pur hasard qui, d'un Henri VII supportable, les transmet à un fantasque Henri VIII, puis à une nuée de Seymour incapables, puis à l'esclave d'un ambassadeur étranger ? On comprend avec quel soulagement fut accueillie la réparatrice, et quelle reconnaissance, exagérant sa grandeur, négligea ses petitesses et ses crimes. Qu'étaient les quelques coups de hache appliqués au nom d'Elisabeth, au prix de trente années de cruautés, de ce bain de sang qui avait éclaboussé ceux qu'il n'engloutissait pas ?

XVII.

DIX ANNÉES DE L'ANCIEN RÉGIME (1650-1660) [1].

I.

Les éléments de la grandeur de Louis XIV. — Valeur historique
de la Gazette de Loret. — L'esprit et le caractère de Loret.

L'histoire n'est jamais achevée. Non seulement, d'âge
en âge, l'érudition accumule des documents nouveaux ;
mais la critique, revenant sur ses pas, tire, de faits déjà
connus, d'informations cent fois contrôlées et accueillies,
des conclusions qu'elle n'y avait pas cherchées, qui s'y
trouvaient incluses pourtant. Le tempérament individuel,
la sagacité supérieure de quelque génie pénétrant sont
pour beaucoup dans ces variations, mais non pour autant
qu'on serait porté à le croire. C'est le point de vue qui
change.

Chaque siècle envisage différemment le passé : comme
la couleur à l'œil qui reçoit l'image, toute connaissance
est relative à l'état moral et social de celui qui l'acquiert et

(1) *La Muze historique*, ou *Recueil des lettres en vers contenant
les nouvelles du temps*, écrites à S. A. Mlle de Longueville, depuis
duchesse de Nemours (1650-1665), par J. LORET. Nouvelle édition
revue sur les manuscrits et les éditions originales et augmentée
d'une introduction, de notes, d'un glossaire et d'une table générale alphabétique des matières et des noms propres, par Ch.-L.
Livet. Tomes I et II (1650-1658); texte revu par MM. Ravenel et
V. de la Pelouze (grand in-8°, 582, 572 p.). Paris, P. Daffis, éditeur de la *Bibliothèque elzévirienne*, 7, rue Guénégaud, 1876-1877.

la juge. La vérité, pour ainsi dire immédiate dans les choses de la physique, est progressive en histoire. Les chances de certitude croissent avec la distance, à condition qu'on possède et qu'on sache manier les instruments qui la suppriment, les procédés du grossissement et de l'analyse.

A qui n'est-il pas arrivé, en feuilletant des collections de vieux journaux, d'estampes, de caricatures, de voir nettement, dans leur réalité vivante, mouvante, les évènements, les mœurs, les personnages contemporains de son enfance, et dont les traits, à la fois concordants et divers, s'étaient comme estompés dans la confusion du souvenir. Et s'il a confronté ces témoignages authentiques avec les résumés hâtifs où l'on en a, chemin faisant, condensé la substance, que de corrections n'a-t-il pas introduites dans les transcriptions les moins infidèles? Que de retouches aux tableaux consacrés? Encore n'est-il pas assuré que dix ou vingt années, s'il recourt aux mêmes sources, n'auront pas modifié son impression.

Plus on est hors d'un temps, mieux on l'embrasse, et mieux on le pénètre. C'est une loi qui se vérifie toutes les fois qu'on l'applique à la période brusquement fermée par la Révolution française. La porte, il est vrai, n'a pas été si bien close, le fossé si profondément creusé, que trop d'émanations délétères, que trop de revenants ne les aient franchis, miasmes contagieux, fossiles ressuscités qui, se frayant jusqu'à nous un passage, menacent de vicier l'air et d'énerver la force des vivants. Mais le dernier combat se livre. Bientôt, du seuil de l'ère nouvelle, le dix-neuvième siècle, vieux vaillant héros assis sur la colline conquise, pourra d'un calme regard observer les courants, les stagnations, les tumultes, les écueils et les naufrages de cette mer qui vient mourir à ses pieds, non sans le fouetter de son écume.

Puis, se baissant, il prendra dans le creux de sa main quelques gouttes des flots auxquels il a échappé ; la balance de précision et le microscope lui apprendront de quoi ils étaient faits, quelles forces et quels vices résidaient en eux, de quelles affinités procédait leur cohésion, d'où ils venaient, où ils allaient ; et connaissant leur origine, il mesurera leur puissance, à jamais évanouïe. Il écrira la véritable histoire de l'*ancien régime*.

S'il est, entre toutes, une époque digne d'étude, soit en elle-même, soit comme point de comparaison, c'est évidemment le siècle où le système monarchique en France atteignit son apogée, où se réalisa cet idéal du passé que des admirateurs plus ou moins compétents, plus ou moins sincères, voudraient imposer à l'avenir. Nous n'en contestons pas les grandeurs ; les génies qui l'ont illustré nous seront toujours chers ; mais il nous est impossible de l'accepter en bloc comme un temps de prospérité matérielle et d'ordre moral. Tout d'abord, les institutions qui s'y sont développées n'ont produit que la ruine financière, le désarroi, la corruption, la révolte. L'effet condamne la cause. Mais quand l'œil s'est fait aux rayons du *nec pluribus impar*, quand on regarde de près ce faux âge d'or, on y distingue tout de suite des phases très inégalement lumineuses. Le milieu surtout, malgré de brillants succès militaires, est singulièrement sombre et confus.

L'autocratie de Louis XIV ne se rattache pas sans peine au règne absolu, mais troublé, de Richelieu ; il lui faut traverser plus de dix années d'anarchie. Les forces comprimées et contenues par Richelieu se dérobent à la main souple de Mazarin et aux bras blancs d'Anne d'Autriche, un « pantin d'Italie » et une Espagnole dévote. Une cabale de princes, héritière de l'esprit féodal, réclame l'argent et les places. Des corps judiciaires dont les attributions sont mal définies essayent de limiter à leur profit le pouvoir royal. Le peuple des grandes villes, affamé, désorienté, s'agite sans savoir ce qu'il veut, par vague instinct démocratique. Il se fait entre ces trois groupes disparates une sorte d'alliance peu raisonnée et peu solide, exploitée tant bien que mal par une vingtaine de brouillons ambitieux, qui songent uniquement à leurs petites affaires, à leurs convoitises mesquines. L'idée de patrie s'efface. Un Turenne, un Condé, par boutade, d'un cœur léger, trahissent la France et commandent les armées ennemies. L'étranger, fort de ces discordes et, encore plus, de ces complicités aussi insensées que criminelles, déborde partout nos frontières mal assurées. La Flandre, l'Artois, la Picardie, la Lorraine ne forment qu'un champ de bataille, terrain parcouru en tout sens et dévasté par des traînées de soudards et de bandits. Le reste du pays n'est guère moins misérable ; ce ne sont que villes prises et reprises par les factieux, désolées par des querelles intestines, gouvernements populaires ou féodaux, sécessions, Etats dans l'Etat. La cour errante fuit Paris, y rentre pour en sortir, ne sait où se poser. Partout le meurtre, le pillage, les exactions, la terreur, le chaos ; on se croirait revenu au temps des derniers Valois : jusqu'au jour où l'habileté persévérante de Mazarin, et l'aplomb d'un roi jeune, sain de corps et d'esprit, à peu près raisonnable et juste, rétablirent l'unité dans le pouvoir, dans le territoire et dans la nation. La France respira donc. En reprenant ses sens, son premier mouvement fut de se livrer, de s'abandonner à ceux qui représentaient le salut public.

C'est bien moins à ses qualités personnelles qu'à la gratitude d'une nation épuisée, altérée de sécurité et de paix intérieure, que Louis XIV a dû sa toute-puissance. C'est de l'angoisse et de l'espoir universels que naquit sa divinité. La Fronde a été la raison d'être de l'absolutisme. La période qui s'étend des traités de Westphalie à la paix

des Pyrénées (1648-1659) est le véritable nœud du dix-
septième siècle. Elle seule explique à la fois et l'entraînement amoureux, l'adoration d'un peuple, sentiment
dont on a voulu faire honneur à la beauté du principe
monarchique, et cette infatuation d'un maître, inévitable
démence qui allait précipiter la royauté aux abîmes.

C'est pourquoi il importe au plus haut point de connaître les hommes et les mœurs, les castes, les partis, les
idées, les faiblesses et les misères, enfin l'état de la société
française, durant les dix années où l'axe du monde oscilla
entre l'incohérence extrême et l'excessive concentration. A
cet égard, il est peu de documents plus précieux que la
Muze historique ou *Gazette burlesque* de J. Loret, chronique hebdomadaire, au sens actuel du mot, où sont con-
tresignés pêle-mêle les faits gros et menus, les on-dit
publics et privés dont se compose la vie et l'esprit d'un
peuple. La lecture en est laborieuse autant qu'instructive,
et ce n'est pas peu dire. Dans les deux premiers volumes
de la présente réédition se pressent déjà cent mille petits
vers de huit pieds, qui ne sont pas toujours sur leurs
jambes, mais qui n'en vont pas moins, infatigables, de la
cave au grenier, du salon à la boutique, de la cour à la
ville, du théâtre aux armées, du Japon à l'Angleterre et
de la Suède au Congo, se glissant dans les foules, dans les
bals, dans les concerts, dans l'alcôve et dans le cabinet
des rois, en quête de nouvelles qu'ils débitent d'une voix
monocorde, au hasard de la rime et sans souci du beau
langage.

Pour comprendre le succès des *Lettres en vers*, et
il fut assez vif, il faut se rappeler qu'elles paraissaient
tous les huit jours seulement et dans un temps où la
Gazette de Théophraste Renaudot était à Paris l'unique
représentant de la presse. Ce n'est pas que le verbiage de
Loret soit toujours dépourvu d'agrément, on y relèverait

mainte expression piquante et, de temps à autre, une historiette joliment contée ; mais tout cela est noyé dans cette prolixité oiseuse, si redoutée de ceux qui s'aventurent dans les poèmes du moyen âge. Ajoutez que le savant éditeur a réservé l'introduction, les notes et l'index pour le dernier volume, de sorte qu'on ne sait où se prendre et où s'arrêter.

Nous essayerons toutefois de caractériser l'écrivain (si ce nom convient à Loret), de déterminer la valeur du recueil, en ses diverses parties et sous ses divers aspects, d'en classer les informations et d'en indiquer les lacunes.

Lorsqu'il se mit en tête d'écrire une fois par semaine à Marie de Longueville, belle-fille de la célèbre duchesse qui fut maîtresse posthume de feu Victor Cousin, Loret devait toucher à la cinquantaine. Mais la maturité de l'âge n'entraîne pas toujours celle de l'esprit. Bien que Normand, natif de Carentan, il garda toute sa vie une naïveté dont il se vante en maint endroit. Il conte à la façon d'un enfant curieux et babillard. Comme son instruction est des plus minces, n'allant même pas jusqu'au rudiment, le cercle de ses pensées est fort peu étendu, son goût n'est pas sûr, sa langue n'a rien de littéraire ; quant à la composition et au style, il n'en a pas la moindre idée. Mais il ne s'en fait pas accroire ; il sait et il avoue tout ce qui lui manque. Au plus fort d'un succès qui le flatte, sa modestie ne se dément pas un instant. C'est avec beaucoup de bonhomie et de sincérité qu'il comble de louanges quelque peu banales tous les beaux esprits de son temps. Ne lui demandez pas une appréciation raisonnée et personnelle ; son opinion n'est qu'un écho. S'il déclare les vers de Corneille incomparables et ceux de Saint-Amand admirables, il trouve « brillants » ceux de Chapelain. Il n'entend pas plus rivaliser avec le galant Benserade, l'excellent Du Ryer, le profond Tristan L'Hermite, le magnifique Scudéry, le docte Godeau, qu'avec Scarron, Ménage, d'Assoucy, Gombauld, Colletet, Marigny, Neufchâteau ou Segrais. Il se classe humblement à leur suite.

L'homme, en lui, est aussi exempt de vanité que l'auteur. Lui qui loge à loyer dans une petite chambre, qui déjeune d'un « hareng soret », il n'éprouve aucun sentiment d'envie contre les privilégiés et les favoris de la fortune. Reçoit-il un démenti, une réprimande de quelque personnage susceptible, il se confond en excuses, en protestations de respect. Sa bonne foi ne peut être soupçonnée ; il n'a qu'un but, informer les curieux en restant agréable à tout le monde. Et comme il se glisse modestement dans les cérémonies publiques, dans les concerts et les fêtes de la cour, heureux si quelque bonne âme, quelque dame compatissante lui fait passer une orange ou une dragée ! Trouve-t-il porte close ? il essuie avec patience les rebuffades des huissiers. Aussi finit-on par l'admettre volontiers, comme un thuriféraire inoffensif. La reine, les princesses, les grands seigneurs s'habituent à lui envoyer dix ou vingt pistoles, qu'il va trop souvent perdre au jeu, c'est là son péché mignon. Ces aubaines, assez fréquentes, le ravissent ; il n'oublie jamais de les annoncer au public ; il imprime à la fin de ses lettres des madrigaux reconnaissants qui lui vaudront, qui sait ? des libéralités nouvelles. Les progrès de la dignité humaine ont été bien lents ; et le naïf quémandage de Loret ne pouvait lui faire aucun tort dans une société où le talent vivait d'aumônes et de pensions.

Au reste, ce pauvre plumitif perdu dans la foule des gratte-papier obscurs possède une vertu qui rachète bien des faiblesses. Il est Français avant tout, et patriote. Ce n'était pas si peu de chose en un temps où les nobles intrigants, où les membres les plus illustres de la famille royale trahissaient volontiers leur pays. Il remarque avec douleur que les discordes civiles assurent aux Espagnols un répit funeste à la paix du monde et à la gloire de nos armes. Il condamne les menées criminelles de Condé, les égarements de Turenne ; il est sans pitié pour les malandrins et les espions soudoyés par l'Espagne. Il ne cesse de crier à tous : « Chacun doit aimer son pays. » Son culte pour la monarchie et la personne royale, son orthodoxie peu soucieuse des avanies infligées aux protestants ou des supplices réservés aux blasphémateurs et aux athées, dénotent sans doute une platitude et une étroitesse qui sont la marque de l'esprit public dans la seconde moitié du grand siècle ; mais ils dérivent aussi d'une source qui les ennoblit quelque peu, le sentiment national.

II.

Frondeuses et frondeurs.

La Fronde avait éclaté pendant la dernière période des négociations habiles qui aboutirent aux traités de Westphalie, le jour même (26 août 1648) où un *Te Deum* célébrait la victoire de Lens. Elle couvait depuis plusieurs années. Après avoir triomphé des Importants qui prétendaient recueillir l'héritage de Richelieu, en qualité d'anciens alliés d'Anne d'Autriche, Mazarin s'était heurté à la fois à la bourgeoisie, au peuple et aux cours souveraines. Aussi médiocre gouvernant que subtil diplomate, absorbé par les affaires extérieures, il n'avait ni voulu ni su porter remède à un désordre financier toléré par Richelieu lui-même. Les nécessités d'une guerre interminable l'avaient poussé, d'expédient en expédient, aux plus détestables pratiques, aux emprunts les plus onéreux. Les perpétuelles créations d'offices illusoires, les surtaxes, les

tarifs d'octroi, les menaces de banqueroute, les ajourne-
ments ou réductions de rentes, l'engagement de tous les
revenus publics, pouvaient à peine suffire à équiper les
armées et à combler le gouffre des acquits-au-comptant,
ou fonds secrets, qui dévoraient le tiers, et parfois la
moitié, des ressources nominales. A l'iniquité ou à l'inopportunité de ces mesures s'ajoutait encore le cynisme des
traitants et de leur chef, le financier Particelli ou d'Émeri.
Le Parlement de Paris, qui avait aidé la reine à casser le
testament de Louis XIII, se crut en position de prendre en
main les intérêts bien ou mal entendus de la nation. Ses
Remontrances, ses arrêts, son *veto* avaient complètement
paralysé l'action du gouvernement. Le peuple applau-
dissait. Les débris de la faction des Importants et, à leur
tête, Paul de Gondy, coadjuteur de l'archevêque de Paris,
suivaient toutes les péripéties de la lutte. Réconfortée par
les victoires de Turenne et de Condé, la cour crut en finir
par un coup de vigueur. Mais l'arrestation de quelques
conseillers et surtout du populaire Broussel fut suivie d'une
formidable insurrection, où Gondy et le premier président
Mathieu Molé jouèrent diversement un rôle capital. C'était
la journée des Barricades (27 août). Anne d'Autriche dut
capituler et rendre Broussel. Vainement elle s'enfuit à
Rueil avec le roi enfant, 13 septembre ; vainement Condé
accourut à Paris (20 septembre), il fallut transiger et
signer une déclaration (24 octobre) qui consacrait le
triomphe du Parlement.

Pour échapper au contrôle, à la domination de la bourgeoisie de robe, la régente et son ministre se jetèrent dans
les bras du prince de Condé. On ne peut guère attendre
de Loret une appréciation complète et juste de ce grand
vainqueur. Le père de Mlle de Longueville, sa patronne,
était le beau-frère du prince. Il avait épousé en secondes
noces la folle et charmante duchesse de Longueville, si

célèbre par ses amours avec La Rochefoucauld (l'auteur
des *Maximes*) et par ses relations posthumes avec le vieux
Victor Cousin. Mais on sait d'ailleurs que le fougueux
héros de Rocroi, de Fribourg, de Lens était aussi mauvais politique que bon général. Spirituel et instruit, mais
orgueilleux, violent, sans raison comme sans mesure, le
grand Condé n'admettait ni conseil ni résistance. Il était
parfaitement incapable de rallier à la cour ni le peuple, ni
le Parlement, ni les intrigants comme Gondy, ni les irréguliers sans cervelle comme Beaufort « à la blonde tresse »,
l'idole des halles, un petit-fils de Gabrielle et de
Henri IV.

Pour la seconde fois, la cour s'enfuit de Paris, en janvier 1649, et s'établit à Saint-Germain. Tandis que le
Parlement armait le peuple, fortifiait la ville, prenait la
Bastille, lançait contre Mazarin un arrêt de proscription,
s'alliait aux parlements de Rouen et d'Aix ; tandis que
d'Elbeuf, un prince lorrain qui avait dix ans servi l'étranger, Beaufort, Conti, frère cadet de Condé, le duc et la duchesse de Longueville, le duc de Bouillon, un mécontent
à qui Richelieu avait enlevé Sedan, attiraient à Paris une
foule de frondeurs titrés ; que le coadjuteur et Turenne
lui-même (frère de Bouillon) traitaient avec l'Espagnol et
proposaient au Parlement hésitant un pacte de trahison, le
ministre et sa royale maîtresse attendaient que Condé leur
rouvrît les portes de leur capitale. Mais la déroute des Parisiens entre Charenton et le faubourg Saint-Antoine
(8 février), compensée d'ailleurs par de menus succès,
n'était pas de nature à terminer la guerre. Des pourparlers s'engagèrent à Rueil ; et, grâce aux concessions
patriotiques de Mathieu Molé et du président de Mesmes
(le frère du grand diplomate d'Avaux), malgré quelques
émeutes, une seconde paix fut signée et acceptée (11-
30 mars). Mazarin, dont l'expulsion était réclamée, dont

la tête avait été mise à prix, sut encore cette fois se faire comprendre, au moins tacitement, dans la convention. Mais l'hostilité persistante de Paris, les indécisions et les exigences du triste Gaston d'Orléans et de Condé qui, rentrés dans Paris, complotaient déjà avec les frondeurs. les troubles suscités par Turenne dans le centre, puis ses progrès dans le nord à la tête des Espagnols. les révoltes permanentes de Bordeaux, de Marseille, c'était de quoi rendre la cour fort perplexe ; elle ne se décida que le 18 août à rentrer au Palais-Royal, sous le joug de Condé.

Mazarin était fort habile et peu scrupuleux : poussé à bout par l'insolence du prince, il réussit à le brouiller un moment avec les meneurs et à lui mettre la main au collet sans opposition, sous prétexte de couper court à une guerre civile imminente. Le 18 janvier 1650, Condé, Conti et Longueville furent arrêtés. La duchesse de Longueville, suivie de Larochefoucauld, après avoir essayé de soulever Rouen, le Havre, Dieppe, rejoignit à Stenay, à travers mille aventures, Turenne une seconde fois révolté. Anne d'Autriche qui, avec Mazarin et le roi en personne, avait réussi à pacifier la Normandie, puis la Bourgogne, dut presque aussitôt quitter Paris pour courir sus à Conti et à la princesse de Condé, qui, de Bordeaux, agitaient tout le sud-ouest. Ses généraux, d'Harcourt, La Meilleraye et du Plessis-Praslin, furent heureux ; celui-ci eut l'honneur de battre Turenne à Rethel en novembre. Dès octobre, la cour avait fait son entrée à Bordeaux. Revenue à Fontainebleau, le 7 novembre 1650, elle se trouva aux prises avec la noblesse, qui réclamait la liberté des princes, et avec la Fronde, qui exigeait l'exil de Mazarin. Les princes furent transférés au Havre. Mais, par la coalition de la noblesse et du Parlement, les choses en vinrent au point que Mazarin dut s'éloigner (6 février 1651) ; la reine allait le rejoindre à Saint-Germain, quand elle fut trahie. Le

18

Palais-Royal fut cerné ; la foule voulut voir le roi, qu'on fit coucher à la hâte, et défila devant le lit. Le 11 février, il fallut expédier au Havre l'ordre qui mettait les princes en liberté. Mazarin crut se sauver en le portant lui-même ; mais la reine n'osa pas le rappeler ; il prit le chemin de la frontière.

Il est impossible de résumer ici la période d'anarchie qui suivit le départ du grand ministre. Rupture entre la vieille et la nouvelle Fronde, règne et fuite de Condé ; trahisons perpétuelles du duc d'Orléans, rentrée de Mazarin dans le Nord à la tête d'une armée, promesses d'états généraux ; nouveau départ de la cour, malgré la majorité déclarée du roi ; partout guerre civile et étrangère ; à Paris, massacres de l'Hôtel de ville, assemblées de la noblesse et du clergé ; à Bordeaux, gouvernement populaire de l'Ormée ; en Champagne, lutte de Turenne pour le roi contre Condé et les Espagnols ; retour de Condé à Paris, la cour à Bourges, à Corbeil, à Etampes, à Saint-Denis, à Saint-Cloud ; la grande Mademoiselle à Orléans, puis à la Bastille, d'où elle pointait le canon parisien contre l'armée royale victorieuse (bataille de Charenton) ; second exil de Mazarin, soumission du duc d'Orléans et du Parlement, Condé en fuite et devenu général espagnol à la solde de l'ennemi ; enfin, arrivée de Louis XIV au Louvre (21 octobre 1652) et retour définitif de Mazarin (février 1653) : tous ces évènements et mille autres s'accumulent, se croisent en une confusion inexprimable dans ce court espace de dix-huit mois, et la plupart ont laissé une trace ou une allusion dans la *Muze historique*. La Fronde était finie, mais ses conséquences pesèrent longtemps sur le pays. Il fallut six ans à Turenne et à ses lieutenants pour en finir avec Condé, reconquérir la Flandre et le Hainaut et rendre à la France la supériorité qu'elle possédait en 1648.

C'est à partir de mai 1650 que Loret, à la demande de

sa princesse, entreprend de mettre en vers « les bruits qui courent quelquefois parmi la cour et les bourgeois ».

Dans cette première partie et surtout dans la série manuscrite (1650-1652) qui garde le caractère d'une correspondance privée, on sent d'abord l'ardeur d'un homme qui crée un genre et que son invention réjouit ; le style moins lâché atteint presque à l'agrément ; de place en place on rencontre des mots imprévus, des expressions piquantes et qui ne sont point amenées seulement par la rime. Loret s'ingénie pour amuser sa princesse ; il ne recule pas devant un peu de gauloiserie, et bien que la sage demoiselle modère quelquefois cette humeur badine, il est visible qu'elle y prend plaisir. Un accès amoureux du vieux duc de Montbazon, l'aventure de la belle amazone qui, dans une chute, laisse voir au soleil des attraits cachés, comme il advint à la Sophie de Tom Jones, n'avaient rien qui effarouchât la pudeur des filles bien élevées. Il est vrai que sous le rouge, la rougeur se voyait moins. La parole du gazetier est plus libre, son esprit l'est aussi. Suspect aux frondeurs, il est vrai, par son invariable fidélité à la France et à la monarchie, Loret, du moins, n'a pas à craindre le sourcil du maître, et ces mécontentements qui rognent les gratifications ; il ne se fait pas faute de lancer en passant des traits assez vifs contre les meneurs. Enfin, il n'a pas encore affaire à ces pantins et à ces poupées de cour dont le roi tient les ficelles et règle les mouvements, les sourires même. Tous ces frondeurs s'agitent, chacun pour soi, poursuivant quelque but particulier ; ils déploient librement leur caractère ; il y a de la vie dans leur allure, du relief dans leur physionomie. Les insignifiants, les mouches du coche, comme Bouillon, « grand politique et grand brouillon », au cœur « bien peu français », comme Elbeuf et ses dadais de fils, comme le fade et loyal Mercœur, sont là pour donner du relief aux autres. Les femmes frétillent dans l'intrigue comme poissons dans l'eau ; on voit passer, courir d'un bout de la France à l'autre, et la glissante Chevreuse « qui des frondeurs est procureuse », et la grosse Montbazon, « la belle colosse de cour », Longueville, l'adorable aventurière, la fine et remuante princesse de Condé, l'impérieuse Anne d'Autriche aux bras blancs, et cette tireuse de canon, Mademoiselle, « grande et haute pucelle » dont en tout temps le cœur « est gai comme l'on est au mois de mai », fille hardie d'un lâche père, qui prétendit au trône, comme plus tard Henriette, et qui ne désespérait pas d'épouser son jeune cousin Louis XIV.

Voici maintenant les hommes : Mazarin, souple et tenace, qui a toujours, « à défaut de pistoles, d'assez gracieuses paroles ». Gaston d'Orléans, le plus piteux des hommes, qui « ne sait quel parti prendre, dans la crainte de se méprendre », qui ne cesse de trahir ses parents et ses amis, tantôt allié de la reine, tantôt de Condé, tantôt des princes, chef nominal de la cour et de la Fronde, finalement oublié par le dédain de Mazarin vainqueur, et mort à Blois dans la bigoterie et dans la solitude. Condé, versatile et violent, qui donne et qui reçoit des soufflets en plein hôtel de ville ; Gondy, l'artiste en émeutes, comme en langue française, « pasteur, docteur, prédicateur, demi-soldat, demi-rhéteur », qui, sans craindre les caquets, danse les tricotets avec la jeune Chevreuse, « ravi de tenir sa main blanche », aussi capable d'amuser une ruelle que de haranguer le roi et le Parlement, ou de prêcher un sermon édifiant. Ces contrastes n'étonnaient guère ; le catholicisme était bon enfant alors, parce que son autorité était peu contestée. Gondy fut toujours des mieux en cour de Rome, et la pourpre ne lui manqua pas.

Il est vrai qu'il se convertit vers la fin de sa vie ; mais il ne fut jamais de ces cléricaux comme l'archevêque d'Embrun, orateur intarissable à qui l'on disait holà, et qui

venait ennuyer la reine de récriminations contre les « par-
paillots », au milieu des angoisses de la guerre civile et de
la guerre étrangère.

Quel est, dans ce groupe déguenillé,

> Ce duc si haut, si grand, si fort
> Et de prestance si blondine,

qui harangue, en un français « pas trop bon », les fre-
lampiers, les marchandes d'herbes et les poissardes ! C'est
le petit-fils de Gabrielle, le brave écervelé Beaufort, « l'âme
et l'amour du citadin », qui « trouve mieux son compte à
la halle que dedans la maison royale ».

> Messieurs mes amis, je vous aime ;
> Mais Mazarin n'est pas de même,
> Car il a grande *aversité*
> Pour vous et pour votre cité.
> D'ailleurs, il est tout manifeste
> Que lui, qui me hait et *m'ateste*,
> *Proclame* toujours contre moi
> Auprès de la reine et du roi.
> Il serait donc bon, ce me semble,
> De nous associer ensemble,
> Pour tâcher à le ruiner,
> Puisqu'il nous veut *déterminer !*
> Voilà la belle rhétorique
> Dont se sert ce grand politique
> Pour ranger les cœurs sous ses lois
> Dans le pays du Badaudois.

Aussi comme on le suit, comme on le fête ! Quand le
bruit se répandit qu'il avait gagné un grand procès contre
les d'Elbeuf, « le peuple s'en réjouit fort ». Une vieille,
« le front de sueur tout baigné », s'en allait criant, de
carrefour en carrefour :

> « Monsieur de Biaufort a gaigné ! »
> Sur quoi maintes chaperonnières,

> Tant fripières que frelampières,
> Avec un ton de voix joyeux,
> Criaient : « Tant mieux! tant mieux! tant mieux! »
> Jusques-là que quelques visages
> Se disaient : « Si j'étions bien sages,
> Ma foi! j'irions tout promptement
> Remercier le Parlement. »

Beaufort, ce grand blondin, cet amant de la grosse Montbazon, « la belle colosse de cour », était le personnage le plus en vue, pour ainsi dire le plus voyant, de la Fronde. Gondy, le coadjuteur, en était le plus actif, le plus spirituel ; mais, sauf le chapeau, il ne savait trop ce qu'il voulait.

Il est des figures plus sérieuses, des parlementaires dignes d'estime. De Mesmes, qui combat éloquemment les propositions espagnoles acceptées par Gaston, par le coadjuteur, par Condé et sa séquelle de princes ; l'imperturbable Mathieu Molé, vivante image de la justice imposante et calme, qui répondait à des assassins : « Quand je serai mort, six pieds de terre me suffiront ; » et le garde des sceaux Châteauneuf, « le Caton de cet âge » ; Loret nous montre ces deux légistes barbus et obstinés, l'un demandant, l'autre refusant la liberté des princes :

> Ainsi devant la barbe large (Molé),
> La barbe en pointe fit sa charge,
> Et la large, en ce même endroit,
> Avait parlé plus chaud que froid.
> Ces deux barbes si vénérables
> Et toutefois si dissemblables
> Etant en conflit. l'on verra
> Qui la victoire emportera,
> De la carrée ou la pointue.

Autour de ces types divers règnent la confusion et le désarroi. Mais si l'on écarte les mille incidents de la rue,

les duels, les vols sans nombre, les malades que l'on porte
au grand lit commun des hôpitaux où la petite vérole
exerce ses ravages, on s'apercevra que le tableau ne manque pas de perspective. Au-delà des murs errent des bandes de reitres, de partisans, les petites armées de Condé,
de Turenne, de Praslin, de La Ferté, et, voltigeant dans la
campagne comme une mouche du coche, le galant condot-
tiere Charles de Lorraine, duc dépossédé, qui « toujours
s'avance, pour servir l'Espagne ou la France » ; par derrière fument les villes pillées, incendiées, et à l'extrème
horizon, en Flandre, au pied des Pyrénées, dans la Lombardie, sévit l'interminable guerre. Plus près du specta-
teur, c'est Paris affamé et gouailleur, qui chante et crie,
arrète un carrosse, cerne une maison, envahit l'hôtel de
ville, court à la procession comme à la bataille, parfois
abattu, toujours relevé, toujours prèt à de nouvelles luttes
dès qu'il s'est assez moqué de ses débandades. L'éducation
de la grande cité n'est pas faite ; elle n'a pas pris encore
conscience de sa force et de sa dignité. Ne lui demandez ni
la volonté révolutionnaire, ni le calme républicain. Mais
à cette pétulance même, parfois désordonnée, qui ne se
déchaine jamais plus que lorsque l'on veut l'étouffer, à ce
ressort moral que nulle épreuve ne brise, on reconnait
déjà la ville de 89, la ville de Juillet, le Paris du grand
siège, l'àme de la France et l'un des centres du monde.

III.

La victoire de la royauté. — Paix intérieure. — Réjouissances et
divertissements. — Anecdotes. — Etat religieux, moral et social
du peuple parisien. — La politique nationale et les informations
étrangères de Loret.

Il s'en faut qu'à partir du triomphe de Mazarin (1653),
tout soit rentré dans l'ordre ; l'Ormée continue d'agiter

Bordeaux ; la Provence est en proie à une anarchie bizarre,
à des émeutes de magistrats, dont M. Gaffarel écrit en ce
moment l'histoire. Le cardinal mène le roi de ville en ville
pour montrer partout la vivante image de l'unité française ;
la guerre fait rage encore non-seulement en France, mais
dans toute l'Europe. Déjà cependant les personnalités re-
muantes sont rentrées en grâce ; on se tait ; les caractères
s'atténuent et se dissimulent. La fortune royale a triomphé.
Dans le royaume comme au ciel il n'y a plus qu'un soleil,
et tout ce qui brille autour et au-dessous ne luit que d'un
éclat emprunté.

Presque en tout lieu, le peuple s'aperçoit qu'il a seul
pâti des sottises des grands ; il met de côté les vieux cas-
ques, les mousquets à mèche, les cuirasses faussées, et du
pas de sa porte il regarde passer « notre petit galant de
roi, l'éminentissime éminence », la reine mère, les princes anglais, tout le défilé des belles dames et des courtisans, soit qu'un *Te Deum*, ou une procession, ou une
cavalcade, ou un voyage, encombre les rues étroites de ce
cortège empanaché. Comme, après tout, il est agréable de
vivre dans une sécurité relative, d'aller à ses affaires, de
vendre ses denrées et ses produits, on salue d'applaudisse-
ments joyeux le régime de la paix intérieure et la personne
sacrée en qui s'incarnent l'autorité et l'unité nationale.
Dans ce nouveau *Badaudois*, Loret n'est plus qu'un écho
banal, un reflet pâli que la prudence éteint. Nourri des
miettes de la cour et des aumônes des grands bien plus
que de l'argent des lecteurs, il tremble qu'une lumière
trop vive ne le dénonce à de puissantes susceptibilités ; et
bien souvent en effet, s'il lui arrive de tourner sa lanterne
vers les demi-secrets qui veulent se dérober à la publicité,
quelque valet officieux, quelque lettre hautaine, vient lui
donner sur les ongles au risque de lui faire tomber des
mains son gagne-pain. Sans doute il continue courageuse-

ment à recueillir les mêmes on-dit, à décrire les amuse-
ments des badauds et de la cour, les processions, les exécu-
tions, les vols et les meurtres. Mais quelque soin qu'il
prenne de varier les titres, plus que le ton, de ses lettres,
à écrire en tête de ses chroniques toutes les épithètes fournies par le dictionnaire, *rajeunie, opulente, colérique,
franche, glorieuse, avisée, timide, belle, ravissante, horrible, embrasée, morigénée, drôle, divine, assez bonne,
politique, risquée,* etc., etc., il a peine à déguiser le vide
de ses énumérations, la banalité de ses louanges et sa
propre lassitude : « Ce ne sont que festons, ce ne sont
qu'astragales ».

Il y a le chapitre des fêtes et des ballets officiels, interminable énumération de belles dames et de brillants cavaliers, descriptions de concerts et de collations, éloges en-
thousiastes du roi et de tout ce qui tient de près ou de loin
à la noblesse, à la magistrature, à la finance. Tout est
beau, tout est admirable. Si l'on ne consultait de temps à
autre les *historiettes* de Tallemant, on ne se douterait guère
de la grossièreté morale, des vices et des intrigues qui se
cachent sous cette politesse tant vantée.

La consigne est de s'amuser, de danser, et tout le monde
festoie et se trémousse. Les bourgeois, les artisans offrent
les violons à leurs bonnes amies. La foule s'étouffe pour
voir un veau à deux têtes, une chienne qui a *chienné* un
chien pourvu d'une main à la patte gauche, ou bien encore
un prédicateur, un protestant qui se convertit, des *Anglais
trembleurs* (quakers) qui font scandale en gardant le chapeau sur la tête au temple ou à l'église ; elle court aux feux
d'artifice donnés par le roi ou par le fameux arracheur
de dents Dupont. Il semble que le sérieux soit banni de la
société française, car toutes les villes suivent l'exemple de
Paris. Au milieu d'innombrables récits du même genre,
j'en prends un au hasard : il s'agit de réjouissances pour

le rétablissement de la santé du roi. Après avoir cité les
« feux, canons, banquets et danses » d'Orléans, Blois,
Beaugency, Tours, Amboise, Angers, Nantes, Caen, Gre-
noble, Toulouse et vingt autres, Loret babille ainsi :

> Or. toutefois, touchant Provins,
> *Ville où l'on boit d'assez bons vins,*
> Il ne faut pas que je rebute
> Les sieurs chevaliers de la Bute,
> C'est-à-dire tireurs de prix,
> Qui, d'une extrême joye épris
> Pour ladite santé royale,
> Par une espèce de régale,
> Firent, le vingt-et-six du mois,
> Sur un grand échafaut de bois,
> Un feu, d'assez rare artifice,
> Dont l'auteur n'était pas novice.
> Là se voyait un beau soleil...
> Quantité de promptes fusées,
> Quantité de dragons volans
> Et de serpents étincelans
> Qui bien haut en l'air s'élevèrent...
> Ce beau feu qui charma les yeux
> Fut suivi de festins joyeux,
> Où l'on servit, entr'autres chozes,
> Diverses conserves de rozes,
> Dont Provins de tous les côtez
> En fournit châteaux et citez
> Par des quantitez non communes,
> (Et dont j'en atens quelques-unes !)

Les vers de Loret sont courts, mais ils foisonnent tant,
que les citations sont difficiles. Sans quoi nous aimerions
à détacher de leur cadre diffus un certain nombre d'anecdotes sur des mariages illustres et des naissances (que le
chroniqueur enregistre avec soin), sur la réconciliation de
Gaston, devenu très dévot, avec son royal neveu et avec sa

fille, la grande Mademoiselle, sur la mort du président
Molé ou du duc de Schomberg :

> Quoy qu'il fût du métier de Mars,
> Quoy qu'il eût couru cent hazars,
> Aucune guerrière machine,
> Mousquet, grenade ou couleuvrine,
> Pique, lance ny coutelas,
> Ne l'ont point tué, mais, hélas !
> Une seule petite pierre
> A mis ce grand homme par terre.

Tout est si mêlé dans ces lettres incohérentes et comme
jetées à la diable, que la critique a peine à en ordonner la
matière. On nous excusera de courir çà et là et de noter au
passage ce que nous regretterions d'avoir oublié. Voici un
trait agréable de la reine Christine, qui avait commencé
ses voyages à travers l'Europe :

> Cette princesse extrordinaire,
> Etant chez un grand statuaire
> Pour y voir des antiquitez,
> Entre autres belles nuditez,
> Regarda longtemps la statue
> De la Vérité toute nue,
> Qui, ce dit-on, lui plut très fort.
> Lors un Romain d'esprit acort
> Prit la liberté de lui dire :
> « Certes, je m'étonne et j'admire
> « Que vous aimiez la Vérité,
> « Et même dans sa nudité,
> « Elle (selon la renommée),
> « Que les grands n'ont jamais aimée. »
> Voilà ce que dit le Romain.
> La reine repartit soudain :
> « Ce que *véritez* on appelle,
> « Parlant trop quelquefois, dit-elle,
> « N'ont pour les grands que peu d'appas ;
> « Mais celle-ci ne parle pas. »

Christine était, comme on sait, fort amoureuse, — fort amoureuse de philosophie, de religion, de théâtre ; et nous pourrions trouver dans ses goûts une transition légère pour chercher dans Loret quelques informations littéraires. Les mentions d'auteurs et d'ouvrages abondent, mais elles sont banales. Loret loue d'un mot, et du même ton, Tristan L'Hermite, Du Ryer, Chapelain, Corneille et son frère. Timocrate ou Alcibiade rivalise avec Cinna et Rodogune.

Mieux vaut esquisser la contre-partie du brillant et monotone tableau des réjouissances officielles et de l'insouciance publique ; il a ses ombres matérielles et morales, en dehors des accidents ordinaires, des maladies contagieuses, de la mort. La société ajoute aux maux de la nature.

Un fait, avant tout, frappe le lecteur. A chaque page, sous toutes les formes éclate la brutalité des mœurs, l'insuffisance de la police et de la justice, l'insécurité de la vie. Ce ne sont que mystifications cruelles, vengeances barbares. Les femmes s'en mêlent ; ici c'est un galant attiré dans une chambre et presque assommé par de jeunes mégères ; là un malheureux attaché à un arbre par de chastes villageoises et mutilé : « on ne lui trancha pas la nuque », ajoute Loret. Exceptions, peut-on dire ; mais qui caractérisent un temps.

Les *nobilis*, les hobereaux de province font rage dans les campagnes. Loret cite un certain bâtard qui tue publiquement ceux qui lui déplaisent ; et la loi ferme les yeux. Elle est assez occupée de poursuivre, de pendre et de rouer les voleurs de profession. On ne peut faire un pas dans Paris sans craindre les filous et les meurtriers. Les carrosses des plus grands seigneurs sont arrêtés et pillés. Passants isolés, bandes joyeuses attardées se craignent et se fuient réciproquement. Hors des villes, règnent les brigands, les déserteurs, les partis armés. C'était le bon temps.

La foule elle-même goûte les spectacles sanglants, elle court aux supplices, elle injurie à tort et à travers. Superstitieuse et fanatique, elle a gardé les instincts de la Saint-Barthélemy. Loret lui-même, qui prétend n'être point cagot, mais qui tient avant tout à ne pas sentir le fagot, est plein de haine contre les prétendus athées et blasphémateurs. Il applaudit par deux fois aux fureurs cléricales de la justice :

> Aujourd'hui, *dies Veneris*,
> Un adolescent de Paris...
> Ayant dès lundi, par malice,
> En un dévot et sacré lieu,
> Blasphémé le saint nom de Dieu,
> *Par un arrêt très équitable,*
> En a fait amende honorable,
> Ayant auparavant été
> En plusieurs carrefours fouetté ;
> Puis ses deux épaules marquées
> De fleurs de lis bien appliquées
> Ont achevé le châtiment
> De ce malheureux garnement.

Mais voici un « jureur » qui n'en a pas été quitte à si bon marché :

> Ce monstre du christianisme,
> Étant convaincu d'athéisme,
> Fit amende honorable à Dieu
> Devant le portail du saint lieu ;
> Après, dans la place publique (de Senlis),
> Avec un appareil tragique,
> Un grand brasier qu'on alluma
> Son procès et lui consuma ;
> Et quand sa charogne fut arse,
> La cendre au vent en fut éparse.

> Certainement, les magistrats
> Devraient bien de tels scélérats
> (Mêmement avec violence)
> Réprimer la haute insolence...
> Et comme on voit Sa Majesté
> Abhorrer toute impiété,
> On espère ce grand ouvrage
> Sous le règne d'un roi si sage,
> Dont les bons seront réjouis
> *Comme du temps de saint Louis.*

Toute la société semble atteinte de monomanie religieuse. Ce qui tient si peu de place dans notre vie normale
est la grande affaire de la cour et de la ville. Le roi suit
les processions comme un simple Henri III et touche les
écrouelles avec délices, Loret ne dit point si c'est avec effi-
cacité. Anne d'Autriche se retire à chaque instant dans
des couvents, surtout au Val-de-Grâce. Le peuple se rue
aux cérémonies, remplit les églises. Les prédicateurs les
plus obscurs deviennent des saints ; Loret les admire et
conserve leurs noms à la postérité, qui se hâte de les oublier. L'Église domine les parlements, les universités, les
collèges ; les élèves récitent des tragédies latines sur des
héros pieux, plus ou moins authentiques, des martyrs, des
confesseurs. Nous avons noté, comme curiosité, une
Athalia ; Racine l'a-t-il connue ?

Loret croit bonnement aux miracles de sainte Soulange,
patronne du Berry, passe encore ; mais à ceux de François
de Sales, l'apôtre des petits oiseaux ! Il ne tarit pas en
détails laudatifs sur je ne sais quel pape Alexandre « dont
les vertus n'ont pas d'égales ». Il n'est pas ultramontain
cependant, et il n'est qu'à moitié infaillibiliste :

> Le sept de janvier, le Saint-Père,
> Ayant contre la mort sévère
> Quinze ou seize jours combattu
> Par la précieuse vertu

Des essences rectifiées
Et des liqueurs perlifiées,
Ressentit son dernier effort,
Et maintenant est aussi mort
Qu'un simple homme le saurait être,
Quoiqu'il fût pontife et grand prêtre.
On doit croire pieusement
Que son âme est au firmament,
Puisque, par un pouvoir suprème,
Il en avait les clés lui-même.
Enfin, en quelque lieu qu'il soit,
Présentement il s'aperçoit
S'il disait bien ses patenôtres,
S'il vivait comme les apôtres,
Si son zèle pour l'Espagnol
Plaisait à saint Pierre et saint Paul,
S'il était rigoureux ou pie,
S'il croyait trop Dame Olympie,
Bref, s'il était saint père ou non,
Aussi bien d'effet que de nom.
Quand le ciel un pape autorise
En lui commettant son Église,
C'est à lui de donner la loi
Touchant l'universelle foi.
Sur ce cas en vain on conteste,
Car, par une faveur céleste,
C'est une sainte vérité
Qu'il a l'infaillibilité.
Mais pour les affaires mondaines,
Pour les difficultés humaines...
Et pour son temporel de Rome,
Il peut faillir comme un autre homme.

Le propre des virus qui ne menacent pas un corps d'une désorganisation immédiate, c'est d'entrer dans le sang, dans le tissu vital, de se faire partie intégrante de l'organisme. Il en a été ainsi du christianisme en France. Mal chronique, il n'était pas senti ; bien plus, il était regardé comme un élément de la vie et de l'esprit, une con-

dition naturelle du développement national. L'influence
délétère cachait à tous les yeux son sourd travail.

Un autre fléau du monde, mais celui-là si ancien et si
tenace que l'habitude en atténuait l'horreur, la guerre,
désolait nos frontières du Nord, de l'Est et du Midi. Elle
couvrait l'Allemagne, la Pologne, de sang et de ruines ;
elle régnait sur les États barbaresques, sur la Turquie
d'Asie, et aussi loin que le regard pouvait s'étendre vers
la Perse et la Chine. Nous avons déjà indiqué ce caractère
de l'ordre ancien : le désordre universel. Loret tire bon
parti des nouvelles qu'il récolte çà et là, et bien qu'il renvoie souvent le lecteur à Renaudot, il conte non pas avec
le talent, mais avec la prolixité de Froissart, les épisodes
guerriers qui ne manquent à aucun jour de la semaine.

Naturellement, ce qu'il suit avec le plus d'attention et
on peut dire de naïf chauvinisme, ce sont les opérations de
nos armées en Flandre, en Catalogne, dans le Milanais,
dans les Deux-Siciles, à Candie même, où nous secourûmes
en vain les Vénitiens. Il faut lire les mémoires du temps,
ceux de Navailles entre autres, pour se faire une idée de
ces misérables guerres, où chaque colonel était une sorte
de chef de bande, chargé d'entretenir ses besogneux soudards, à ses frais et à ceux de l'habitant, où de petites
troupes de cinq cents, de mille, de douze mille hommes
au plus, se guettaient, se harcelaient des mois avant d'en
venir aux mains, et terminaient la campagne par une petite
tuerie qui ne les empêchait pas de recommencer l'année
suivante. Braves soldats assurément, habiles généraux,
mais tous peu soucieux du bien d'autrui ou de l'intérêt public, attachés à la guerre et à la maraude comme à une
profession, ils ne rapportaient dans la vie civile qu'un médiocre sentiment de la justice et que peu d'aptitude à un
travail utile. Elle date de loin cette tradition, encore vivante dans les bas-fonds, qui fait du sabreur une sorte

d'exploiteur et de sauveur privilégié, irresponsable ! Au moins, dans cette dernière période de la guerre de Trente ans, la France possédait-elle des généraux victorieux, des Schomberg, des Castelnau, des La Ferté, des Grammont, des Turenne ! Loret ne cesse d'exalter leur vaillance et leur génie militaire.

Turenne, comme de juste, « le suprême et grand capitaine », a la plus grande part de son admiration. Près de lui, le maréchal de La Ferté prend une importance que l'histoire semble avoir trop méconnue ; c'était évidemment un habile et tenace chef de corps ; plus d'une fois sa valeur et ses manœuvres assurèrent à la France la possession de quelque bonne ville de Flandre occupée par les Espagnols. La guerre de sièges, si fréquente et si fructueuse sous le règne de Louis XIV, était commencée, et avec elle ces pompeuses promenades à la frontière, où le roi venait, aux yeux de la cour, recevoir des clefs sur des plats d'argent. Il y a là pour Loret d'innombrables sujets de descriptions ; on lui en pardonne la longueur quand on songe que ces conquêtes en Flandre, en Franche-Comté, en Alsace, étaient une œuvre nationale et juste. Terres franques et partant françaises, ces provinces n'avaient été séparées du sol gaulois que par le déplorable morcellement féodal et par la manie *apanageuse* des premiers Valois. Qu'importaient au droit de la race, à la vérité géographique, les factices suzerainetés allemandes ou les usurpations bourguignonnes et espagnoles? Jamais faits d'armes ne méritèrent mieux la reconnaissance publique que la prise ou la reprise du Quesnoy, d'Arras, de Lille, de Dunkerque et, plus tard, de Dôle ou de Strasbourg.

Les hostilités perpétuelles qui dévastaient le Milanais, et les chimériques entreprises du duc de Guise contre le royaume de Naples, excitent seulement un intérêt de curiosité. Loret leur consacre nombre de pages qu'on étu-

19

diera de plus près quand un index général permettra de les
assembler. Les lettres où il résume, à la fin de chaque
année, la situation du monde connu sont assurément parmi
les plus agréables et les plus utiles.

> Aux derniers jours de l'an, sa plume,
> Par une ordinaire coutume,
> Fait un tableau, soit bien, soit mal,
> Des affaires en général.

En 1656, par exemple, il passe en revue l'Angleterre,
où le « grand protecteur » est plus solide que jamais ; la
Flandre, qui « est en piteux état » ; la Hollande, qui se
trouve par hasard en paix et « ne se grouille pas » ; les
princes germaniques, toujours « en différends et piques » ;
l'empire, qui cherche à rompre la paix de Munster ; la
Pologne et son pauvre roi Casimir réduit aux abois par
Suède et Brandebourg ; le Danemark prêt à sortir de sa
neutralité, la Moscovie en armes, la Turquie harcelée par
Venise, etc. Pour cette fois, il ne sort point d'Europe et
s'en excuse d'assez bonne grâce :

> Mon correspondant du Japon,
> Je crois que c'est un franc fripon
> Et qu'il s'amuse à la moutarde
> (Il mérite qu'on le nazarde),
> Déjà six mois sont révolus
> Que le galant ne m'écrit plus.
> Ainsi, je n'ai nulle copie
> Des nouvelles d'Ethiopie,
> Des Chinois, hommes si camus,
> Ni de Mexico, ni d'Ormuz,
> Qui sont au milieu des cinq zones,
> Ni du pays des amazones,
> Ni caps blancs, ni jaunes, ni verts,
> Ni des arabiques déserts.
> D'où nous vient la bonne momie ;
> Ni de la Mésopotamie.

Nous achèverons ici notre course, un peu désordonnée,
à travers cette forêt touffue de vers faciles et d'évènements
de toute sorte et de toute valeur recueillis au jour le jour.
Quant à l'impression générale que nous en avons tirée,
elle est suffisamment développée au début de cette étude ;
et notre conclusion ressort de notre préambule. Le dix-
septième siècle et, en particulier, le règne de Louis XIV,
n'est pas cette époque idéale, cet apogée auquel nous ra-
mènent sans cesse les rêveries réactionnaires ; c'est un
temps de trouble suivi d'un affaissement qui n'est même
pas compensé par la sécurité, où la courtisanerie sévit sur
la noblesse, la servilité sur la nation, où la force appartient à un seul et la direction morale au clergé. Plus on
étudie un tel régime, moins on le regrette.

XVIII.

LA TACHE DE SANG DU GRAND SIÈCLE [1].

Ç'a été pour le christianisme une bien grande chance d'avoir été persécuté durant trois siècles. Sans les rigueurs attribuées à Néron, à Marc-Aurèle, à Décius et à Dioclétien, ses propres fureurs, et les atrocités commises en son nom contre le paganisme, contre l'art et la civilisation, manqueraient absolument de raison et de contre-poids. Et cependant, c'est déjà un spectacle étrange et plein de contradictions que les représailles et les vengeances d'une religion de paix qui compte au nombre de ses préceptes les plus vantés le pardon des injures. Que faisaient-ils donc du *Sermon sur la montagne*, ces chrétiens persécuteurs des quatrième et cinquième siècles? Ils ne se souciaient guère de tendre l'autre joue. Il est vrai que l'Evangile même leur fournissait assez de quoi se justifier : Jésus n'a-t-il pas dit : « Je ne suis pas venu apporter la paix, mais le glaive, mais la guerre intestine entre le père et le fils, entre la fille et la mère. »

Que si l'on porte à leur compte tout le sang qu'ils ont versé dans leurs folles querelles de sectes, leurs proscriptions des ariens et des iconoclastes, par exemple, ou la conversion des Saxons par le glaive de Charlemagne, ou encore le massacre des Albigeois, les guerres de la Ligue, la Saint-Barthélemy, les dragonnades, et ces millions d'hommes, de femmes, d'enfants qui ont péri pour des

---

(1) *Histoire des Camisards*, par Eugène Bonnemère, in-18, Décembre-Alonnier.

futilités théologiques, les orthodoxes répondront par ce
verset fameux écrit sous la dictée de l'Esprit-Saint : Si ton
œil te scandalise, arrache-le ! Fort bien. Mais qu'ils cessent, au moins, de larmoyer sur leurs martyrs ! Non per-
sécutés, ils n'en auraient pas moins été persécuteurs. Le
fanatisme est chez eux un vice constitutionnel. L'essence
du christianisme, c'est l'intolérance.

Des martyrs ! Ils en ont fait plus qu'ils n'en ont eu jamais. Ils ont comploté et accompli plus d'horreurs qu'ils
n'en ont jamais subi. N'ont-ils pas, quinze siècles durant,
torturé les corps et les intelligences, traqué la science et
la raison, déshonoré le bras séculier des monarchies par
une indéniable complicité ? O vous, qui vous attendrissez
encore sur une sainte Pudentienne, une sainte Agnès ou
une sainte Barbe légendaire, lisez les *Camisards* de M. Eugène Bonnemère ; lisez, et vous oublierez les tigres du
Colisée, les Eudores et les Cymodocées romantiques ;
lisez, et vous en saurez plus demain sur le véritable *génie
du christianisme* que n'en a jamais su le vicomte de Cha-
teaubriand !

En général, on ne se fait pas une juste idée de la révocation de l'édit de Nantes. On a appris et l'on répète qu'en
1685, Louis XIV, cédant à la passion cléricale, a déchiré
les faibles garanties données par Henri IV à la religion
réformée ; que ses mesures vexatoires ont amené un soulèvement dans les Cévennes, une sorte de Vendée des montagnes, et que trois maréchaux, Montrevel, Villars, Berwick, n'ont pas vaincu sans peine des illuminés comme
Jean Cavalier, Roland et Ravanel. Mais ce qu'on ne connaît pas assez, ce sont les circonstances atroces, les perfidies sans nom, les férocités ineptes qui ont précédé et
suivi la fatale révocation ; ce sont les sollicitations des évêques fanatiques demandant « au nom de Dieu » la destruction des temples ; ce sont les ordres sanguinaires de

Louvois, les joies indécentes de la veuve Scarron, indigne
descendante de d'Aubigné, les raffinements barbares de
Torquemada-Bàville, les dragons massacrant des foules
sans armes, fouaillant les enfants et les femmes jusqu'à
la mort ou à l'abjuration ; enfin tout ce qui justifie la terrible insurrection des Camisards.

Vers 1682, une fistule à l'anus et Mme de Maintenon ramenèrent Louis XIV à Dieu, qu'il avait jusqu'alors aimé
fort platoniquement. Ce décuple adultère pensa qu'il était
bien temps de faire quelque chose pour Celui dont il était
l'image sur la terre. Par quelle œuvre pie le nouveau
David pouvait-il bien racheter ses amours sans nombre,
ses dépenses monstrueuses? Par un sacrifice, n'est-ce
pas ? Et quelles victimes servir à Moloch, à Gargantua, à
Belenus et autres noms du Très-Haut? Evidemment les
plus précieuses : des victimes humaines.

Dès 1650, le clergé ne cessait de demander la révocation
de l'édit de Nantes, et dans toutes ses assemblées quin-
quennales il anathématisait régulièrement « cette malheureuse liberté de conscience, qui détruit la véritable liberté
des enfants de Dieu ». Et peu à peu, il enlevait aux huguenots « leurs chaires de pestilence et leurs synagogues de
Satan ». Les parlements, les intendants lancent à l'envi des
arrêts vexatoires ; on emploie contre la R. P. R. (Religion
Prétendue Réformée) toutes les armes de la déloyauté,
de la corruption et de la plus mesquine bassesse. En
1662, les enterrements sont interdits aux protestants, du
lever au coucher du soleil. En 1663, les renégats sont dé-
chargés de leurs dettes envers leurs anciens coreligion-
naires. En 1665, les derniers moments des réformés sont
livrés aux obsessions des prêtres et des magistrats. En
1670, défense est faite aux maîtres d'école d'enseigner
aux jeunes huguenots autre chose que la lecture, l'écriture et l'arithmétique. « Après un arrêt qui interdit d'ap-

peler des sages-femmes protestantes auprès des femmes
en couches, il en vient un autre, du parlement de Rouen,
22 avril 1681, qui permet aux sages-femmes d'ondoyer
les enfants des religionnaires, « formalité qui suffisait pour
qu'un enfant fût ravi à ses parents. » Une déclaration de
1665 autorisait déjà les filles de douze ans et les garçons
de quatorze à quitter leurs parents pour entrer dans des
couvents où *ils ne pouvaient plus être forcés de les voir
jusqu'à leur abjuration.* » Plus tard, c'est à sept ans que
les enfants furent autorisés à se convertir.

Défense d'émigrer sous peine de mort ou des galères,
restrictions de plus en plus rigoureuses imposées au culte,
démolition de temples par centaines, nullité des mariages
mixtes, interdiction de la tutelle, de toute charge minis-
térielle, de toute profession libérale, confiscations, encou-
ragements à la délation, conversions à cinq livres l'une,
logement de gens de guerre, rien ne fut épargné à la population protestante de la France, c'est-à-dire à la partie la
plus instruite, la plus industrieuse et la plus riche de la
nation. Que dire d'un roi qui a besoin d'argent et qui
ruine ses sujets? tout cela pour faire plaisir à Dieu. Comment concevoir qu'il y eut un temps où l'on n'envoyait
pas aux Petites-Maisons l'auteur de la lettre qu'on va lire :

« Monsieur, je vous demande la démolition du temple
de la Bastie de Crussol, *de la part de Dieu, pour l'intérêt
de la justice...* Mon diocèse, ayant été sans doute le plus
criminel, se trouve le moins puni, n'ayant vu que la destruction de deux temples dans l'espace de douze lieues, au
lieu que celui de Viviers en a vu tomber sept en trois
lieues de pays. Serait-il possible, monsieur, que ces raisons ne vous paraissent pas bonnes, et que vous puissiez
me refuser ce dixième temple qui dépend uniquement de
votre volonté? »

Le puissant logicien qui a rédigé cette infamie s'appe-

lait Daniel de Cosnac, évêque de Valence ; et le destina-
taire de la lettre était un Noailles, gouverneur militaire de
la province. Clercs et laïques luttaient de violences et de
perfidies. Le doux Fléchier réclamait ses dragons à cor et
à cri. L'intendant Foucauld, Noailles, surtout le roi, Louvois et Bàville lançaient partout leurs ordres sanguinaires,
et faisaient fusiller, rouer, pendre, brûler, estropier les
malheureuses victimes de l'intolérance catholique. Le
pape, bien que blessé par les déclarations de 1682 (prétendues libertés gallicanes), célébrait par un *Te Deum*
l'édit de 1685. Les dames elles-mêmes étaient sans pitié.
La superficielle et mondaine Sévigné écrivait à sa fille ou
à ses amies : « Vous avez vu sans doute l'édit par lequel le
roi révoque celui de Nantes. *Rien n'est si beau* que tout ce
qu'il contient, et jamais aucun roi n'a fait ni ne fera rien
de plus mémorable. » Voici maintenant du style Maintenon :

« Je crois bien que toutes ces conversions ne sont pas
sincères, mais Dieu se sert de toutes voies pour ramener
à lui les hérétiques. Leurs enfants seront au moins catholiques, si les pères sont hypocrites. *Leur réunion extérieure* les approche du moins de la vérité. Ils ont les signes
communs avec les fidèles. Priez Dieu qu'il les éclaire tous.
Le roi n'a rien tant à cœur. » L'implacable bigote voyait
l'opération sous tous ses aspects ; en femme d'affaires
avisée, elle écrit à son frère, en 1681 : « Je vous prie, em-
ployez utilement l'argent que vous allez avoir (un-pot-de
vin de 800 000 francs). Les terres en Poitou se donnent
pour rien ; la désolation des huguenots en fera encore
vendre. Vous pouvez aisément vous établir grandement
en Poitou. »

Parmi les dépêches du pouvoir, nous en choisissons une
au hasard, qui montrera que le système des dragonnades
était employé aussi bien au nord qu'au midi :

« Le roi a été informé de l'opiniàtreté des gens de la
R. P. R. de la ville de Dieppe, pour la soumission des-
quels il n'y a pas de plus sûr moyen que d'y faire venir
beaucoup de cavalerie et de la faire vivre chez eux *fort
licencieusement*. Comme ces gens-là sont les seuls dans
tout le royaume qui se sont distingués à ne pas vouloir se
soumettre à ce que le roi désire d'eux, vous ne devez
garder à leur égard aucune des mesures qui vous ont été
prescrites, et vous ne sauriez rendre trop rude et trop
onéreuse la subsistance des troupes chez eux : c'est-à-dire
que vous devez augmenter le logement, autant que vous
croirez le pouvoir faire, sans décharger de logement les
religionnaires de Rouen, et qu'au lieu de vingt sous par
place et de la nourriture, *vous pouvez en laisser tirer dix
fois autant* et permettre aux cavaliers le désordre nécessaire pour tirer ces gens-là de l'état où ils sont... »

Louis XIV, qui avait envoyé Catinat détruire les Barbets,
dans le pays de Vaud, regrettait qu'un de ses généraux
n'eût pas fait brûler « tous les villages » de la vallée de
Lucerne. Apprenant que la peste avait emporté huit mille
hérétiques, prisonniers de Victor-Amédée, il écrit à notre
chargé d'affaires : « Je vois que les maladies délivrent le
duc de Savoie d'une partie de l'embarras que lui causait
la garde des révoltés, et je ne doute point qu'il ne se con-
sole facilement de la perte de semblables sujets, qui font
place à de meilleurs et à de plus fidèles. »

Quels actes répondaient à de telles paroles? Des massacres sans nom et des spoliations indignes. Tous les protestants qui ne pouvaient quitter la France étaient tués,
ou condamnés aux galères à perpétuité, *tel était le plaisir
du roi*. Ni le sexe, ni l'àge, ni la mort, ne pouvaient
sauver ces infortunés; on déterrait les cadavres pour leur
faire leur procès. Les femmes et les filles étaient conduites à l'hôpital, ou livrées, dans des couvents éloignés,

à la barbarie raffinée des pieuses épouses de Jésus. Voici comment s'y prenait, pour convertir les dames, un agent de Cosnac, La Rapine, gardien de l'hôpital de Valence :

« Il les sépare et les met en différents cachots remplis de boue et d'ordures. Il leur ôte leurs habits et leur linge, et leur envoie querir à l'hôpital des chemises qui ont été plusieurs semaines, et quelquefois plusieurs mois, sur des corps couverts de gale, d'ulcères et de charbon, pleines de pus, de rache et de poux. Ce fut de cette manière que l'on habilla Mlle Ducros. Plusieurs fois le jour, La Rapine leur rendait visite avec des estafiers, par lesquels il les faisait dépouiller et leur faisait donner des coups de nerfs de bœuf, et lui-même donnait cent coups de canne par tout le corps, et même sur le visage, de sorte qu'elles n'avaient plus figure humaine. Outre cela, il les faisait plonger plusieurs fois par jour dans un bourbier profond, détrempé par une eau puante ; il ne les tirait de là que quand elles avaient perdu la connaissance et le sentiment. Elles ont enfin succombé sous ces tourments. Après quoi on les a transportées dans un couvent. »

Le grand Arnauld (?) appelait cela « des voies un peu violentes », mais sans les croire *injustes*.

Venons aux dragons, dont Mme de Sévigné a vanté l'efficace mission : « Les dragons, dit-elle, ont été de fort bons missionnaires jusqu'ici, » et voyons s'ils égalaient les infirmiers et les geôles monastiques. Partout, selon M. Bonnemère, « les dragons font merveilles ».

Rien ne vaut les citations.

« Les habitants de Saint-Fortunat avaient caché dans un précipice, derrière les rochers de Martessac, les femmes, les enfants et les vieillards ; quand ils vinrent les chercher, après le départ des dragons, ils trouvèrent toutes les femmes dépouillées, et la plupart dans un état horrible. Un père vit le cadavre de sa fille, que les dragons avaient percée de six balles. Un fils retrouva son vieux père sans bras, les dragons les lui avaient coupés à coups de sabre ; un mari, demandant ses enfants et sa femme, qu'il avait laissée dans les douleurs de l'enfantement, ne revit qu'un cadavre défiguré, auprès duquel pleuraient deux pauvres petits innocents mutilés ; à l'un, le sabre avait emporté la moitié du visage, à l'autre, la main. »

Cet épisode est emprunté aux *Mémoires de la famille de Portal*, qui fut presque tout entière massacrée.

« Les soldats, dit M. Bonnemère d'après les récits du temps, pendaient les hommes et les femmes par les pieds, les cheveux, les aisselles, par les parties les plus molles et les plus sensibles du corps, soit au plancher, soit même aux crochets de la cheminée, dans laquelle ils allumaient du foin mouillé pour les asphyxier à moitié. Ils les jetaient un instant sur les charbons et les retiraient à demi brûlés, leur arrachaient les dents, les ongles, les épilaient, les flambaient nus, avec un bouchon de paille enflammée. Ils leur lardaient le corps, les seins, avec des épingles, les enflaient avec des soufflets jusqu'à les faire crever. Quelquefois, ils bernaient ces malheureux jusqu'à ce qu'ils fussent sans connaissance. Ils les gorgeaient, un entonnoir entre les dents, de vin et d'eau-de-vie. On pense bien que ces missionnaires bottés n'épargnaient pas les femmes. Ils attachaient les époux et les pères aux quenouilles du lit sur lequel ils violaient les épouses et les filles. Partout où pénétraient ces dragons d'enfer, on voyait se reproduire les diverses scènes de martyre dont le vénérable pasteur d'Orange, Pineton de Chambrion, a tracé le douloureux tableau : « La femme criait au secours pour délivrer son mari qu'on rouait de coups, que l'on pendait à la cheminée, qu'on attachait au pied du lit, qu'on menaçait de tuer, le poignard à la main. Le mari implorait assistance pour sa femme qu'on avait fait avorter par des menaces et

par mille mauvais traitements. Les enfants criaient : Miséricorde ! on assassine mon père ! on viole ma mère ! on
met à la broche un de mes frères !... J'arrête ici ma plume,
elle me tombe des mains, et ce triste souvenir me fait
verser tant de larmes, que je ne pourrai plus poursuivre
pour décrire les horreurs de ces tristes journées. »

Cette administration catholique et paternelle s'étendait
à la Provence et au Languedoc, qu'elle dépeupla et désola.
Il est vrai qu'elle fournit à l'armée des bombances mêlées
de fusillades sans danger, au bourreau des milliers de
sujets livrés aux tortures les plus ingénieuses, aux galères
dix mille rameurs instruits et bien élevés, enfin au roi-
soleil la gloire d'égaler Philippe II, de sinistre mémoire.

« Il est impossible d'évaluer les pertes que fit la France,
à une époque où les sciences de l'économie politique et de
la statistique n'existaient pas. L'Angleterre, la Suisse, la
Hollande, la Prusse, l'Allemagne tout entière, l'Amérique
même, le Canada recueillirent cinquante mille familles
françaises, prises parmi les plus riches, nobles, marchands, industriels qui, indépendamment de la portion de
leur fortune qu'ils parvinrent à réaliser, leur portèrent,
trésor bien plus inappréciable, le secret de nos arts, de
notre supériorité industrielle. Déjà, en 1688, au dire de
Vauban, neuf mille matelots, les meilleurs du royaume,
six cents officiers et douze mille soldats avaient déserté
la France. Un faubourg tout entier de Londres se peupla
de nos ouvriers en cristaux et en acier, de nos habiles tis-
seurs en soie de Lyon, ainsi que de Tours. Cette dernière
ville disputait alors à la capitale des Lyonnais le sceptre
de l'industrie de la soie. Plus de trois mille familles furent
contraintes d'émigrer, et de quatre-vingt mille âmes, la
population, d'après le témoignage de l'intendant Hue de
Miromesnil, y tomba à trente-trois mille. »

Nous avons beaucoup cité, moins que nous aurions

voulu, assez du moins pour lever le voile sous lequel les
admirateurs du prétendu grand roi et du prétendu grand
siècle se plaisent à dissimuler les persécutions honteuses,
abominables, dignes de cannibales en délire, qui dévas-
tèrent durant vingt ou trente ans les plus belles régions
de la France.

Quoi d'étonnant si l'épouvante arma ces infortunés, si
une contagion d'extase nerveuse, protestation de la nature
foulée aux pieds, suscita partout des prophètes, des géné-
reux illuminés qui se ruèrent aux représailles ? Ce fut une
lutte terrible, massacre pour massacre, incendie pour
incendie, œil pour œil, une terreur digne des temps bibliques. Des armées furent lancées sur ce pays désolé,
le piétinèrent vingt ans, l'anéantirent. Et pendant ce
temps-là, les évêques faisaient des sermons sur la charité,
sur la miséricorde divine, sur l'amour du prochain. Et le
vieux despote bigot caressait son épouse morganatique et
légitimait noblement ses bâtards. Une stupeur vous prend
quand on pense que la France martyrisée, rendant le bien
pour le mal, a été sur le point d'oublier ces ignominies ;
que la bénigne postérité a égalé Louis XIV à Périclès ou à . .
Marc-Aurèle.

Comment certains historiens, donnant le change à l'opinion, ont-ils pu comparer à la criminelle Vendée la sainte
et légitime révolte des Cévenols, la guerre des Camisards ?
Cavalier, Roland, Ravanel vengèrent héroïquement leurs
proches et leurs frères assassinés, dépouillés, bannis.
Trois maréchaux de France, Montrevel, Villars, Berwick,
secondés par l'ignoble bourreau Bâville, un Lamoignon
pourtant ! ne vinrent à bout qu'avec peine de cette poignée
de braves. « C'était le temps où la longue tyrannie du
grand roi portait ses fruits et commençait à déchaîner sur
la France cette série de malheurs qui allait la plonger
dans un abîme du fond duquel il devait s'écrier dans son

orgueil : « Est-ce que Dieu a oublié ce que j'ai fait pour lui ! » Nous du moins, n'oublions pas ce qu'il a fait pour Dieu contre les hommes ; n'oublions pas que c'est le catholicisme qui avait faussé sa raison ; que des prêtres, des femmes, l'Eglise entière, se sont réjouis de cette épouvantable hécatombe,

Tantum relligio potuit suadere malorum !

XIX.

LES ORIGINES DE LA FRANCE CONTEMPORAINE[1].

Depuis longtemps on annonçait un grand ouvrage de M. Taine sur la Révolution française. Pour notre part, nous ne l'attendions pas sans inquiétude, non certes pour la cause de la liberté et de la démocratie, mais pour l'éminent écrivain dont nous avions jusqu'ici apprécié, souvent admiré, le mâle et consciencieux talent. Diverses publications plus ou moins opportunes et le bruit public nous faisaient trembler que l'esprit de M. Taine, séduit par un faux atticisme, ne versât dans l'ornière des récriminations chagrines et stériles. Sans nous rassurer pleinement sur sa conclusion, son premier volume est venu diminuer nos craintes. L'auteur n'est point, quoi qu'il fasse, exempt de théories préconçues ; on n'échappe jamais à son tempérament naturel ou acquis ; on ne secoue pas aisément vingt ans d'une indifférence politique mêlée de compromissions avec le second empire. Nous aurons à discuter, souvent à combattre certaines opinions générales ou particulières de M. Taine. Mais du moins sa méthode, et c'est le grand point, ne laisse prise à aucune objection ; dès qu'il n'admet pour guide que l'expérience, l'observation rigoureuse des faits, nous pouvons le suivre avec confiance dans sa marche laborieuse. Il a fouillé les archives et les bibliothèques, scruté les correspondances et les mémoires ; il a tenu à ne composer son tableau que d'éléments réels

(1) Tome Ier, *l'Ancien régime*, in-8º. Hachette.

et authentiques. Là est la force et la solidité de son œuvre ;
si, par chance, elle conclut contre lui, elle n'en aura que
plus d'autorité.

La préface est curieuse, en ce qu'elle révèle à la fois et
les idées préconçues que nous signalions, et l'amour de la
vérité scientifique.

« Ancien régime, révolution, régime nouveau, dit
M. Taine, je vais tâcher de décrire ces trois états avec
exactitude. J'ose déclarer ici que je n'ai point d'autre but :
on permettra à un historien d'agir en naturaliste ; j'étais
devant mon sujet comme devant la métamorphose d'un
insecte. D'ailleurs, l'évènement par lui-même est si intéressant, qu'il vaut la peine d'être observé pour lui seul, et
l'on n'a pas besoin d'effort pour exclure les arrière-
pensées. »

Et pourtant les arrière-pensées ne manquent pas dans
cet autre passage : « Malheur au peuple dont l'évolution
trop violente et trop brusque a mal équilibré l'économie
intérieure, et qui, par l'exagération de son appareil directeur, par l'altération de ses organes profonds, par l'ap-
pauvrissement graduel de sa substance vivante, est condamné aux coups de tête, à la débilité, à l'impuissance,
au milieu de voisins mieux proportionnés et plus sains ! »
Voilà de ces conclusions anticipées, contraires à la méthode même de l'auteur. Que nous dit-il, en effet ? Il a
entrepris ses études sur l'ancien régime pour se faire une
opinion politique ; il n'en a donc point, et n'en doit pas
exprimer avant d'avoir classé la masse de faits qui va la
lui fournir ; d'autant que lui-même ne comprend pas
« qu'en politique on puisse se décider d'après ses préfé-
« rences ».

Son ardeur de politicien néophyte l'entraîne d'ailleurs
en de certaines illusions ; il semble croire que « les gens
convaincus », royalistes, républicains, démocrates ou con-

servateurs, etc., qu'il enviait en 1849, s'étaient décidés
sans motifs, et tout à fait en l'air ; qu'autour de lui et
avant lui nul ne consultait l'histoire, n'étudiait les faits.
C'est une erreur. La plupart, tout en subissant l'empire
inévitable de leur tempérament, de leur milieu, de leur
intérêt, fondaient « leurs préférences » sur des séries de
faits plus ou moins justement interprétées. Mais, comme
il dit très bien : « D'avance, la nature et l'histoire ont
choisi pour nous... La forme sociale et politique dans laquelle un peuple peut entrer et *rester* n'est pas livrée à son
arbitraire, mais déterminée par son caractère et par son
passé. Il faut que, jusque dans ses moindres traits, elle
se moule sur les traits vivants auxquels on l'applique ;
sinon elle crèvera et tombera en morceaux. » Ce qui est
arrivé mille fois. « On doit donc renverser les méthodes
ordinaires (?) et se figurer la nation avant de rédiger la
constitution. »

Encore ces énonciations si méditées et d'apparence si
nette suggèrent-elles quelques réserves. La « nature » et
l' « histoire » sont des termes qui ont besoin d'être définis.
L'une est l'ensemble des fatalités extérieures et préexis-
tantes que l'humanité subit en général, et souvent réforme
en détail. L'autre, sans doute, en procède, mais avec cette
notable différence que l'action de l'individu conscient, du
groupe, de la nation, y joue un rôle prépondérant. La nature
est faite ; l'histoire se fait, et c'est l'homme qui la fait. La
nature est presque invariable ; l'histoire varie incessamment. Les lois historiques participent de cette mobilité. Au reste, on se fait d'ordinaire une fausse idée de ce
qu'est une loi. Une loi est une formule commode, où l'abstraction enferme les rapports constants et connus d'un
ordre de phénomènes. La loi ne régit pas les faits ; elle les
constate, elle s'en dégage ; elle n'a de valeur que si elle
s'accorde avec eux. Hors d'eux, elle n'a aucune existence.

Ce n'est pas une entité qui plane et qui s'impose. C'est un procédé de notre esprit. Lors donc que M. Taine écrit : « C'est à nous de nous accommoder à la nature et à l'histoire, car il est sûr qu'elles ne s'accommoderont pas à nous ; » il s'abuse en partie. L'histoire s'accommodera toujours « à nous » ; résultante de nos actes, que ces actes soient *libres*, ou, comme nous le pensons, *déterminés* les uns par les autres, elle marche nécessairement de notre pas. Ce n'est qu'à distance, et quand sont accomplis les actes, les faits auxquels elle est indissolublement liée, qu'on en peut tracer le cours ; mais on peut être assuré que ce cours se continue indéfiniment, selon la pente que lui créent nos actions, nos velléités, nos simples « préférences », qui ne sont point si vaines ; car ce sont des éléments actifs de l'histoire, et, par conséquent aussi, des lois historiques. Assurément la forme sociale est déterminée par le caractère et le passé des peuples ; mais ce caractère change par l'hérédité et les mélanges, par l'éducation, l'industrie ; mais ce passé se prolonge jusqu'à nous ; le passé, c'était hier, c'est aujourd'hui même, et la minute où ces lignes sont tracées. Le présent n'existe pas, et à chaque heure nous entrons dans l'avenir, faisant notre œuvre particulière et travaillant à l'histoire du monde. M. Taine a trop oublié, en principe, la part de l'homme dans sa destinée.

Les yeux fixés sur l'Angleterre, il déclare que nulle habitation politique n'est solide, si elle n'est construite « d'une façon particulière, autour d'un noyau primitif et massif, en s'appuyant sur quelque vieil édifice central, plusieurs fois raccommodé, mais toujours conservé, élargi par degrés, approprié par tâtonnements et rallonges aux besoins des habitants. Nulle, ajoute-t-il, n'a été bâtie d'un seul coup, sur un patron neuf, et d'après les seules mesures de la raison. » Encore une affirmation spécieuse.

Mais si le fameux « noyau massif » a croulé ? Si même la construction hybride et rapetassée est devenue inhabitable, impropre aux besoins accrus ou modifiés ? Le premier architecte venu vous dira qu'il faut démolir les ruines, déblayer le terrain et construire à neuf, fût-ce avec les vieux matériaux. Et pourquoi la raison, c'est-à-dire l'expérience acquise, ne dirigerait-elle pas la reconstruction totale et l'aménagement intérieur, si cette raison est celle des futurs habitants ? Que de pareilles entreprises ne puissent pas se recommencer tous les jours, que la sagesse conseille d'en éviter les frais et les dangers, qui le nie ? Mais si l'heure est venue, et cette heure a sonné bien des fois dans les siècles, restera-t-on dans les grottes du Périgord, au risque d'étouffer, ou sous la voûte menaçante dont la clef va manquer ?

A la fin du siècle dernier, en France, le vieil édifice féodo-clérico-monarchique était-il un abri possible ? Non seulement il était inhabitable, mais encore il se disloquait, il tombait de lui-même. C'est ce que M. Taine va se charger de démontrer sans réplique, en portant la lumière à tous les étages et dans le labyrinthe colossal de cette coûteuse masure qui écrasait tout un peuple. Voyons-en d'abord avec lui la structure générale :

« En 1789, trois sortes de personnes, les ecclésiastiques, les nobles et le roi, avaient dans l'Etat la place éminente avec tous les avantages qu'elle comporte, autorité, biens, honneurs, ou, tout au moins, privilèges, exemptions, grâces, pensions, préférences, et le reste. *Si depuis longtemps ils avaient cette place, c'est que pendant longtemps ils l'avaient méritée.* »

Dès les premières lignes, nous nous heurtons à l'un de ces préjugés, à l'une de ces erreurs partielles (mais considérables), dont l'auteur ne s'est pas assez défié. Sans doute, les privilégiés, s'étant chargés des services publics, de la

sécurité intérieure et extérieure, avaient par cela même
assumé la puissance ; sans doute, quand ils ont failli à la
tâche qu'ils s'étaient donnée, la puissance leur a été ravie.
Mais s'ensuit-il que leurs prérogatives fussent une récom-
pense ? Les récompenses se décernent. Les privilégiés
s'étaient adjugé les leurs, tout comme ils avaient pris, par
la force, la terre et le pouvoir. Ces services, qu'ils ont rendus, selon M. Taine, en protégeant jusqu'à un certain
point et à de dures conditions la vie, le travail et l'épargne
du travailleur, qui les leur avait demandés, ou plutôt qui
les leur eût demandés, s'ils n'avaient eu en main le glaive
du conquérant et les clefs de saint Pierre ? Les privilégiés, pris en masse, n'ont jamais songé qu'à eux-mêmes,
à leur propre intérêt. Qu'on ne parle donc pas ici de services et de récompenses, sous peine d'introduire la fiction
dans l'histoire.

Les bienfaits de l'Eglise, ceux de la féodalité, que
M. Taine a raison d'énumérer, mais qu'il cite avec trop
de complaisance, ne nous font point illusion. Si l'Eglise,
en effet, a quelquefois arrêté les barbares, adouci les
mœurs, elle a pactisé avec les conquérants et les exploiteurs ; elle est entrée pleinement dans le système féodal,
elle a livré les âmes à ceux qui possédaient les corps. Si
elle a ouvert ses refuges à beaucoup de déshérités, elle les
a refermés sur eux ; elle a employé ses recrues à étendre
son empire, ses richesses. Si parfois, après avoir ruiné
les sciences et les littératures, elle en a sauvé les débris,
c'est pour en fausser le sens et pour en arrêter l'expansion. Elle a fait la nuit sur le monde, autant qu'il était en
elle, afin de pêcher en eau trouble. C'est ainsi qu'elle a
mis la main sur « le tiers des terres, la moitié du revenu,
les deux tiers du capital de l'Europe ». Est-ce à la juste
reconnaissance des hommes qu'il faut attribuer sa puissance? Mais de quoi les hommes lui auraient-ils été

reconnaissants? Est-ce du sang versé à flots durant quinze
cents années? Est-ce du joug moral qui a hébété soixante
générations? l'Eglise « a fait des croisades, détrôné des
rois, distribué des Etats ». Mais elle a fait aussi des Saint-
Barthélemy, elle a massacré des juifs, des Albigeois, des
protestants, des Vaudois, et dévasté des provinces entières.
Non, non ; les peuples ne livrent pas leurs volontés et
leurs biens qu'à proportion des services, et « l'excès de
leur dévouement ne mesure pas l'immensité du bienfait » ;
il mesure aussi l'intensité de l'oppression.

Quant à la noblesse, issue de l'usurpation et de la violence, ses services ont été encore plus imposés que ceux
de l'Eglise. Ses bienfaits ont été reçus parce qu'ils ne
pouvaient être refusés. Et combien ils furent payés cher !
Du dixième au douzième siècle, dit M. Taine, dans un
pays où l'Etat est dissous, où les hommes sont livrés sans
défense aux usurpateurs des droits régaliens, « le sauveur
est l'homme qui sait se battre et défendre (?) les autres ».
Et quel sauveur? quelque comte carlovingien, quelque
évêque guerrier, un païen converti, « un bandit devenu
sédentaire, un aventurier qui a prospéré. » Voilà les gens
qui se sont avisés d'établir un ordre social. C'est pourquoi
cet ordre arbitraire n'a été qu'un chaos de petites ou grandes geôles, reliées par une sombre hiérarchie de lois
étranges, d'extorsions sans nom, une échelle de servitudes.
Que faire en ce réseau de tortures continues ou intermittentes? s'arranger pour y vivre tant bien que mal : en le rongeant
maille à maille, amasser des forces pour le rompre. Et
c'est ce qui eut lieu : la féodalité fut subie ; les peuples s'y
plièrent ; le duché, le comté devinrent de petites patries,
au-delà desquelles l'horizon était clos ; le serf, le tenancier,
le bourgeois acceptèrent, moyennant quelques tolérances
converties en contrats, en chartes, en coutumes, les avanies qui étaient infligées à leur dignité ; mais les jacque-

ries. les révoltes communales. les parlements, les guerres
civiles, non moins que les pestes, les disettes. les misères
sans nombre, ne cessèrent de protester contre un régime
aussi faux dans son principe que néfaste en ses applica-
tions.

M. Taine estime que le clergé et la noblesse ont posé
« les deux premières assises de la société moderne ».
Nous ne voyons dans ces prétendues assises que deux
monstrueuses superfétations, qui ont pesé jusqu'en 1789
sur la véritable France, celle qui pense. travaille et produit. Et notez bien que nous ne contestons aucun des faits
qu'il cite et qu'il aurait pu multiplier à l'infini. En les in-
terprétant, il a écouté ces « préférences » contre lesquelles
il s'élève en termes si forts. Pour nous, nous les jugeons
par ce qu'ils ont engendré, et l'histoire ne nous dément
pas ; n'ont-ils pas tous concouru à l'explosion finale ?

L'œuvre de la royauté, pour avoir été plus suivie que
l'œuvre de la féodalité, plus féconde que celle du clergé,
n'échappe pas davantage à la critique. La monarchie, issue
de la féodalité et consacrée par l'Eglise, les a combattues,
réfrénées, dans son intérêt bien entendu, qui se trouvait
concorder avec celui de la nation. C'est pourquoi la nation,
agrandie, fortifiée, unifiée, a justement placé en elle son
espérance et sa confiance. Mais la monarchie n'a pas su
se dégager de ses origines ; après avoir soumis le clergé et
la noblesse, les avoir dépouillés autant qu'elle a pu de toute
puissance effective, elle se les est associés pour exploiter
avec leur concours l'immense majorité de la population.
Non contente d'être leur héritière, elle est restée leur
complice, ajoutant seulement son privilège au leur, rivant
à son joug suprême les deux lourdes chaînes qu'elle pouvait rompre et qu'elle n'a fait qu'appesantir. Elle n'a pas
compris qu'elle attachait ainsi sa destinée à celle des deux
castes privilégiées, qu'elle devait crouler avec elles, d'une

la chute irrémédiable et commune. N'ayant eu, à l'heure critique, ni la volonté ni la force de s'appuyer sur la nation victorieuse et renaissante, elle s'est abattue brusquement avec ses étais vermoulus.

Aux environs de 1789, 140 000 nobles, 60 000 curés et vicaires, 23 000 religieux, 37 000 religieuses, en tout 270 000 personnes, campées au milieu de 24 millions d'âmes, possédaient encore des biens tout à fait hors de proportion avec leurs services, des immunités, des droits féodaux, dont M. Taine a dressé un tableau parfaitement exact et tout à fait saisissant. Au revenu d'un capital de 4 milliards (environ 10 d'aujourd'hui), le clergé joignait 123 millions annuels de dîmes, sans compter le casuel et les quêtes.

La noblesse ancienne et nouvelle n'était pas moins bien partagée. « On a calculé que les apanages des princes de la famille royale, » sous Louis XVI, « couvraient encore le septième du territoire. Le duc d'Orléans, à lui seul, avait 11 500 000 livres de rente (plus de 25 millions d'aujourd'hui). En renversant des rivaux, le roi a respecté des propriétaires. Dans le comte. l'abbé, l'évêque, « cent traits indiquent encore le souverain détruit ou amoindri, » les exemptions d'impôts, les droits honorifiques, les péages, les nominations de baillis, de notaires, sergents, gruyers, le retour des biens en déshérence, les prisons particulières, les fourches patibulaires, l'aubaine, l'épave, le poursoin, le sauvement, le guet et la garde, l'afforage, le fouage, le pulvérage, les lods et ventes, le rachat ou le relief, l'acapte, les banalités, et tous termes qui impliquent la propriété et la souveraineté originaires, et se traduisent en vexations innombrables. Au moins quinze cent mille mortaillables, mainmortables, bordeliers, portent encore au cou le collier féodal. Et tout cet ensemble « de privilèges et de sujétions, dont la cause et l'objet ont

disparu, » n'allège point le grand monopole central, le privilège monarchique.

« Dans cet état-major de nobles héréditaires, le roi est
le général héréditaire. En accaparant tous les pouvoirs, il
s'est chargé de toutes les fonctions, » et il les remplit
mal ; mais il se les fait payer. Il a 477 millions de rente
(plus d'un milliard assurément), et de plus, en principe,
la propriété absolue des terres et des hommes de France.
C'est à lui, non à l'Etat, que sont dus les impôts directs et
indirects ; et ces impôts sont si mal répartis, si iniquement
levés par les traitants et les fermiers, et les collecteurs responsables, qu'ils dévorent la presque totalité du revenu
net agricole et industriel. Il faut lire et méditer dans le
livre V, consacré au peuple, le récit des misères odieuses
infligées à vingt millions d'hommes, par la taille, la capitation, le vingtième, par les aides, les gabelles, compliquées encore de toutes les redevances ecclésiastiques et
féodales. N'oublions pas la chasse, qui crée une foule de
faux délits, engendre le braconnage, désole des centaines
de lieues carrées, où la multiplication du gros et du petit
gibier interdit toute culture. Qu'en résulte-t-il ? Des provinces entières sont en friche ; des bandes de fraudeurs,
faux-sauniers, contrebandiers, alliées aux brigands proprement dits, tiennent partout en échec les employés du
fisc, les rats-de-cave et les gabelous. Vigneron et misérable sont synonymes. Les cultivateurs ne se croient à l'abri
que s'ils passent pour ruinés et faméliques ; et à cela ils
n'ont pas de peine, car la ruine et la famine sont la réalité;
tous les ans, dans quelque province, dans vingt villes à la
fois, la maladie et l'indigence exercent leurs ravages. Les
grands, les princes, n'entendent autour d'eux que ce cri :
Du pain !

Que font cependant ces privilégiés ? En tant qu'individus,
ils sont souvent humains, compatissants, affligés de tous

ces maux. Mais quels remèdes, en tant que corps, y apportent-ils? Aucun. La machine est montée, et ils sentent bien qu'elle se disloque; mais ils voient qu'on ne peut la réparer; et comme Louis XV, ils répètent: Après nous la fin du monde. C'est un véritable suicide. Le tout est de finir avec grâce, dans une tenue galante, digne de la première cour du monde. Ils excellent à faire valoir un mollet agréable, à débiter d'aimables riens, à secouer le grain de tabac égaré dans un jabot. Tout sérieux est banni de leur vie. La famille, le mariage ne sont chez eux que des apparences. Le bon ton interdit la passion; l'amour légitime est ridicule. Ce sont eux, hélas! qui le sont, et dans leur naturel guindé, dans leur costume chatoyant, dans leur air de danseurs et de coiffeurs coquets. Triste race déchue, inféconde en hommes d'Etat, en chefs de guerre, dépourvue des qualités viriles, et qui a jeté sur le caractère et l'esprit français une défaveur injurieuse et imméritée. Non que la noblesse du dix-huitième siècle ait manqué, je ne dis pas d'esprit, certes, mais même de savoir, de hardiesse intellectuelle. Elle lisait Montesquieu, Voltaire, Rousseau, Diderot, causait avec eux, adoptait leurs doctrines, les propageait, sans en comprendre la portée. Le sérieux lui manquait.

Rien de mieux présenté que le majestueux et ridicule microcosme de la cour, de tout ce monde de brillants parasites et de mouches du coche, qui saluent, pirouettent, décochent de menues épigrammes polies, assaisonnent de grâce mainte platitude, jouent, dansent, sollicitent, gobent les bourses et les pensions, à l'entour d'une reine frivole et inconséquente, d'un roi naïf et borné, de princes et de princesses prodigues et vaniteux. La vie de salon, le savoir-vivre mondain, qui fait l'unique étude de la haute société, ravissent M. Taine, il ne peut s'en cacher, et ce goût rétrospectif donne à ses peintures beaucoup d'animation et de vérité. Il abonde en anecdotes bien contées, en traits piquants sur les bals, les fêtes, la galanterie, les comédies de société. Toutefois le plaisir qu'éprouve l'auteur à fréquenter ces salons illustres ne l'aveugle point sur le vide d'une pareille existence, sur les lacunes qu'elle introduit dans la famille, dans les sentiments, surtout dans la volonté.

Ces nobles damerets, ces galants prélats, et à côté d'eux ces gros traitants, ces fermiers généraux, amateurs d'art et de nouveautés, ne savent pas se défendre contre la force qui va les emporter ; ils lui prêtent les mains : ils accueillent, ils admirent les hommes d'esprit ou de génie qui propagent les idées révolutionnaires. Le clergé est aussi incrédule que Voltaire : le parlement qui brûle en apparence les œuvres de Rousseau, qui supprime l'*Encyclopédie*, a bien soin d'avertir à temps les auteurs menacés. M. Taine passe en revue toute la galerie des précurseurs ; il les juge avec des succès divers. Très expert sur Montesquieu, sur Condillac, sur Rousseau, dont il note avec beaucoup de sagacité les paradoxes funestes, sans faire assez de part à la justesse de certaines vues, il laisse quelque chose à désirer dans son portrait, fort brillant d'ailleurs, de Voltaire ; il est surtout incomplet en ce qui concerne Diderot, Helvétius, d'Holbach, Condorcet ; cela est d'autant plus étonnant que, par ses doctrines philosophiques, il procède plutôt de leur école que de toute autre. Mais, ici, nous aurions trop à dire, et c'est un point que nous réservons. Il y a aussi des pages, souvent subtiles, sur « l'esprit classique » et qui provoqueraient de longues discussions. Notons encore un excellent chapitre (p. 399) sur la classe moyenne, l'élévation du tiers état et sa préparation au grand rôle qui va lui incomber, et qu'il a trop oublié de nos jours.

Mais une nouvelle force était née, l'opinion publique,

qui montait sans relâche à l'assaut de la citadelle mal
gardée; elle résidait dans le tiers état, dans cette élite
émancipée, qui produisait les grands penseurs et les puissants écrivains, ces philosophes qui, sans avoir compilé de
gros traités d'ontologie ou de psychologie officielles, ont
partout insinué la libre pensée, la critique, prélude de nos
méthodes expérimentales et scientifiques. L'*Encyclopédie*
est leur monument, leur premier effort systématique pour
soustraire l'humanité au pire des maux, à l'ignorance.
Derrière eux marchait l'armée de ceux que M. Taine appelle « hommes à phrases, menant les hommes à piques »,
et tout au fond, partout, à tous les coins de l'horizon, le
peuple des campagnes et des villes, l'industrie et le travail
opprimés par les exactions, les règlements, les jurandes,
les décombres du passé. « Bête aveugle et effarouchée! »
dit quelque part M. Taine. Mais à qui la faute? A ceux
qui, assumant tous les droits, avaient tous les devoirs, à
ceux qui n'avaient su ni éclairer ni civiliser. La révolution
était inévitable, inévitablement violente et acharnée.
C'était, en dix ans, la revanche de treize siècles de souffrances, d'humiliations, d'avanies sans nom. Voilà la conclusion, aussi éclatante qu'involontaire, du beau livre dont
nous venons de présenter le raccourci.

XX.

LE PEUPLE DES CAMPAGNES SOUS L'ANCIEN RÉGIME.

Rien n'est plus opportun, en ces temps de crise où s'élabore un ordre nouveau, que de pareils retours sur le passé. Il faut sans cesse revenir à notre histoire, à la vraie, à celle des populations qui vivent sur notre sol et des institutions qui les ont régies, bon gré mal gré, durant le long espace de treize siècles. Il le faut, pour plusieurs raisons : tout d'abord pour mettre le suffrage universel à même de comparer l'ancien régime hiérarchique et féodal avec l'état inauguré par la Révolution, et de juger le procès (un peu puéril) que certains esprits bien ou mal intentionnés recommencent tous les jours contre les prétendues théories absolues de nos pères les Constituants et les Conventionnels ; ensuite, pour signaler et faire toucher du doigt les trop nombreux vestiges des abus séculaires qui encombrent encore notre route et enrayent notre marche. Car, bien loin d'accorder aux partisans de la tradition que 1789 et 1792 ont trop démoli, nous croyons fermement que l'œuvre n'est point achevée. Si des nécessités politiques font un devoir aux patriotes prudents de procéder avec précaution à des déblaiements indispensables, la sagesse commande de ne jamais perdre de vue, dans les chemins détournés, l'idéal social et politique dont les linéaments seuls ont été tracés d'une main ferme par les disciples de Montesquieu, de Voltaire et de Diderot.

Nous voudrions aujourd'hui dégager nettement, par des

faits et par des chiffres, la situation économique et morale
faite à la majorité du peuple français par ses rapports
avec les privilégiés et l'État avant 1789. Les habitants des
campagnes, les ouvriers ruraux, après avoir longtemps
oublié les bienfaits de la Révolution, ou plutôt après les
avoir compromis par peur de les perdre, semblent revenus
de terreurs exagérées. Leurs votes ont déjà plus d'une
fois prouvé qu'ils commencent à connaître leurs vrais
amis et leurs intérêts réels. Leur rappeler leurs misères
passées, c'est le plus sûr moyen de les mettre en garde
contre les dangers de toute alliance avec les fauteurs de
réaction cléricale et monarchique.

Un très habile écrivain, M. H. Taine, dans le louable
désir de se faire enfin une « opinion politique », a pris
soin de rassembler, avec beaucoup de conscience et de
force, tous les éléments de ce travail. Nous le remercions
d'avoir simplifié notre tâche. Aucun livre n'est plus con-
cluant que son *Ancien Régime* dans notre sens, sinon
dans le sien. Laissant de côté ses théories, que nous
croyons erronées, ses jugements incomplets sur les doctrines *encyclopédiques*, ses regrets visibles pour les agré-
ments de la vieille cour et de la « haute vie » des nobles,
des prélats et des fermiers généraux, nous ne nous atta-
cherons ici qu'à la partie tout à fait solide de son œuvre,
aux faits incontestables qu'il a recueillis si laborieusement
dans les Mémoires, les Correspondances imprimées et ma-
nuscrites, les Archives nationales, les Cahiers des communes et des trois ordres.

Qui ne connaît le passage de La Bruyère : « L'on voi
certains animaux farouches, des mâles et des femelles,
répandus par la campagne, noirs, livides et tout brûlés du
soleil, attachés à la terre qu'ils fouillent et remuent avec
une opiniâtreté invincible. Ils ont comme une voix arti-
culée, et, quand ils se lèvent sur leurs pieds, ils montrent

une face humaine ; et en effet ils sont des hommes. Ils se retirent la nuit dans des tanières où ils vivent de pain noir, d'eau et de racines. Ils épargnent aux autres hommes la peine de semer, de labourer et de recueillir pour vivre, et méritent ainsi de ne pas manquer de ce pain noir qu'ils ont semé. » Encore en manquent-ils souvent. Le sombre tableau tracé par La Bruyère en 1689 demeure exact pendant le siècle suivant. On estime que de 1689 à 1715 *six millions* d'hommes sont morts de misère et de faim. Voilà le dessous des splendeurs du grand roi. Tandis que l'on s'amuse à la dévotion dans les alentours de Versailles, que l'on tue dans les Cévennes, la population française descend au chiffre de douze ou quatorze millions d'âmes.

En 1725, « au milieu des profusions de Strasbourg et de Chantilly, on vit, en Normandie, d'herbes des champs » ; et Saint-Simon ajoute : « Le royaume est un vaste hôpital de mourants à qui on prend tout en pleine paix. » En 1739, « le roi interrogeant l'évêque de Chartres sur l'état de ses peuples, celui-ci a répondu que les hommes mangeaient l'herbe comme des moutons et crevaient comme des mouches. » (D'Argenson.) En 1740, le pain, d'orge et d'avoine, est immangeable. La famine règne, et partout la révolte est imminente. Les fous de Bicêtre, affamés, réduits à une demi-livre de mauvais pain, s'échappent, se ruent sur Paris. On en tue quarante ou cinquante à coups de fusil.

En 1750, six à sept mille Béarnais, retranchés derrière une rivière, luttent contre les commis. Les séditions et les pillages sont innombrables ; on en signale à Rouen, en Dauphiné, en Auvergne, en Normandie, à Arras (1752); à Reims en 1770 ; en 1775, à Dijon, Versailles, Saint-Germain, Pontoise, Paris ; en 1782, à Poitiers ; en 1785, à Aix ; en 1788, à Paris et dans toute la France.

D'Argenson est terrible à lire : à dix lieues de Paris,

21

misère ; en Touraine, misère. Les frais de perception dépassent la taille, déjà écrasante ; le quart des journées est pris par la corvée. On évite de peupler ; la diminution des habitants va à plus du tiers. Les forces physiques s'affaiblissent, les villages sont abandonnés. Paris fourmille de mendiants. Les maltôtiers vendent tout. Les ouvriers émigrent en masse vers les pays circonvoisins ; il faut les consigner aux portes ; vingt mille Lyonnais tentent de s'enfuir. C'est que l'état des villes n'est guère préférable à celui des campagnes. Des émeutes de femmes menacent les magasins et les boulangeries. Quand les princes sortent en voiture de gala, ils n'entendent qu'un cri : Du pain !

Les lettres des intendants sont comme « un glas » funèbre répétant sur tous les tons le râle du peuple expirant. De 1750 à 1760, *le quart du sol est en friche ;* en Bretagne, c'est le tiers, ailleurs la moitié des plaines fertiles, qui sont converties en bruyères immenses ; il y a des solitudes de trente et quarante mille arpents. La Sologne, jadis productive, est devenue un marécage et une forêt (1787). La Limagne elle-même est désolée.

L'agriculture en France, selon un voyageur anglais, Arthur Young, en est encore au dixième siècle. Les outils sont rudimentaires ; les travailleurs, sans capital agricole, encroûtés et misérables. Le gain est dérisoire. A peine si au bout de l'année, en Limousin et en Auvergne, il reste aux mains du paysan vingt-cinq à trente livres. Aussi la nourriture est-elle mauvaise et insuffisante. La pomme de terre était inconnue. Le sarrasin, les châtaignes, les raves, les farines inférieures constituent le fond de l'alimentation générale. Jamais de viande de boucherie. Les plus heureux tuent un porc par an. Les vêtements sont des haillons ; les maisons, des cabanes posées sur quatre fourches, sans fenêtres ou sans vitres. Les bas, les souliers, les sabots même sont des articles de luxe.

Malgré la diminution considérable des fermages, les intendants sont forcés de distribuer des semences ; et les propriétaires verraient leurs terres désertes s'ils ne nourrissaient leurs métayers. L'approvisionnement est toujours de deux, trois et quatre mois en déficit ; car le grain, mal cultivé, ne rend que cinq ou six pour un, au lieu de huit, qui est la production normale. Dans de telles conditions, la santé et la force déclinent ; les paysannes sont atteintes d'une décrépitude précoce : Young raconte qu'il a rencontré en Champagne une femme à laquelle il aurait donné soixante-dix ans, « tant elle était courbée, tant sa figure était ridée et durcie par le travail » ; elle n'en avait que vingt-huit. Ce malaise, notez-le bien, était propre à la France ; en 1789, le Français était de 76 pour 100 moins nourri, moins bien vêtu, plus mal traité que l'Anglais. On peut mesurer l'abîme que la Révolution a franchi, si l'on veut bien songer que le bien-être des campagnes, de 1789 à 1876, s'est accru de 93 pour 100.

Sans doute, sous Louis XVI, le gouvernement s'adoucit, la culture est moins pauvre. Le domaine seigneurial va s'émiettant, s'amoindrissant ; les droits féodaux perdent leur valeur à mesure que l'argent se déprécie. Déjà le paysan commence à acquérir des lopins de terre. Mais, en acquérant le sol, le petit cultivateur en prend pour lui les charges, qui sont énormes ; aussi cache-t-il son vin, de peur des commis ; son pain, à cause de la taille. Il est un homme perdu « si l'on peut se douter qu'il ne meurt pas de faim. » (Rousseau, *Confessions*.) La misère est moindre ; mais elle est « encore au-dessus de ce que la nature humaine peut supporter ». Le cultivateur est toujours l'homme de La Fontaine :

> Point de pain quelquefois et jamais de repos.
> Sa femme, ses enfants, les soldats, les impôts,

Le créancier et la corvée,
Lui font d'un malheureux la peinture achevée.

La cause immédiate et patente de ce déplorable état
social qui affame, débilite et torture plus des seize dix-sep-
tièmes d'une population sur un sol riche et dans un climat
tempéré, cette cause directe, c'est l'impôt. L'impôt, sous
l'ancien régime, n'est pas la part contributive que chaque
citoyen, selon ses ressources, consacre aux intérêts généraux de la nation ; c'est le salaire arbitraire que s'adjugent
la dynastie et les castes privilégiées, pour exploiter et régenter à leur gré la masse d'un peuple *qui leur appartient de droit*. Et ce tribut, par une contradiction dont
notre système financier n'est pas encore exempt, pèse sur
les contribuables en raison inverse de leurs ressources.

Voyons d'abord et considérons de près les extorsions
dont souffre le travailleur rural. Elles sont énormes et au-
delà de tout ce que nous pouvons nous imaginer.

D'après un tableau dressé par Beaudeau, le cultivateur
ne peut cultiver si, pour l'intérêt et l'entretien de son capital primitif, bestiaux, meubles, outils, pour les avances
annuelles, semences, salaires, nourriture, enfin, pour les
risques et pertes, il ne garde par devers lui la moitié au
moins du produit brut. Or, de ce qui reste, du produit
net, le décimateur et le roi prenaient la moitié si la terre
était grande, le tout si elle était petite. Une ferme de
Picardie, louée 3 600 livres, devait au roi 1 800 livres et
au décimateur 1 311 (3 100 livres) ; en Soissonnais, une
ferme louée 4 500 livres payait 2 200 livres d'impôt, 3 000
de dîmes. En Poitou, un revenu net de 238 livres sup-
porte une charge de 348 livres. Dans l'élection de Tulle,
l'impôt direct est de 56 et demi pour 100.

Soit, en 1787, un taillable de village, dans l'Ile-de-
France, possédant vingt arpents et un revenu de 200 livres,

plus une maison évaluée 40 livres de loyer. Il paye, de
taille réelle, personnelle et industrielle, 35 l. 14 s. ; d'accessoires, 17 l. 17 s. ; de *capitation,* 21 l. 8 s. ; de *vingtièmes,* 24 l. 4 s.; de *corvée rachetée,* 5 l. ; total : 104 livres, plus des cinq douzièmes du revenu. C'est bien pis
dans les généralités pauvres : ce sont des 11, 14, 16,
17 sous pour livre d'impôt direct. En moyenne, dans la
plupart des pays d'élection, l'impôt direct enlève au taillable 53 pour 100, c'est-à-dire cinq fois autant qu'aujourd'hui.

Et l'ouvrier qui ne possède rien, le prolétaire? A l'exception des *vingtièmes,* il subit tous les autres impôts
directs. Le moindre journalier, manœuvre, gagnant dix
sous par jour, est taxé, selon les provinces, huit, neuf,
dix, dix-huit et vingt livres annuelles. Et il ne faut pas oublier que, pour donner à ces chiffres leur valeur actuelle,
on doit les doubler au moins, sinon les quadrupler.

Mais ce n'est rien. L'impôt, déjà insensé, capricieux,
vexatoire, est encore aggravé par les avanies de la perception. Un peuple de sangsues administratives vit sur le
paysan : intendants, receveurs, collecteurs, recors, sergents, garnisaires. Dans les pays d'élection, les collecteurs ne sont autres que les anciens curiales du fisc romain, pauvres pressureurs pressurés à leur tour. Ils sont,
par paroisse, trois, cinq, sept hommes ou femmes, chargés
de répartir et de lever à leurs frais l'impôt dont ils demeurent responsables solidairement, sur leurs biens et
leurs personnes. S'ils épargnent leurs voisins, leurs amis,
ils payent ; s'ils ne saisissent pas, ils sont saisis. Que de
haines, d'odieux calculs, de misères, que d'iniquités engendre une pareille pratique ! « C'est, dit M. Taine, une
machine à tondre, grossière et mal agencée, qui fait autant de mal par son jeu que par son objet. » Le collecteur,
accompagné de scribes et de menus exploiteurs, passe

pendant deux ans la moitié de ses journées à courir de
porte en porte; heureux si l'on ne procède pas bientôt
contre lui, comme il l'a fait contre les autres, par garnison, saisie, saisie-arrêt, saisie-exécution, vente de meubles. « Cet emploi, écrit Turgot, cause le désespoir et
presque toujours la ruine de ceux qu'on en charge; on
réduit ainsi successivement à la misère toutes les familles
aisées d'un village. » Ce qu'on ne croirait jamais, c'est que
les populations, même industrieuses et économes, trouvaient un intérêt notable à nourrir tous ces exacteurs
subalternes, à se faire poursuivre, à ne payer que par
force. « Les collecteurs, dit le marquis de Mirabeau, se
gardent bien de renvoyer la contrainte en la payant, quoique, au fond, cette garnison soit fort chère. Mais ces sortes
de frais sont d'habitude, et ils y comptent; au lieu qu'ils
craignent, s'ils devenaient plus exacts, d'être plus chargés
l'année d'ensuite. » Rien de plus logique. Le receveur paye
ses garnisaires un franc par jour; il les fait payer deux
et gagne la différence, qui est le plus clair de son bénéfice.
Malheur donc aux paroisses qui auraient l'indélicatesse de
payer sans retard! Plus de garnisaires, soit; double impôt. C'est pourquoi la procédure, même coûteuse, était
moins redoutée qu'une surtaxe; c'est aussi pourquoi « la
crainte de payer un écu de plus » faisait négliger d'en
gagner quatre. Choiseul-Gouffier, à la suite de nombreux
incendies, offrait à ses paysans des toitures en tuiles; ils
le supplièrent de ne point les exposer ainsi à la rapacité du
fisc. Mieux valait encore le chaume et le feu, l'apparence
au moins de la pauvreté.

Ce n'est pas tout. A ces impôts directs qui absorbent
plus de la moitié du revenu, il faut joindre les impôts indirects, si chers encore à nos financiers, d'origine plus
féodale que les premiers, de perception aussi vexatoire,
aussi féconds en délits factices, en douleurs et en ruines,

qui frappent surtout le pauvre, et qui ne méritaient pas
de revivre sous des noms plus honnêtes. Les gabelles, les
aides, parachèvent au dix-huitième siècle la misère publique ; elles engendrent l'inquisition, la fraude et la révolte ; livrées à des fermiers qui en tirent d'odieux pro-
fits, elles s'attaquent à l'alimentation, c'est-à-dire à la
santé et à la vie de la nation.

La gabelle, monopole du sel, est armée d'un code dra-
conien. En vertu de l'ordonnance de 1680, chaque être
humain au-dessus de sept ans est tenu d'acheter par an
7 livres de sel. Interdit, sous peine de 300 livres d'amende,
de détourner des 7 livres réglementaires une seule once
pour autre emploi que « pot et salière ». Interdit, sous
peine d'amendes variant de 20 à 300 livres et de confiscation, de puiser de l'eau salée dans les sources ou dans
la mer, d'y mener boire les bestiaux, de saler le poisson
au retour de la pêche. Il ne doit entrer dans chaque baril
de salaisons que 1 livre et demie de sel. Qui lave de la sau-
mure pour saler ses aliments est passible de peines
diverses. Qui possède du sel trop beau est suspect de con-
trebande, le sel légitime, celui de la Ferme, étant détes-
table et mêlé de gravats. Défense aux juges de modérer ou
réduire les amendes en fait de sel.

Et notez que le sel est d'un prix élevé ; qu'en Picardie,
Normandie, Ile-de-France, Maine, Anjou, Touraine, Or-
léanais, Berry, Bourbonnais, Bourgogne, Champagne,
Perche, il vaut treize sous la livre, huit fois autant qu'aujourd'hui. « En Normandie, dit le Parlement de Rouen
(1760), on voit saisir, vendre, exécuter, pour n'avoir pas
acheté de sel, des malheureux qui n'ont pas de pain. »

Si nous passons aux aides, nous y retrouvons les mêmes
excès. En vertu du droit de *gros manquant*, le commis
peut à toute heure envahir les caves, faire inventaire, marquer au vigneron même ce qu'il peut boire, et taxer le

trop-bu. Les transports, les péages, les octrois triplent et quadruplent le prix des liquides. Un bateau de vin de Languedoc, Dauphiné ou Roussillon, prenant pour se rendre à Paris le Rhône, la Loire et le canal de Briare, paye, chemin faisant. sur quinze à seize points de son parcours, *quarante sortes de droits*. A Rennes, le prix d'une barrique de bordeaux est accru d'environ 200 livres de frais et d'impôts. « En Champagne, les syndics de Bar-sur-Aube écrivent que, plus d'une fois, les habitants de La Ferté. pour échapper aux droits, ont jeté leurs vins à la rivière. » Comment s'étonner que, au témoignage d'Arthur Young. vigneron et misérable soient alors deux termes équivalents?

La gabelle, à elle seule, et il faudrait doubler les chiffres pour les aides, entraîne par an 4000 saisies domiciliaires, 3400 emprisonnements, et 500 condamnations au fouet, au bannissement, aux galères.

Est-ce tout enfin? Et les droits seigneuriaux que nous oublions, droits que la couronne, en les absorbant, n'a pas anéantis: colombier, motte, quevaise et domaine congéable. lods et ventes, reprise du pécule, etc., etc.

Se réfugie-t-on dans les villes? La misère y suit le pauvre. L'octroi n'épargne ni foin, ni paille, ni grain, ni suif, ni chandelle, ni œufs, ni sucre, ni poisson, ni fagots et bois de chauffage.

En résumé, sur 100 francs, 53 passent au collecteur, 14 au seigneur, 14 à la dîme, 18 ou 19 au rat de cave et au gabelou, et le tout est absorbé. Résultat net : la faim, la prison et la mort. A lui seul, le pauvre, avant 89, paye deux gouvernements : l'un, ancien, local, qui est absent, inutile et n'en agit pas moins par ses gênes, passe-droits et taxes; l'autre, récent, central, partout présent, qui s'est chargé seul de tous les services et ne les rend pas.

Comment la rébellion et le désespoir ne couveraient-ils

pas dans toutes les âmes ! Comment n'éclateraient-ils pas par instants, en attendant l'explosion totale ! « Quatre cents lieues de capitaineries gardées et la sécurité du gibier innombrable qui broute les récoltes sous les yeux du propriétaire, provoquent au braconnage des milliers d'hommes d'autant plus dangereux qu'ils bravent des lois terribles et sont armés. » Des bandes de faux sauniers et de contrebandiers luttent, sur 1 200 lieues de douanes intérieures, contre 50 000 hommes ; elles ont pour recrues plus de 10 000 brigands, voleurs de profession, pour complices toute la population rurale : les femmes, les enfants, les chiens qu'on dresse à franchir les lignes de péages. Elles pullulent en Quercy, dans le Maine, dans l'Anjou ; la Bretagne en regorge.

Que de forces perdues pour le travail social ! Le sens moral est perverti. Mandrin est un héros. On admire sa grande expédition d'un an à travers la Franche-Comté, le Lyonnais, l'Auvergne et la Bourgogne, son entrée hardie dans vingt-sept villes où il vend ses marchandises et ouvre les prisons (1754) ; « et encore aujourd'hui, des familles du pays s'honorent de sa parenté, disant qu'il fut un libérateur. — Nul symptôme plus grave : quand le peuple préfère les ennemis de la loi aux défenseurs de la loi, la société se décompose et les vers s'y mettent. »

Maintenant, quelles sont les causes profondes, non plus immédiates et secondaires, de ces maux, de ces vices, de ce désordre sans frein ? Il en est deux : le régime féodal, le principe monarchique, tristes fictions qui se sont trouvées intimement associées sur notre sol.

La féodalité laïque et cléricale, en abdiquant sa puissance, en a gardé l'ombre, les exemptions et les privilèges. La taille n'atteint ni la personne du noble et du clerc, ni la terre qu'ils exploitent ou sont censés exploiter eux-mêmes. Pour les vingtièmes, exemption de moitié ; la ca-

pitation, pour le noble, est réduite. Il paye, de ce chef,
huit fois moins qu'il ne devrait ; le clerc s'en exempte, au
moyen d'un *rachat* qu'il fixe lui-même. Ajoutez qu'une
infinité de places et de titres honorifiques assurent des
immunités analogues. Le tiers et le peuple ont donc à leur
charge tous les services publics.

Le roi, héritier de la féodalité, est le premier des nobles
et des clercs ; il ne paye rien et tout lui est dû. Une seule
famille dévore la substance de tout un pays et de plusieurs
millions d'hommes, en vertu d'un droit de propriété, droit
fondamental, incontesté, droit que ne possédaient ni les
empereurs romains ni les rois barbares, et qui est uniquement d'origine féodale. Ce droit n'a jamais pu s'exer-
cer dans sa rigueur théorique : il a dû plier devant la
force des choses, concéder à la terre et aux hommes, à
titre de privilège et de tolérance, une liberté apparente ;
mais il demeure en principe, et il demeure en fait, toujours prêt à reprendre ce qu'il a octroyé.

Qu'arrive-t-il ? Sitôt que la féodalité et la monarchie
aux abois, accablées sous le poids de leurs fautes, de leur
ignorance politique, de leur banqueroute, sont contraintes
de faire appel à leurs victimes, toutes deux croulent d'une
chute irréparable et commune. L'une entraîne l'autre. En
vain elles résistent et se cramponnent. Leur jour est venu,
jour de vengeance, de violence, de meurtre ; déchaînement
d'une force comprimée depuis des milliers d'ans. A qui la
faute? M. Taine fait sourire avec ses obstacles qu'il fallait
tourner. Qui devait les tourner? Le peuple? Il ne l'a pu.
Les privilégiés et les gouvernants? Ils ne l'ont pas fait.

M. Taine raille l'homme de loi, l'*avocat envieux et théo-
ricien* qui rédige les cahiers du tiers. Il nous dit gra-
vement : « Quand une multitude soulevée repousse ses
conducteurs naturels (en quoi naturels?) il faut qu'elle en
prenne ou subisse d'autres... L'homme à pique est mené

par l'homme à phrases. » Ce sont là des mots qui n'ont rien à voir avec de prétendues lois de l'histoire, invoquées à faux. Les lois de l'histoire, puisque lois il y a, ne peuvent s'insurger contre les lois naturelles ; il n'en est pas de plus inexorables que celle-ci : l'oppression séculaire et la résistance insensée aboutissent aux catastrophes et aux bouleversements. L'Etat qui ne peut être amélioré, croule ; la maison surannée est rasée jusqu'aux fondements ; et pour bâtir à neuf, il faut déblayer et niveler le sol. C'est ce qu'a essayé la Révolution française. Les bienfaits lui appartiennent en propre ; les erreurs, les violences sont imputables aux fautes et aux crimes qui les ont rendues inévitables. L'ancien régime a été « un long suicide » ; et lui seul est coupable de sa propre mort. Il suffit.

Que les débris des castes privilégiées déplorent leur puissance évanouie ; qu'ils accusent et vilipendent la résurrection du peuple français ; le condamné peut maudire son juge. Mais de quel étonnement ne sommes-nous pas saisis, quand nous voyons des bourgeois, des avocats, des commerçants, des magistrats qui ne seraient rien sans la Révolution, ces fils des taillables et des corvéables à merci, regretter le régime qui les eût annihilés, vanter les grands rois, les bons rois, la constitution sociale que nous venons de résumer ! Nous préférons douter de leur intelligence que de leur sincérité. Souvenez-vous, gens des campagnes, travailleurs agricoles et industriels, que la République vous a donné l'égalité devant la loi, devant l'impôt, devant le scrutin, la liberté de la croyance, du commerce, du travail. C'est par elle, c'est par vous, que vous conserverez ces biens conquis par vos pères glorieux, et que vous y ajouterez l'instruction, l'amour du progrès et le sens du juste.

A ceux qui agiteront devant vos yeux le faux spectre révolutionnaire, répondez sans vaines craintes que les ré-

volutions sont des accidents de l'évolution humaine, tout
comme les cataractes et les débordements sont des accidents des fleuves ; qu'on les évite, non pas en faisant re-
fluer les eaux ou les peuples, mais bien en canalisant leur
cours et en réglant leur marche en avant ; que les reculs
sont puérils et dangereux, que vous tenez pour les vrais
défenseurs de vos intérêts ceux qui veulent vous assurer la
plénitude des droits politiques, la direction de vos affaires
et les lumières de la science ; enfin, que la responsabilité
des désastres et des malaises sociaux a toujours incombé à
ces factions rétrogrades qui ont les yeux derrière la tête et
qui, prenant le passé pour l'avenir, combinent dans un
mirage bâtard le moyen âge avec la civilisation, l'ombre
de la féodalité, de la théocratie et du droit divin avec l'égalité, la liberté et la justice laïques.

XXI.

L'ÉPOPÉE IMPÉRIALE [1].

(ÉCRIT EN 1869.)

Certes, ils étaient sincères les créateurs de l'épopée impériale, lorsque, séduits comme leurs contemporains par la poésie du malheur, ils confondaient dans une même pitié Waterloo et Saint-Hélène, Napoléon et la France, le vaincu et la victime, tombés ensemble et du même coup. Ils étaient sincères, lorsque, à une dynastie restaurée par la défaite, ils opposaient l'homme élevé au trône par la victoire, lorsqu'ils honoraient d'un même culte ces deux choses que Tacite appelle inconciliables : l'empire et la liberté. Ils ne sentaient pas, ces préparateurs involontaires du Dix Décembre, qu'en présentant l'Empire comme le continuateur de la Révolution, par lui brisée, ils faussaient pour longtemps le sens patriotique en France, qu'ils implantaient dans l'imagination des masses, dans ces campagnes, asiles tenaces des paganismes, une idole et une religion. Non : le bonapartisme était pour eux une tactique, une arme d'opposition naturelle et populaire ; ils en usèrent jusqu'à l'ivresse.

Une ardeur effrénée de propagande s'empara des poètes, des historiens, des hommes d'État. A ceux-là toutes les rimes à victoire et à lauriers ; à ceux-ci la centralisation, le code civil, l'acte additionnel. Les crimes, les fautes, les

(1) *Napoléon I*er, par P. Lanfrey, t. I, II, III, Charpentier.

désastres furent relégués dans l'ombre, dont les tire une justice salutaire, mais tardive. Les campagnes d'Italie, ce n'était ni le pillage organisé, ni la défense de la République transformée en aventure de conquête, ni le meurtre de Venise. Fi donc! c'était Lodi, Castiglione, Arcole et Rivoli! La folle expédition d'Egypte, ce n'était pas l'affreux massacre de Jaffa, la perte et l'abandon d'une armée aguerrie, la France livrée à Souwaroff, c'étaient les Pyramides et « quarante siècles vous contemplent! » Qui donc n'excusait pas le 18 brumaire? Fallait-il regretter le Directoire? D'ailleurs, il n'y avait pas eu de sang versé. Il était défendu de voir dans la Constitution de l'an VIII cette machine qu'elle est, si savante à écraser en poudre la nation sous la meule centralisatrice. Le concordat était sacré. Ce replâtrage funeste, qui nous rive au joug clérical, devait passer pour un chef-d'œuvre de sage réconciliation. Moreau avait mérité son exil, d'Enghien son supplice. Toute la hiérarchie courtisanesque si grotesquement costumée par David, sabreurs et adulateurs endimanchés en rois, en ducs, en chambellans, trouvait grâce devant une imperturbable admiration.

Quant à ces batailles effroyables qui fauchèrent quinze ans la fleur des générations, pour ne rapporter à la France qu'une collection de drapeaux, ne faisaient-elles pas de Napoléon le rival de César et de Charlemagne? On glissait sur la guerre d'Espagne, mais non sur la campagne de Russie, qui fournissait de beaux effets de neige. Leipsick devenait une demi-victoire; la jalousie du destin et les trahisons des hommes avaient seules à répondre de nos catastrophes. La redingote grise et le petit chapeau exerçaient les enlumineurs, les peintres, les Tyrtées et les Pindares. On les retrouvait sur tous les murs, dans toutes es bouches; les cabarets mêmes vendaient la liqueur des braves dans des vases en forme de Napoléon. Et les op-

posants se frottaient les mains. Le retour des cendres ne
les désabusa pas ; n'était-ce pas leur œuvre ? n'avaient-ils
pas imposé cette cérémonie à une dynastie aveugle comme
eux ? Hélas ! de ces cendres de rhétorique, le petit caporal
renaissait, comme le phénix. Les avertissements de Strasbourg et de Boulogne furent accueillis par des sourires
dédaigneux.

Que fallait-il donc pour ouvrir les yeux de ces impru-
dents ? Il fallait 48, il fallait des millions de suffrages
acclamant un nom sans même connaître celui qui le portait, il fallait le boulevard Montmartre, les fusillades, les
déportations, enfin l'absolution du Deux Décembre. Ah !
bonapartistes de la veille, qui ne voulez plus l'être le lendemain, qui protestez contre l'avènement de l'idéal que
vous avez fait vous-mêmes, que nous sert maintenant votre
repentir ? A-t-il seulement effleuré les masses ? L'ivraie
pousse toute seule, que serait-ce si on la semait à plaisir ?
Et maintenant, rude labeur, nous avons à extirper ce que
vous avez planté en pleine ignorance, ce que vous avez ar-
rosé, fumé, engraissé d'odes et de chansons, de volumes
sans nombre. C'est à nous de reprendre la tâche dont vous
avez accru le fardeau, la tâche d'un siècle héritier de la
Révolution ; à nous de déraciner le respect, cette religion
de la platitude, d'exterminer les légendes, de démasquer,
cela suffit, tous les prétendus héros historiques dont
les tyrannies aiment à se faire des précurseurs et des
apôtres.

I.

Le lever de l'étoile.

L'*Homme du destin* fut le cadet très ordinaire (en son
bas âge) d'une nombreuse famille. Conçu Corse, — soit
hasard des dates, soit modification utile de son acte de

naissance, — il naquit Français, deux mois après la soumission de son île. Son vrai père était-il Italien ? On ne
sait. En lui, du moins, le sang maternel domina. Si mêlé
qu'il ait été aux affaires et aux destinées de sa patrie for-
tuite, il n'acquit jamais l'esprit français, il comprit toujours imparfaitement le mouvement des idées et les intérêts de la France. Il fut chez nous un étranger.

La faveur de M. de Marbeuf, grand ami de sa mère,
lui valut une bourse à l'Ecole militaire de Brienne. Ici la
légende commence : elle nous montre l'enfant sublime
épris des héros de Plutarque, et préludant au passage des
Alpes par des canonnades de boules de neige. En fait, il
ne se distingua en rien de la plupart des adolescents qui
se destinent à l'armée. Quelques mathématiques, peu de
littérature. Deux traits cependant peuvent être relevés par
les amateurs d'horoscopes : il juge de haut ses camarades
plus riches que lui, déjà tranchant comme il le sera dans
le *Mémorial*; il *rapporte* contre eux par écrit, en attendant qu'il puisse organiser la police de l'empire.

Sous-lieutenant à dix-sept ans (1786), en garnison à
Valence, à Auxonne, à Douai, il met à profit ses loisirs,
lit le plus qu'il peut, commence une histoire de la Corse,
s'exerce au métier d'original et de penseur, livrant à une
demi-publicité quelques médiocres opuscules. Cependant,
sa famille était nombreuse, peu fortunée; il fallait songer
à l'avenir. Ses vues se tournèrent d'abord vers la Corse,
qu'il considérait avec raison comme son pays véritable, et
où son père avait joué un rôle dans les entreprises de Paoli.
On le voit en 1789, 1790, porter à Ajaccio les principes de
la Révolution, s'y créer un parti par la publication d'un
manifeste déclamatoire (*Lettre à Buttafuoco*), et déjà
s'essayer aux coups d'Etat. Le cas est curieux et vaut la
peine d'être noté. Bonaparte, pendant un de ses congés,
briguait à Ajaccio le grade de chef de bataillon de la garde

nationale ; il avait contre lui Pozzo di Borgo et Peraldi, qui
avaient su se concilier les commissaires de la République.
L'un des commissaires descend chez Peraldi ; que faire
pour relever une élection si compromise ? Le soir, comme
les Peraldi étaient à table, une bande armée envahit leur
maison et emporte le commissaire chez Bonaparte, qui a
l'audace de lui dire : « J'ai voulu que vous fussiez libre,
entièrement libre ; vous ne l'étiez pas chez Peraldi. » Le
lendemain Bonaparte fut nommé chef de bataillon. « Si,
la veille du 18 brumaire, ajoute Lanfrey, les Cinq-Cents
avaient connu ce trait de sa vie, il est probable qu'ils ne se
seraient pas réunis à Saint-Cloud. »

Pourquoi un ministre de la guerre scrupuleux destitua-
t-il l'officier intrigant qui s'attardait loin de son corps?
Pourquoi la République ne laissa-t-elle pas s'user dans
des querelles de clocher celui qui devait tuer la liberté?
L'*étoile*, sans doute, était levée déjà. Rappelé à Paris, peu
avant le Dix Août, il assista en sceptique à cette journée.
« Suivons cette canaille », disait-il à Bourienne, et, quand
il vit au balcon Louis XVI coiffé du bonnet rouge : *che
coglione!* s'écria-t-il; « comment a-t-on pu laisser entrer
cette canaille ? Il fallait en balayer quatre ou cinq cents
avec du canon, et le reste courrait encore. »

Sa destitution momentanée, et une triste affaire à
Ajaccio, qui le força de se réfugier à Marseille avec sa mère
et ses sœurs, dans une position équivoque, le rattachèrent
définitivement à la fortune de la France, qui allait se
prêter de si bonne grâce à devenir la sienne. Il tombait en
pleine guerre civile; les fédérés marseillais occupaient Avignon, et Toulon révolté ouvrait ses portes à l'étranger.
Quelle chance voulut que Bonaparte, au lieu de se trouver
en Italie avec son corps d'armée, passât sous Avignon
juste pour pointer les canons du général Carteaux, ex-
artiste peintre ? Par quel hasard s'arrêta-t-il à Toulon

22

pour voir son compatriote Salicetti, commissaire de la République? Il y a des gens après lesquels les aventures semblent courir. Toujours est-il que Bonaparte, en allant d'Avignon à Nice, prit Toulon et fut élevé au grade de général d'artillerie. C'est en cette qualité qu'il organisa la défense des côtes de Provence, rejoignit l'armée d'Italie à Nice, et contribua plus que tout autre, par ses plans habiles, à la prise de Saorgio, clef du col de Tende. Ce succès lui valut l'amitié de Robespierre jeune, alors commissaire aux armées de la République ; liaison imprudente et qui faillit lui coûter cher. En vain refusa-t-il de suivre à Paris son puissant ami ; en vain chercha-t-il à se faire oublier dans une mission mystérieuse à Gènes ; la chute des Robespierre faillit entraîner sa perte. Arrêté à Marseille, poursuivi par les légitimes rancunes de Salicetti, il ne dut la liberté et probablement la vie (car *tous les soupçons* du Comité de salut public se fixaient *sur sa tête*) qu'à l'utilité dont pouvaient être ses talents militaires.

Dès 1793, Bonaparte nous apparaît sans convictions, sans idées générales ou généreuses, ne songeant qu'à lui, terroriste avec Robespierre, thermidorien avec Barras, guettant des occasions et préparant des effets, dictateur dans l'âme. Suivons-le à Paris, dans sa disgrâce et dans sa détresse, lorsque la rancune d'Aubry essaya de l'envoyer, simple général de brigade, en Vendée, lui qui avait déjà presque commandé des armées. Il feint une maladie, demande une mission en Turquie, et n'entre un moment au comité des opérations militaires que pour être, le 25 septembre 1795, rayé de la liste des généraux employés. Il était alors bien bas, destitué, famélique, presque oublié, protégé de Barras. Le 13 Vendémiaire le remit en évidence.

C'était déjà le temps des zézayeurs et des clichyens. Triste et honteuse époque de réaction inepte. Bals des vic-

times, brochures immondes, banquiers et tripoteurs,
jeunesse dorée à collets noirs, à gros bâtons nommés
« pouvoirs exécutifs », femmes nues à la grecque, affreux
pêle-mêle de traîtres et de corrompues! La Convention décapitée a perdu tout prestige ; elle tremble devant les sec-
tions. Bonaparte, n'ayant aucun intérêt à l'émeute, accepte
avec joie la mission de l'écraser. Dans la relation des évènements par Réal, on ne retrouve son nom qu'une fois et
en italiques, comme un nom étranger : *Buonaparte ;* il ne
commandait qu'en second, sur le choix et sous la responsabilité de Barras. Mais c'est lui qui fut le réel vainqueur ;
et le canonnier de Toulon devint le mitrailleur de Saint-
Roch.

Adieu la misère! Demeuré, par la retraite de Barras,
seul général de l'intérieur, il se met à placer partout ses
amis et ses parents, à ménager et à caresser les anciens
nobles, à expédier à sa famille de grosses sommes d'argent. Enfin Barras le marie et lui donne en dot l'armée
d'Italie.

II.

Italie, Egypte, Brumaire.

L'histoire militaire des campagnes d'Italie est assez
connue pour être ici négligée. Nous n'y relèverons que ce
qui peut éclairer l'homme, ses moyens d'action, sa politique violente et machiavélique. La guerre, avec lui, perdit
son caractère patriotique et défensif. Il en fit une affaire
d'argent et d'ambition, offrant tout d'abord à ses soldats
l'Italie à dévorer, punissant pour la forme quelques pillards subalternes, mais, en somme, fermant les yeux sur
les rapines de ses officiers, qu'il tenait ainsi dans sa main,
habituant le Directoire à combler le déficit avec des millions étrangers extorqués au jour le jour à des princi-

picules épouvantés, aux villes mêmes où il entrait en
libérateur. Un million à Mondovi, deux millions à Parme,
dix à Modène, vingt à Milan, six à Venise, douze à Li-
vourne, trente millions à Rome ! Ajoutez le pillage officiel,
régularisé, de tous les objets d'art, des marchandises,
des bois de construction (l'Italie, disait-il, « serait fière
d'avoir contribué à l'éclat de notre marine »), le sac de
Faenza, les dilapidations de tout genre; et étonnez-vous
des révoltes de Pavie, de Milan, de Vérone! On pleurait
« sitôt qu'on apercevait un Français. » Belle manière de
répandre les principes de la Révolution.

Ce n'est pas tout : Bonaparte conduisait de front la
guerre et la politique en maître absolu; la menace perpétuelle de sa démission imposait silence au Directoire.
Malgré des ordres formels, il épargnait le pouvoir temporel des papes, désobéissance funeste qui préparait le
Concordat. Malgré le droit des gens, il violait la neutralité
de Venise, et faisait entretenir son armée dévastatrice par
cette paisible république. Ces rapacités barbares, ces inutiles et hypocrites violences étaient couvertes par l'éclat
de ses victoires et noyées dans les grandes phrases de ses
proclamations emphatiques et sentencieuses.

M. Lanfrey est bien indulgent pour ce langage théâtral
qu'on est convenu d'appeler un style coloré. Il sera, espé-
rons-le, le dernier des historiens sérieux qui aient cédé à
ce préjugé. Jamais l'auteur du Bulletin de Marengo, des
proclamations d'Egypte, du *Mémorial*, du *Souper de Beau-
caire*, ne sera compté que parmi les écrivains mélodra-
matiques.

Passons à des choses moins frivoles, à cette triste comédie qui aboutit à la ruine de Venise, à Léoben et à
Campo-Formio. Avec un talent merveilleux, avec toute la
force de la vérité, M. Lanfrey a démêlé tous les fils de
cette sombre intrigue. Il nous fait toucher du doigt la

mesquine jalousie qui voulut, par les préliminaires de
Léoben, couper court aux succès de l'armée du Rhin prête
à dicter à l'Autriche une paix définitive et solide. Il nous
montre le traité de Campo-Formio brusqué malgré deux
ultimatums du Directoire défendant en termes absolus la
cession de Venise ; et un gouvernement affaibli par le coup
d'Etat du 18 fructidor que Bonaparte avait conseillé, puis
désavoué, puis tardivement approuvé, se laissant forcer la
main par celui qui lui envoyait de l'argent, et contraint
d'accabler de flatteries son général et son maître.

Ce qui frappe le plus l'observateur attentif dans cette
brillante période de la vie de Bonaparte, c'est la duplicité
constante, les contradictions qui éclatent entre son langage public et sa correspondance privée. Un mépris complet pour les hommes et pour les choses, joint à un
immense amour de lui-même : voilà le fond du héros. Des
républiques qu'il fonde en Italie, de Gênes qu'il ménage,
de Venise qu'il dupe, du clergé qu'il épargne, de la France
enfin, il se soucie autant que l'aigle de la proie qu'il con-
voite.

Lorsqu'il se fut décidé à quitter sa cour de Milan et à
regagner Paris à travers les ovations, son ambition ne
tendait à rien moins qu'à renverser, remplacer ou à dominer le Directoire. Mais l'entreprise était prématurée ; la
curiosité publique était pleine de défiance. Il ne se sentait
pas encore assez extraordinaire. C'est alors qu'il conçut
l'étrange fantaisie de se faire une auréole avec le soleil
d'Orient, ou plus simplement de conduire en Egypte la
fleur de nos armées, au moment même où Campo-Formio
soulevait contre nous les peuples et les rois, où ses victoires stérilisées engendraient une nouvelle coalition. Tout
le secret de l'expédition d'Egypte est dans ces lignes signi-
ficatives de ses Mémoires : « Pour qu'il fût maître de la
France, *il fallait que le Directoire éprouvât des revers en*

son absence, et que son retour rappelàt la victoire sous nos drapeaux. »

Son départ était un délai. On le laissa partir, on dut même l'y forcer. Mais encore fallait-il de l'argent ; Rome occupée, la Suisse envahie, sur des prétextes à peu près suffisants, mirent à flot l'aventure égyptienne. Rien qu'à Berne, le général Brune rafla en quelques jours une ving-taine de millions disponibles, et dont plusieurs furent directement envoyés à Toulon. Que ces expéditions pécu-niaires aient été provoquées par Bonaparte, sa corres-pondance est là pour le prouver. Qu'importent les déné-gations de ses Mémoires?

Passons sur la prise de Malte, que rien ne peut jus-tifier et qui servit de précédent légitime à l'occupation anglaise. Passons sur les Pyramides, bataille plus éclatante que sérieuse. Voici Bonaparte installé au Caire avec une trentaine de mille hommes auxquels il a promis de quoi acheter des montres et six arpents de terre ; il tranche du Mahomet, se présente comme un parfait musulman, en tant qu'ennemi du pape et destructeur des chevaliers de Malte ; il s'essaye dans le pathos qu'on est convenu d'ap-peler style oriental. Ses proclamations sont l'élément comique du drame ; si elles ont abusé l'indulgente posté-rité, elles n'eurent guère de prise sur les gens du Caire. Toute l'armée en riait, Menou seul les prit au sérieux, puisqu'il se fit circoncire. Nous ne voulons pas dire qu'il ne fallût pas ménager les croyances et les mœurs des indigènes ; mais le moyen le plus simple était de ne pas envahir leur pays à main armée. On a beaucoup vanté l'administration de Bonaparte en Egypte ; avouons qu'elle n'avait pas de peine à mieux valoir que celle des Mamelucks. Encore ne réussit-elle pas à plaire aux nouveaux admi-nistrés : l'insurrection du Caire, réprimée avec une san-guinaire fureur, témoigne assez du peu de goût des Egyptiens pour notre civilisation administrative et régulière.

Une férocité extraordinaire signala l'expédition de Syrie : deux mille cinq cents prisonniers garrottés furent massacrés à Jaffa ; c'était ainsi qu'on vengeait le désastre naval d'Aboukir. Repoussé, battu, décimé devant Saint-Jean d'Acre, force fut bien à l'ami de Tippoo-Saheb, au grand ravageur de l'Asie, au futur conquérant des Indes, force fut à Bonaparte de retourner en Egypte pour prévenir, s'il était possible, le débarquement d'une armée turque. La boucherie d'Aboukir écarta, pour cette fois, le danger, mais diminua notre petite armée. Compensait-elle d'ailleurs la perte de notre flotte ? Néanmoins, elle fut des plus utiles à Bonaparte ; une confusion s'opéra dans l'imagination populaire ; le second Aboukir couvrit le premier ; et la défaite disparut sous la victoire. Ce n'est pas tout : rejeté par l'Orient, l'homme du destin voulait retomber sur l'Occident. Le second Aboukir jeta quelque gloire sur sa fuite ; il abandonna son armée, léguant à Kléber une tâche qu'il sentait impossible et stérile. L'expédition d'Egypte était condamnée par son promoteur.

Il n'en fut pas moins bien accueilli à Paris ; il venait de loin. Personne ne lui demanda compte de notre marine ruinée, d'une armée aventurée et d'avance perdue ; non, la France s'abandonnait, ou plutôt, lasse de l'énervement du Directoire, elle désirait, comme certaines femmes, être un peu rudoyée. Toujours la fable des grenouilles qui demandent un roi. Le rôle de sauveur, refusé par Moreau, convenait excellemment à Bonaparte ; Sieyès ne le lui eut pas plutôt proposé qu'il se mit en mesure. On n'avait pas de temps à perdre ; l'admirable victoire de Zurich venait d'arrêter, de désorganiser la coalition ; les Alpes italiennes étaient en bon état de défense, et la France, en fait, était déjà sauvée à l'extérieur. Restait à la sauver intérieurement. On sait comment ces choses-là se font :

sous prétexte de menées jacobines on transfère les Conseils à Saint-Cloud, on consigne les directeurs récalcitrants ; puis de bon matin, avec une escorte de sabreurs et d'intrigants, on court mettre la main sur les représentants du peuple. Et l'on s'écrie : « Que les faibles se rassurent ! Ils sont avec les forts. »

La complicité des Anciens semblait rendre la tâche facile ; mais Bonaparte, embarrassé comme un élève à un examen, ne sut rien articuler devant eux de précis ; il accusa Barras et Moulin, il accusa de prétendus conjurés, et finit, au milieu du désarroi général, par s'en remettre à la chance. « Souvenez-vous, s'écria-t-il, que je marche accompagné du dieu de la fortune et du dieu de la guerre.» Triste mythologie !

Devant les Cinq-Cents, l'attitude du candidat à la dictature fut plus piteuse encore. Là, il avait du moins péroré ; ici, il balbutia. L'assemblée législative, sincèrement républicaine, couvrit de ses cris d'indignation et de hors la loi le perturbateur de l'ordre public. — « Que faites-vous, téméraire ? Vous violez le sanctuaire des lois ! » lui dit Bigonnet. Et Destrem, en s'avançant sur lui : « Est-ce donc pour cela que tu as vaincu? » Il faut conserver pieusement le nom de ces hommes qui eurent l'honneur de défendre la liberté mourante. Bonaparte se trouva mal et fut emporté par ses grenadiers. Sans Lucien, son frère, par malheur président de l'assemblée, c'en était fait de l'empire, de l'expédition d'Espagne, de la guerre de Russie, de Waterloo ; la France échappait à son sauveur. La *providence* ne pouvait permettre une telle énormité. Lucien donc refuse de mettre son frère en accusation ; il sort, rallie les soldats, ceux-là mêmes qui avaient servi de garde au Corps législatif ; la salle est envahie ; le bruit du tambour couvre les protestations. « Circulez ! circulez ! » Quelques instants après, l'attentat était consommé.

Une trentaine de Cinq-Cents, parmi lesquels naturellement un Boulay de la Meurthe, décrètent que Bonaparte
a bien mérité de la patrie, le nomment consul et le flan-
quent de Sieyès et de Roger-Ducos. Ces comparses connaissaient d'ailleurs le secret de la comédie : « Nous avons
un maître, » dit Sieyès. O moralité des coups d'Etat ! « Paris
se montra curieux, mais resta neutre ; l'armée applaudit,
l'opinion se tut. »

Le premier acte de Bonaparte, premier consul, fut, cela
se pratique ainsi, un essai de proscription. Après avoir
transporté d'admiration les imbéciles, il voulait transporter
ses ennemis, les amis de la République et de la liberté.
Mais encore mal aguerri contre la stupeur publique, il dut
changer l'exil en *haute* surveillance. Avant d'imposer à la
France la loi suprème de son bon plaisir, il avait à cen-
traliser entre ses propres mains tous les pouvoirs, toutes
les forces vitales de la nation, à absorber dans l'Etat la
commune, les jurés, les collèges électoraux, à absorber
enfin l'Etat dans sa personne. Ce fut l'affaire de quelques remaniements dans cette étouffante constitution de
l'an VIII, œuvre chimérique de Sieyès, mécanique précieuse, indispensable à tous les despotismes et qu'il est
inutile d'examiner dans un si rapide aperçu. Nous la connaissons tous ; elle nous régit. Les préfets, les sous-préfets,
l'inamovibilité judiciaire combinée avec l'avancement, la
représentation fictive du pays, le contrôle éludé par des
subterfuges ministériels ou l'initiative du souverain, rêves
d'un formaliste exploités par un ambitieux, telles furent
les tristes créations de l'an VIII (1800). Qu'importaient
un Sénat pensionné, un Corps législatif muet, un Tribunat
impuissant et suspect ? Que pouvaient ces barrières de
carton élevées entre l'apathie de la France et l'ambition de
Bonaparte?

Tout cela allait s'aplatir ou crouler sous le canon

de Marengo et laisser le terrain libre au machiavé-
lisme policier et clérical, ce grand architecte du premier
empire.

III.

Le concordat. — Le procès de Georges. — Le meurtre
de Vincennes. — L'empire.

Il est d'usage de glorifier le consulat ; on ne réfléchit
pas assez qu'il a produit l'empire. Mais, à l'étudier en lui-
même, et sans pousser l'effort intellectuel jusqu'à mesurer
ses conséquences immédiates, n'y trouve-t-on pas assez de
fautes, assez d'iniquité arbitraire, assez de platitude nationale pour motiver un jugement moins indulgent. Chaque
jour y est un recul vers l'ancien régime. C'est un perpétuel et persévérant essai de la couronne ; c'est Napoléon
éliminant Bonaparte, le César jouant à l'Auguste. Il n'y a
plus de France, il n'y a qu'un homme ; des esclaves, des
jouisseurs et un maître. Seul, un tribunat épuré, impuissant, dominé par les créatures d'une élection servile et faussée, mêle parfois une note discordante, patriotique, à l'universel concert de l'adulation prosternée. Rendons justice,
avec M. Lanfrey, à ce corps effacé ; accordons un souvenir
aux Benjamin Constant, aux Daunou, aux Thiessé, aux
Ganilh, « qui osaient encore faire entendre à leur pays le
nom importun de liberté », génération sacrifiée, comme
bien d'autres que nous connaissons, à l'outrecuidance du
gouvernement personnel. Etouffés par Napoléon, enterrés
par Thiers ! c'est trop en vérité ; et nous savons gré à
M. Lanfrey d'avoir donné quelque place à ces derniers et
inutiles défenseurs du bon sens et de la dignité nationale.
Mais suivons le char du triomphateur ; et surtout regar-
dons ce qu'il y a sous les trophées.

L'aventure égyptienne, la direction funeste imprimée

par Bonaparte lui-même aux dernières guerres du Directoire, la violation du territoire suisse, l'occupation de Gênes, enfin les succès relatifs de la coalition arrêtée, mais non refoulée, par la victoire de Zurich, tout rendait inévitable la reprise sérieuse des hostilités. Bonaparte offrit néanmoins la paix, mais non sans espoir de refus ; il avait besoin, c'est lui qui nous l'apprend, d'un renouveau de gloire. Son caractère, son passé, les craintes qu'il inspirait dans l'avenir firent donc échouer toutes les négociations. L'Angleterre, par la voix de lord Granville et de Pitt, déclara ne pouvoir « traiter avec un homme sans foi ». Et comme l'Angleterre, dès lors, soudoyait la coalition, l'Autriche répondit qu'elle ne traiterait pas sans ses alliés.

La campagne de Marengo fut habilement préparée. Le passage des Alpes, tant exalté, n'offrit pas de grandes difficultés ; ce fut un simple coup de main, hardi et heureux ; on admire également beaucoup la marche sur Milan et le retour offensif qui devait prendre toute l'armée autrichienne dans un filet. N'eût-il pas été moins théâtral et plus urgent de délivrer Masséna mourant de faim dans Gênes ? L'ennemi, qui se massait tout entier aux alentours de la Ligurie, en eût-il été moins coupé, battu, démoralisé ? C'est ce que faillit démontrer la bataille de Marengo. On n'ignore plus aujourd'hui qu'une défaite très caractérisée précéda la victoire, que le général en chef ignorait les dispositions et les forces de l'ennemi, que l'arrivée imprévue de la division Desaix et une charge inspirée de Kellermann relevèrent seules la fortune de Bonaparte. Tandis que Marengo, sans forcer l'Autriche à la paix, nous rendait l'Italie, la marche savante de Moreau sur le Danube, ses victoires à Ulm, à Hoschstett préparaient l'immortelle et décisive bataille d'Hohenlinden. L'éclat jeté sur nos armes par Marengo, Hohenlinden, Héliopolis, rejaillit tout entier sur le premier consul. Le traité de Lunéville,

seconde édition de la paix de Campo-Formio, remplit de
reconnaissance un peuple ahuri et avide de repos ; mais la
France connaissait mal son maître ; la ligue des neutres
rompue par le bombardement de Copenhague et l'abandon
de la Russie, la désastreuse expédition de Saint-Domingue,
l'Egypte perdue à Canope, de perpétuelles alternatives de
succès et de revers, les mille escarmouches diplomatiques
qui préparèrent la conclusion, puis la rupture du précaire
traité d'Amiens, auraient dû apprendre au pays que Bonaparte et la paix étaient inconciliables.

La mauvaise foi, la ruse violente, l'emphase olym-
pienne entrecoupée de colères subites, l'ambition machiavélique et sans frein caractérisent les relations de Bonaparte avec tous les peuples, avec les corps constitués et
l'opinion. La guerre à l'extérieur, l'oppression à l'intérieur, voilà en deux mots sa formule politique, l'arme à
deux tranchants qu'il ne se lasse pas de manier dans l'intérêt de son omnipotence. Que d'iniquités et de manœuvres
nous sommes obligés d'omettre dans notre appréciation
rapide ! la proscription des républicains à l'occasion du
complot royaliste de la rue Saint-Nicaise, les factums
adulateurs dictés à Fontanes, la presse bridée, réduite à
insérer des articles fabriqués dans les ministères, l'armée
inféodée au pouvoir par la création de la Légion d'honneur, la centralisation judiciaire couronnée par la compi-
lation du code civil, œuvre diversement jugée, mais dont
l'honneur, en tout cas, est si faussement attribué à Napoléon. Dès Lunéville, l'empire était fait ; il y avait des
dames d'honneur, des chambellans sous le nom de *préfets
du palais*, une garde, les apparences comme la réalité du
despotisme. Le consulat à vie, avec droit de grâce et
choix d'un successeur, ne fut qu'une formalité sans importance, une simple transition.

Il est un acte auquel nous devons nous arrêter, le plus

inutile, à coup sûr le plus funeste et le plus déplorable que
la pensée moderne puisse reprocher au césarisme rétrograde de Bonaparte : c'est le concordat, qui nous rive
aujourd'hui encore au joug clérical.

« L'état légal de la France à l'époque où commencèrent
les négociations pour le concordat était la pleine et entière liberté des cultes, telle que la possèdent les États-
Unis d'Amérique. »   Ennemi naturel de toute liberté,
Bonaparte ne pouvait tolérer une telle anarchie. « Avoir
sous la main un élément assuré de puissance, et le faire
servir uniquement au bien général, quand il ne tenait
qu'à lui de l'exploiter au profit de sa domination, lui eût
paru la plus folle des duperies, s'il avait pu en concevoir
l'idée. » Aussi ne songeait-il qu'à la restauration d'une religion officielle, catholicisme ou protestantisme, hiérar-
chiquement placée sous sa main, et qui achevât l'asservissement des âmes, complément indispensable de son
œuvre politique. Quant à des motifs religieux quelconques,
il serait puéril de lui en demander. On sait trop ce qu'il
pensait de la « prêtraille », des « radoteurs imbéciles »,
du « vieux renard »; on a vu ses mômeries musulmanes au
Caire. Cependant il y a peut-être quelque vérité dans cette
phrase amusante de Thibaudeau : « Ses nerfs étaient en
sympathie avec le sentiment de l'existence de Dieu. »
C'était surtout affaire de réglementation et aussi de convenance historique ; on ne pouvait jouer le rôle de Charlemagne sans religion et sans sacre. Et lorsqu'il présentait
à ses familiers le concordat comme *la vaccine de la religion* (« dans cinquante ans, disait-il, il n'y en aura plus
en France») ; lorsqu'il prétendait « obliger ainsi le pape
et le clergé à se déclarer contre la légitimité des Bour-
bons», Lafayette lui répondait : « Allons, général, avouez
que cela n'a d'autre but que de vous faire casser la petite
fiole sur la tête. » Les mémoires de Consalvi et l'ouvrage

de M. d'Haussonville nous initient aux curieux détails de
la négociation conduite avec les cajoleries, les brusqueries
et la mauvaise foi accoutumées. Le jour de la signature,
Bonaparte fut pris d'un rire convulsif qui faillit gagner
l'assistance ; il riait de joie, de mépris pour ceux qu'il
croyait ses dupes. N'avait-il pas désormais sa « gendar-
merie sacrée » ? ne pouvait-il pas tout avec « *ses* préfets,
ses prêtres, *ses* conciles » ? Il rêvait d'attirer le pape à
Paris, d'en faire une idole, un calife fainéant, et de diriger
lui-même, dans une lueur d'apothéose, « le monde religieux ainsi que le monde politique ». Il se serait peut-
être fait donner de la « divinité » ! L'orgueil suprême est
au-dessus de tous les ridicules.

Le concordat ne fut pas seulement un acte dénué de
sens et de raison, un défi jeté à la libre pensée du dix-
huitième siècle ; ce fut aussi une affaire dangereuse et
manquée. Bonaparte connaissait mal la ténacité de l'Eglise,
sa force de résistance. Dans la lutte qu'il eut plus tard à
soutenir contre elle, le concordat lui lia les mains, il fut
vaincu. Il n'avait travaillé que pour la réaction légitimiste.

Néanmoins, il ne fut pas sans tirer de *son* clergé quelques services. En 1803, ayant besoin d'un mouvement national contre l'Angleterre, il l'obtint « avec la ponctualité
d'une évolution sur un champ de manœuvres. Ce fut l'affaire d'une consigne donnée aux préfets et aux évêques. »
Mandements, prières, malédictions contre un pays qui
refusait « de rendre Malte à l'ordre de Saint-Jean de Jérusalem », rien ne manqua à la comédie, même pas la voix
des journalistes « *libres de répéter les nouvelles publiées
par le Journal officiel.* » La vaine et coûteuse démonstration du camp de Boulogne fut le couronnement de ce
joli travail.

Nous touchons à la partie la plus nouvelle, à la partie
capitale du beau travail de M. Lanfrey. Napoléon avait

besoin, pour monter enfin au trône, d'un grand succès ou
d'une grande commotion intérieure. La conspiration de
Georges et de Pichegru, préparée et suivie durant six mois
par un espion français à Londres, mijotée à Paris, exploitée avec un art infini, fortement assaisonnée par la
mort suspecte de Pichegru et le meurtre inqualifiable du
duc d'Enghien, fut la péripétie suprême, décisive, du grand
drame joué devant l'inertie et l'ébahissement publics. « On
peut affirmer hardiment, dit M. Lanfrey, qu'aucune époque de notre histoire n'a été l'objet d'une falsification plus
complète et plus audacieuse. Jamais plus noires trames
n'ont été enveloppées de plus noires ténèbres. »

L'enlèvement du duc d'Enghien, son prétendu jugement (quand déjà sa tombe était creusée), enfin, « l'assassinat » (c'est le mot dont se sert l'historien) dans les fossés
de Vincennes, sont parmi les plus incroyables, les plus
inutiles violences que l'histoire ait jamais flétries. Il paraît
que Napoléon avait cru prendre le comte d'Artois sur les
côtes de la Manche, que sa déception le rendait furieux,
qu'il lui fallait à toute force un Bourbon, un peu de sang
royal pour sceller les marches de son trône.

S'il y a dans cet acte bizarre je ne sais quels vestiges de
démence, l'implication de Moreau dans le procès de
Georges témoigne d'une mesquinerie bien indigne d'un
grand cœur, d'une jalousie enragée bien mal dissimulée
sous le manteau de l'intérêt public. Nous ne savons guère
quelle était la valeur de Moreau en dehors du commandement des armées ; ce grand général pouvait être un
esprit médiocre ; mais c'était, à coup sûr, un homme modeste, ami de la liberté. Il aurait pu conspirer contre le
premier consul, et cela sans commettre un grand crime ;
mais il est hors de doute qu'il ne l'a point fait, qu'il était
absolument innocent, même devant son ennemi ; sa défense, prononcée par lui-même, excita l'enthousiasme de

l'auditoire ; les juges ne crurent pas pouvoir le condamner ;
ils l'acquittèrent à la majorité de sept contre cinq. A cette
nouvelle, Bonaparte, Napoléon Ier, car il venait de combler
enfin les vœux du Sénat en acceptant la couronne, entre
dans un violent transport de fureur ; une demi-heure
après Moreau était condamné à deux ans de prison, peine
convertie par le maître en exil perpétuel. Napoléon était
vengé de la gloire d'un rival. Triste envers des splendeurs
d'ici-bas ! Ce César vêtu de satin blanc, cet homme du
destin servi par des archichanceliers, des grands électeurs
et autres costumes de parade, ce héros que Carrion-Nisas
s'indignait de voir rabaisser jusqu'à l'égalité des Charlemagne et des Alexandre, ce maître de la terre avait un
esprit faux et une âme étroite.

Et maintenant, pompes du sacre et du couronnement,
rires étouffés des vieux maréchaux, installation d'une cour
aussi mêlée qu'un bal masqué ! Marchons, par le blocus
continental, par les campagnes de Russie, de France, d'Espagne, à la monarchie universelle !

IV.

Les folies et les catastrophes (1).

1805 et 1806 furent des années presque sans nuages ;
le désastre de Trafalgar, atténué par l'infatuation de Napoléon, disparaissait dans le rayonnement d'Austerlitz. En
entendant l'empereur s'écrier : C'est sur terre que je vain-
crai les Anglais ! nul ne se doutait que le blocus conti-

(1) *Histoire contemporaine de l'Espagne*, par Gustave Hubbard,
t. I, Armand Anger, éditeur. — *La Conspiration du général Malet*,
par Paschal Grousset, A. Le Chevalier, éditeur. — *Waterloo*, selon
Charras, Quinet, Piérard.

nental ne fût en germe dans cette parole. L'effondrement
de l'empire d'Allemagne dérobait aux yeux l'imperfection
du traité de Presbourg. Enfin la foudroyante nouvelle de
la Prusse écrasée par deux batailles en un jour, plongeait
la France dans cette ivresse aveugle que peut-être elle n'a
pas cuvée encore.

La fortune cependant, pour qui sait voir, commence à
se défier de son séducteur. Elle se lasse d'être brusquée et
se livre avec moins d'abandon. La campagne de Pologne,
qui suivit celle de Prusse, coûta cher à Napoléon. Trois
victoires comme Eylau ne seraient pas beaucoup moins
funestes qu'un désastre comme Leipzick. Toutefois, la
prise de Dantzig, la bataille de Friedland, l'entrevue de
Tilsitt et l'accession de la Russie au blocus continental
portèrent au comble l'insolence du conquérant. Il prit
pour une soumission fidèle la crainte unanime des peuples
et des rois ; il crut que des Etats vaincus, mais puissants
encore, allaient de gaieté de cœur se ruiner pour lui en fermant leurs ports au commerce anglais. Il n'eut pas même
la précaution de fonder solidement une Pologne entre la
Russie et l'Allemagne, diversion imposée par les circonstances mêmes autant que par des traditions séculaires. Il
était bien plus urgent sans doute d'exiler Mᵐᵉ de Staël, de
supprimer le fantôme du Tribunat, «douze à quinze métaphysiciens bons à jeter à l'eau ».

C'était le temps où s'illustraient à bon marché des rois
de Hollande, de Westphalie, de Naples, où les maréchaux
et leurs femmes, affublés de titres nobiliaires, égayaient
de leurs belles manières les muets qui osaient encore sourire. L'Europe entière, à demi subjuguée, saignée à blanc,
regardait dans la stupeur monter cette fortune inouïe,
cette contrefaçon de Charlemagne et du moyen âge. Seules,
l'Angleterre et la Russie, presque intactes, conservaient
leur liberté de jugement et d'action. Mais, tandis que

23

l'une, avec ses uniques ressources, continuait la guerre et
se vengeait du blocus continental par un bombardement
de Copenhague, l'autre tournait les yeux vers le Danube et
l'Orient que Napoléon lui abandonnait.

L'abstention momentanée de la Russie permit à l'empereur de s'engager dans une déplorable entreprise. Dominé par la manie de la conquête et l'idée fixe du blocus,
il rêvait, dès 1807, l'occupation de l'Espagne. A quoi bon?
Le faible gouvernement de Charles IV était absolument
soumis à l'influence française ; Junot occupait Lisbonne
et fermait la péninsule aux Anglais. Mais il ne s'agissait
pas d'avoir le sens commun ; il s'agissait de s'approprier
le monde. Napoléon commence par envoyer sournoisement
ses troupes jusqu'à Madrid comme protectrices ; puis, at-
tirant à Bayonne Charles IV et son fils révolté, Fer-
dinand VII, il obtient, par une inqualifiable comédie qui
indigna Talleyrand lui-même, l'abdication de ces tristes
sires.

Il faut ici rendre justice à l'Espagne. Aussitôt menacée
du joug étranger, elle s'insurge ; ses juntes rassemblent
des armées commandées par Castanos, Palafox, Blake ; de
toutes parts se lèvent les guerilleros, les deux Mina, el
Empecinado, et tant d'autres dont le nom est demeuré
populaire. Le roi Joseph attend à Burgos que Bessières lui
ouvre le chemin de Madrid ; mais à peine la bataille de
Rio-Seco (juillet 1808) lui a-t-elle permis d'entrer dans sa
capitale, que le désastre de Baylen et la capitulation de
Cintra le décident à repasser l'Ebre après un règne effectif
de dix jours.

M. Hubbard raconte avec beaucoup de soin les sept campagnes à jamais déplorables, qui, de 1808 à 1814, dévas-
tèrent l'Espagne, et, par un juste retour, ramenèrent en
France l'invasion qu'on avait portée sans raison chez un
peuple ami. Nous n'avons pas à juger ici les manœuvres de

Soult, les échecs de Ney, de Masséna, à compenser les dé-
faites de Talavera, des Arapiles, de Vittoria, avec les victoires de Tudela, de Somo-Sierra, d'Ocagna ou d'Uclès.
Le fait est, malgré l'habileté heureuse de Suchet, malgré
Victor et Clausel, et Marmont, malgré Napoléon même, le
fait est que nous avons été battus, repoussés, et que cette
guerre inique, attachée pendant six ans aux flancs de l'empire, ne lui a pas été moins fatale que l'expédition de
Russie.

En novembre 1808, Napoléon, momentanément rassuré
sur ses frontières de l'Est par la fastueuse et stérile entrevue d'Erfurt, vint en Espagne installer lui-même son
frère. Maître de Madrid au commencement de décembre,
il se prit à légiférer et à décréter, ce qu'il faisait volontiers dans les capitales conquises. On vante les réformes
qu'il édictait, l'abolition de la féodalité et de l'inquisition ;
et certes, les mesures étaient bonnes en elles-mêmes ;
mais quel peuple accepte les présents d'un vainqueur, qui
ne peut les lui imposer ? Tout le clergé concourait à la résistance nationale ; il était donc à l'abri de la législation
nouvelle. Les décrets de Napoléon ne furent que lettre
morte, paroles en l'air. Loin de lui devoir la liberté des
cultes, l'Espagne lui a dû la recrudescence cléricale dont
nous la voyons aujourd'hui se dégager avec tant de peine.

Rappelé en Allemagne par les armements de l'Autriche,
Napoléon quitta pour toujours le pays où il n'aurait
jamais dû entrer. Eckmühl, Essling, Wagram, l'accession
de l'empereur François au blocus continental, n'étaient
pas faits pour ramener à la raison « l'arbitre du monde ».
Le divorce, le mariage autrichien, la naissance du roi de
Rome, furent pendant deux ans les occasions de fêtes, de
réjouissances, d'enivrements militaires, d'illusions dynas-
tiques, sous lesquels l'historien tant soit peu attentif distingue les craquements avant-coureurs de la ruine, les

fusillades espagnoles, les sourds murmures de l'opinion, les arrière-pensées des Talleyrand et des Fouché, brouillés déjà avec le maître. Dès 1808 ou 1810, Decrès, un duc, disait à Marmont : « Vous voilà courant, parce que vous venez d'être fait maréchal. Vous voyez tout en beau. Voulez-vous, moi, que je vous dévoile l'avenir ? L'empereur est fou, tout à fait fou, et tout cela finira par une épouvantable catastrophe. »

Aussi, lorsque, en juin 1812, Napoléon passa le Niémen en s'écriant : « La Russie est entraînée par la fatalité, ses destins doivent s'accomplir », toute l'Europe, bien que forcée de marcher à sa suite, lui appliquait ces paroles. La campagne de Russie, c'est l'*alea jacta est*, et bien pis, c'est la plus inutile, la plus insensée de toutes les entreprises humaines. Comment conserverions-nous assez de calme pour juger l'homme qui, en moins de six mois, ravit à la France plus de trois cent mille de ses enfants ?

Dans les premiers jours de novembre, Napoléon reçut, à Michalewka, une nouvelle qui hâta son retour, sa fuite, pour mieux dire, et le détermina peut-être à abandonner son armée. Un ancien général, le républicain Malet, avait été maître de Paris pendant dix heures ; sans la lenteur de deux de ses complices, il arrêtait tous les ministres, et changeait la forme du gouvernement ; trois mots avaient suffi à ce conspirateur : l'empereur est mort ! Et nul, pas même les généraux et autres fonctionnaires, n'avait songé un seul instant au roi de Rome. Comprenez-vous cela ? Quant à Napoléon, il ne pouvait pas comprendre. Lui, l'habile homme, il croyait aux serments des autres ! Ces choses-là se voient tous les jours. On n'avait donc pas songé un seul instant à un enfant de deux ans pour sauver la France. Tout le monde trouvait plus simple de se débarrasser de l'empire, de la conscription, des guerres lointaines, du fonctionnarisme et du cléricalisme.

Malet succomba ; il fut jugé sommairement et fusillé
avec une quinzaine d'hommes qui avaient, quelques-uns
en toute bonne foi, exécuté ses ordres. A ne considérer
que l'apparence de cette conspiration, sa marche, on n'y
voit d'abord qu'un coup de main improvisé. Un homme
qui sort d'une prison la nuit et qui, vêtu d'un uniforme
de général de division, s'en va délivrer à la Force deux
anciens officiers de ses amis, puis soulève une caserne,
puis marche sur les ministères, cela semble un rêve, la
tentative désespérée d'un malheureux. Eh bien, de nombreux indices recueillis par M. Paschal Grousset, un tim-
bre particulier sur les proclamations préparées par Malet,
l'interrogatoire de cet esprit si ferme et si lucide, et par-
dessus tout les révélations de Charles Nodier sur les
sociétés secrètes dans les armées, autorisent à penser que
Malet fut le chef de l'ordre des Philadelphes et l'exécuteur
d'un vaste complot préparé de longue main. L'entreprise
n'était ni inhabile, ni inopportune. Napoléon était loin, la
France pleurait en silence ses enfants dévorés par les loups
de Russie. Une révolution pouvait seule sauver nos débris
et arrêter la guerre. Pour moi, je ne doute pas que Malet
n'ait été à deux doigts de la réussite. En France, dans un
état normal, qui tient Paris tient tout, nous le savons,
parce qu'il a dans la main le centre absorbant où se réunissent tous les fils du réseau administratif.

L'Empire continua, pour notre malheur. L'Espagne
était perdue. Les Arapiles et Vittoria nous avaient rejetés
sur les Pyrénées. Suchet, toujours victorieux, se retirait
lentement de Valence et de la Catalogne. La fortune, après
quelques sourires (style du temps), nous abandonnait aussi
en Allemagne. Napoléon eut un moment l'idée de marcher
sur Berlin ; mais cette manœuvre, qui eût peut-être évité
Leipzick, fut hautement désapprouvée et raillée par les maréchaux fatigués. C'était la débâcle. L'empereur eut beau

courir çà et là en Champagne, vainqueur ou vaincu dans
de glorieuses petites batailles. Il n'avait plus la présence
d'esprit et le sang-froid des temps prospères. Marmont
nous le peint « gros et lourd, sensuel, craignant la fatigue,
indifférent à tout, ne croyant à la vérité que lorsqu'elle se
trouvait d'accord avec ses intérêts ; plus de volonté, plus
de résolution, et une mobilité qui ressemblait à de la faiblesse. »

Paris donc fut pris. Nous revîmes nos bons rois avec la
curiosité de gens qui examinent des fossiles. Le peuple
français était déjà cette cohue de gobe-mouches qui laisse
tout faire et regarde tout passer. C'est que quatorze ans
de guerre et de despotisme ne sont pas sans affoler ou
user le cerveau d'une race. Déjà le fétichisme bonapartiste
naissait dans les campagnes. On le vit bien aux Cent
jours. Si les paysans avaient refusé leurs fils à cette insatiable démence, si le peuple se levant avait, à la face de
l'Europe, mis à la porte dos à dos Louis XVIII et Napoléon
avec leur Talleyrand et leur Fouché, la paix, une paix
féconde aurait relevé la France. Mais à quoi bon récri-
miner ? La bataille de Waterloo, mal engagée, mal conduite, c'est ce que dit la vraisemblance, c'est ce que démontrent Charras, Quinet, Pierrard, Thiers lui-même,
vint mettre le comble aux infortunes sans mesure dont
nous avait accablés l'Empire.

Et pourtant Sainte-Hélène a fait pardonner Waterloo.
Sainte-Hélène, le tombeau, le saule, ont été comme le renouveau de la légende terrible qui nous domine encore.
Mais que vouliez-vous donc qu'on fît de Napoléon ? Fallait-
il exposer l'Europe à des alertes sans nombre ? Encore une
question : Napoléon à Sainte-Hélène a-t-il été plus malheureux que Moreau en exil, que Malet dix ans prisonnier
sans jugement, et que toutes les victimes de sa tyrannie ?
Et qui, d'eux ou de lui, a fait le plus de mal à son pays ?

Comment donc se rendre compte de cette longue fasci-
nation qu'il exerça, vivant et mort, sur les campagnes où
il fauchait des moissons d'hommes, sur les villes où il
comprimait la pensée ? Par la qualité maîtresse de Bonaparte, la pose. Il fut un grand acteur de mélodrame dans
les rôles d'astuce et de violence. Depuis Campo-Formio, il
a passé sa vie à casser des cabarets en porcelaine, sans les
payer. La foule aime ces brutalités.

On se tromperait fort, d'ailleurs, si l'on croyait que ses
camarades ou compères furent ses dupes. Talleyrand ni
Fouché, tout en profitant de leur mieux de sa fortune, ne
se laissèrent nullement éblouir par sa grandeur théâtrale.
Ses maréchaux, gorgés de ses faveurs intéressées, ne travaillaient en le servant que pour eux.

Il serait curieux et possible de démontrer qu'il fut dupé
autant qu'il dupa. Alexandre, à Erfurth, le joua sous
jambe ; et Pie VII, un autre augure, ne pouvant regarder
sans rire ce maître qui le torturait, le frappa en plein
visage de deux mots indélébiles : *Commediante*, *tragediante !*

Cette définition abrégée sera adoptée par l'histoire ;
c'est celle que nous retrouvons dans le titre même d'un
ouvrage humoristique de M. Mario Proth (1). Notre ami
et confrère a aussi voulu donner son coup de pelle à la
légende « qui s'en va, poussée vers la fosse commune des
mythologies par la vindicte calme et raisonnée des générations dont brutalement elle barra la route ». Bonaparte,
l'Italique, l'Egyptiaque, survivait à Napoléon et sortait encore de terre ; Mario Proth l'y fait rentrer, et l'enterrement
est complet. N'est-ce pas l'occasion d'un peu de joie ? Ne
faut-il pas danser un peu sur ce tombeau et y jeter quel-

(1) *Bonaparte, commediante tragediante*, par Mario Proth (Le
Chevalier, in-18).

ques poignées de sel gaulois — celui qui empêche le
mieux les mauvaises herbes de repousser, quand ce
seraient des immortelles? Il est temps d'en finir avec l'enfant prodige, avec le sauveur de Vendémiaire, avec «Bou-
naberdi, sultan des Francs d'Europe ».

La légende napoléonienne a été l'une des plus terribles
maladies, l'une des contagions les plus déplorables dont
la France ait été atteinte en ce siècle. N'avait-elle pas envahi tout le corps social, depuis le paysan jusqu'à l'artiste et au citoyen? Est-ce que la chanson de Béranger,
l'ode de Victor Hugo n'avaient pas fait de ce mangeur
d'hommes, qui dispersa du Tage à la Bérézina les cadavres
de dix-sept cent mille Français, je ne sais quelle idole de
Civa indien adoré par le chauvinisme? Napoléon, héritier
de la Révolution, héritier malgré lui ! Des gens prétendus
sérieux se sont payés de cette formule grotesque ; ils ont
soutenu que, par le pillage et le meurtre, les bandes impériales avaient inculqué à l'Europe les principes de 89.

Cette odieuse plaisanterie a fait son temps, et les bienfaits du second empire ont éclairé ceux du premier.

Tout ce qui a épuisé, humilié la France, c'est l'ambition de Napoléon Ier qui l'a préparé et accompli ; c'est
l'esprit étroit et despotique de Napoléon Ier qui a établi
sur le sol de la France le militarisme, le fonctionnarisme,
le cléricalisme, ces trois engrenages dévorants. Il nous a
légué l'amoindrissement moral et effectif de notre rôle
dans le monde, la haine ou la défiance des peuples. En
brisant, en ruinant les frontières de la République, il a
montré à l'étranger le chemin de Paris. Enfin, il nous a
détournés, pour soixante-dix ans au moins, de la route
ouverte par la Révolution.

XXII.

L'ÉCLECTISME POLITIQUE ET L'ÉCLECTISME PHILOSOPHIQUE EN 1843-1845.

« Nous ne savons bien, a écrit Sainte-Beuve quelque part, que notre temps et, dans notre temps, que notre propre génération. » Encore est-ce beaucoup dire ; et bien des faits démentiraient cet aphorisme : n'avons-nous pas eu durant cinq longues années (71-76) le spectacle public de gens faisant métier d'ignorer et leur temps et leur génération? La vérité est que le soldat, bien souvent, ne se rend guère compte de la bataille où il est engagé, qu'on ne juge bien que du dehors ; et quelle n'est pas la part du tempérament et des préférences individuelles? Les contemporains ne connaissent bien que leur groupe et quelques-uns de leurs adversaires directs. S'ils voient dans une certaine mesure la raison de leurs actes, ils n'en peuvent apprécier les conséquences; ils n'embrassent pas tout entier, dans ses origines multiples et dans sa fin obscure, le mouvement qui les emporte. La notion du présent perd en étendue et en netteté ce qu'elle gagne en précision. Aussi n'y a-t-il de réelle certitude historique que dans le passé.

Mais où finit le passé, où commence le présent? Il y a là une limite mobile qui, chaque jour, se déplace en avant et que l'histoire suit pas à pas, faisant rentrer dans son domaine des séries de faits accomplis, mais jusque-là rebelles à un classement définitif. C'est ainsi que la Révolution et le premier empire, longtemps travestis de bonne foi par les nombreux historiens qui s'en sont occupés,

commencent seulement à se dégager de la confusion des
souvenirs contraires et des jugements partiaux. Quant à la
Restauration et au régime de Juillet, périodes en apparence moins complexes et, à tout prendre, d'une compré-
hension plus facile, leur histoire est bien loin d'être
achevée. Les études partielles et les travaux d'ensemble,
quelques-uns très remarquables, dont ces temps ont été
l'objet, ne suffisent pas encore à éclairer les liens qui nous
y rattachent, les biens et surtout les maux que nous leur
devons. Sans doute, depuis quelque dix ans, les pro-
grammes universitaires comprennent les évènements qui
se sont produits entre 1815 et 1848, et au delà ; mais que
l'on songe à la masse des hommes d'aujourd'hui qui ont
été privés même de cet enseignement si sommaire et si incomplet, et l'on s'apercevra bien vite que l'époque immé-
diatement antérieure à la Révolution de Février est l'une
des plus obscures et des moins connues de notre histoire.
Terne, sans éclat, elle intéressait si peu les contemporains
eux-mêmes que, pour la plupart d'entre eux, la chute de
Louis-Philippe a été comme un coup de foudre. C'est là
pourtant que nous devons chercher et trouver l'origine
des commotions, des aventures et des embarras où nous
nous débattons depuis trente ans, et dont nous ne sommes
pas quittes encore. Il n'est pas peut-être une seule des
questions vitales, toujours négligées et éludées jusqu'ici
par nos pouvoirs publics, qui n'ait son point de départ
dans les erreurs ou les fautes lourdes de la monarchie
constitutionnelle. Bien plus que la légende napoléonienne,
la piteuse invention de la ploutocratie bourgeoise, dans
l'ordre politique, et, dans l'ordre intellectuel, la tyrannie
de l'éclectisme bâtard, ont contribué à la désorganisation
des mœurs et des idées. Ce sont ces deux fléaux qui ont
travaillé au profit de la fausse démocratie césarienne et
jeté dans les bras du cléricalisme la réaction, sceptique et

affolée. Certes, les gens de 1845, gouvernants et gouvernés tous ensemble, étaient tout à fait inconscients des maux qu'ils allaient déchaîner sur leur patrie ; et, même maintenant, la thèse que nous énonçons paraîtra étrange à plusieurs ; mais nous ne désespérons pas de la leur rendre évidente.

Beaucoup d'indications précieuses nous sont ici fournies par les notes que Sainte-Beuve envoyait, de 1843 à 1845, à M. Juste Olivier, directeur de la *Revue suisse*. Dans ces *Chroniques parisiennes* (1), comme les intitule l'éditeur fidèle, M. Jules Troubat, l'illustre critique pouvait donner, toute chaude et toute crue, l'impression qu'il eût édulcorée et enveloppée, s'il eût écrit en France et sous son nom. L'anonymat lui assurait une pleine liberté. Ses lettres, toutes privées, n'étaient que des matériaux livrés à un correspondant qui les groupait ou les refondait à son gré. Elles ne contiennent d'ailleurs rien qui ne pût être dit honnêtement et avec convenance. Mais « on peut avec probité et sans manquer à rien de ce qu'on doit, bien voir à Paris sur les auteurs et sur les livres nouveaux ce qu'on ne peut imprimer à Paris même, à bout portant, et ce qui, à quinze jours de là, s'imprimera sans inconvénient, sans inconvenance, dans la Suisse française ». Ces lignes de Sainte-Beuve indiquent le caractère et la valeur de ses *Chroniques*. On verra tout à l'heure qu'elles n'intéressent pas seulement la critique littéraire. Bien plutôt même, à ce point de vue spécial, et malgré leur sincérité manifeste, demanderaient-elles à être lues avec une certaine précaution.

Sainte-Beuve a plusieurs fois changé de camp. Il n'était plus, en 1840, l'homme du *Globe* et du *Cénacle*. Suspect à ses anciens amis, il ne leur rendait qu'une justice quel-

(1) C.-A. Sainte-Beuve, *Chroniques parisiennes*, 1876, in-18, Calmann Lévy.

que peu froide et malveillante. Notez bien que nous n'incriminons pas sa rupture avec l'école romantique. Trop curieux de nouveauté pour n'y pas entrer un moment, trop indépendant pour s'y enrôler à vie, trop amoureux de l'exactitude et de la finesse, trop critique en un mot, pour accepter tous les partis pris et toutes les audaces du maître de la poésie moderne, il devait fatalement reprendre au plus vite sa liberté et se chercher une place à part, ni trop loin ni trop près des groupes divers. Et cependant, mieux eût valu peut-être pour son impartialité qu'il n'eût pas noué de si intimes rapports avec ceux qu'il devait quitter. Il aurait sans doute évité son engouement d'une heure pour la *Lucrèce* de Ponsard ; il aurait moins écouté ses préventions excessives contre le drame romantique ; il n'aurait pas écrit cette phrase qui frise le ridicule : « *Lucrèce* est l'avènement d'André Chénier au théâtre », et cette autre : « Oh ! si nous avions seulement notre Ducis ! » Après tout, Victor Hugo n'a pas à se plaindre des *Chroniques parisiennes*. Ses discours, sur la tombe de Casimir Delavigne, et à la réception de Saint-Marc Girardin et de Sainte-Beuve lui-même, y sont convenablement appréciés, sans cordialité, mais avec courtoisie ; un peu de mauvaise grâce ajoute quelque prix à l'éloge. Michelet et Quinet ne sont pas aussi bien traités ; ils ne pouvaient qu'être antipathiques au tempérament de Sainte-Beuve ; mais le plus malmené, on le devine d'avance, c'est Balzac, appelé, on ne sait trop pourquoi, « fécond auteur de tant de romans bien commencés et mal finis ». Aussi, pourquoi le malin Tourangeau s'est-il permis un si excellent pastiche du Sainte-Beuve alambiqué et précieux ? La rancune fut tenace, et, longtemps après avoir corrigé les défauts de sa première manière, jusque dans les appendices de la seconde édition de *Port-Royal,* le critique a poursuivi le peintre de *la Comédie humaine.*

Mais en dehors de ces froideurs et de ces inimitiés, quelle largeur déjà dans l'esprit et quelle justesse dans le trait ! Combien de remarques heureuses et de mots piquants, parfois trouvés par l'écrivain, parfois recueillis dans des conversations ! Lamennais, « Jean-Jacques de seconde et troisième main »; Lamartine, « improvisateur », « Lafayette de l'intelligence » ; De Vigny, albâtre artistement travaillé, derrière lequel apparaît quelquefois « une rougeur de lampe artificielle » ; Lamartine dit de Vigny : « C'est bien léché » ; Vigny, de Lamartine : « C'est bien lâché » ; Saint-Marc Girardin « est une de mes antipathies ; homme d'esprit, surtout bel esprit, mais non un vraiment bon esprit ni une intelligence vigoureuse » ; « Nodier avait le don de l'inexactitude ; comme érudit, il ne pouvait écrire deux lignes de suite sans qu'il y eût quelque erreur » ; « Abel Rémusat, remplacé par Stanislas Julien en érudition philologique, mais pas du tout en esprit » ; « la rédaction des *Débats* se renouvelle souvent, mais ne se rajeunit jamais » ; Genoude, c'est « Tartuffe journaliste ».

> Janin grimpe sur Dante et gambade au plus haut ;
> Planche fait de l'algèbre avec Manon Lescaut.

Et sur Ponsard (avril 1843) : « S'il y avait des prix de Rome pour la tragédie, l'auteur partirait demain pour la ville éternelle. » (Le mot est de Préault.) Et sur la poésie de Mme Louise Colet : « Elle a un assez beau *busc* ou buste, comme la dame elle-même. » On n'en finirait pas. Voici un jugement sur Alfred de Musset, qui vaut d'être médité : « La vraie originalité de Musset est d'avoir ramené l'esprit dans la poésie, en y mêlant la passion ; son tort grave est d'avoir relâché et presque dissous la forme. Jamais, depuis qu'on fait des vers français, on n'a aussi peu rimé ; il faudrait remonter aux chroniqueurs en vers du treizième siècle. Il croit servir le sens, il se trompe. Maintes fois chez Musset j'aperçois bien ce qu'il veut dire, mais il ne le dit pas. Quant à sa prose, elle est décidément charmante. » Enfin, tous les écrivains de son temps, Mérimée, Villemain, Thiers, Cousin, Dumas, George Sand sont correctement et finement jugés.

Mais, et voilà qui nous ramène à notre sujet, à chaque page se fait jour un sentiment d'ennui et de découragement, un désarroi singulier dans un esprit si agile. Ce ne sont que plaintes sur la stérilité littéraire, sur la mélancolie des poètes, sur l'indécision des générations nouvelles; au premier abord, on est tenté de croire que Sainte-Beuve cède à une mauvaise humeur toute personnelle : autour de lui les grands noms abondent ; aucune époque n'en a rassemblé de plus illustres ; la plupart des écrivains qui ont participé au mouvement, à la renaissance de 1830, sont encore dans la maturité de l'âge et du talent, et presque tous, dans ce moment même, produisent des œuvres durables. Et cependant, l'impression du critique paraît bien exacte. Dans le monde qu'il fréquente, dans les rangs des « classes dirigeantes », règne une monotonie, une inertie inquiétante ; les promesses de réveil n'abondent point ; les débuts sont rares ; Ponsard, Emile Augier, M. de Laprade, publient leurs premiers écrits, non sans mérite assurément ; mais quoi ! les Victor Hugo, les Michelet, les Balzac, les Lamartine, les Musset et vingt autres, n'ont pas vu naître encore leur successeurs probables. On dirait que la France est épuisée. D'où vient donc cette lassitude profonde que dissimulent mal le verbiage doctrinaire des salons et des Chambres, la petite agitation légitimiste des flétris, les velléités d'opposition qui chuchotent autour de M. Thiers, de M. Molé, de Lamartine, voire de Billault, d'odieuse mémoire, et de M. Dufaure? Sainte-

Beuve ne le sait pas et se le demande à peine. Il connaît
très bien les personnages qui figurent au premier plan ; il
note leurs petitesses, leurs scrupules, il recueille avec un
sourire les malices et les épigrammes qu'ils se décochent ;
mais il ne saisit pas le grand vice de cette machine hésitante
qui croit rouler sans cahots, et qui ne fait que patiner sur
place. La stagnation n'est pas l'équilibre ; elle engrave le
ressort de la vie sociale, elle mine l'énergie productrice,
elle énerve la moralité. Si les conducteurs sceptiques ou
autoritaires de l'engrenage constitutionnel se désintéres-
sent eux-mêmes du rôle qu'ils se sont arrogé, quels ne doivent pas être l'indifférence, le mépris, la haine que la masse
voue aux privilégiés incapables ? Tout cela couve, et Sainte-
Beuve ne le voit pas. Lui, qui s'est approché pourtant des
républicains et des réformateurs utopistes, il ne sent pas
que, depuis 1840, la nation se détache du système factice
si opposé à ses instincts égalitaires. Ce système, elle avait
pu l'accepter comme un instrument de sage progrès ; elle
le répudie désormais, parce qu'il a pris l'immobilité pour
idéal ; elle délaisse le groupe obstiné et fermé des censi-
taires, et, faisant un retour sur elle-même, elle considère
ses besoins et ses plaies. De là le retentissement des *Mystères de Paris*, cette création puissante à tout prendre, qui
épouvante et dégoûte, en Sainte-Beuve, non seulement l'é-
crivain délicat et raffiné, mais surtout le familier des cercles de la bourgeoisie parlementaire.

Un autre péril, tout aussi réel, c'est la constitution d'une
philosophie d'Etat tout à fait parallèle et appropriée au
parlementarisme bourgeois ; un autre homme funeste, c'est
l'éloquent, l'ambitieux, l'actif, le léger, le creux Victor
Cousin. Le gouvernement doctrinaire n'est qu'un éclectisme,
un compromis entre la liberté et l'autorité, entre l'égalité
et le privilège. L'éclectisme philosophique n'est pas autre
chose : une combinaison bâtarde entre le scepticisme mo-

déré, le sensualisme décent et le mysticisme raisonnable.
Encore, si « cela » n'était qu'une opinion, mais « cela »
veut être un dogme. L'Université est soumise à cette orthodoxie, et Cousin déclare en pleine Chambre des pairs
que, si le plus humble des professeurs s'écartait de la saine
doctrine, il serait sur l'heure cassé aux gages et « réduit
au silence ».

Certes, le Sainte-Beuve de 1844 n'est pas celui de 1865.
Gallican, janséniste, indécis surtout, il ressasse encore de
vieilles formules ; certaines doctrines, auxquelles il est venu
plus tard, sont encore à ses yeux « peu hautes et peu con-
solantes ». Mais jamais ni l'éclectisme, ni la faconde du
brillant professeur n'ont eu prise sur lui. Jamais il ne
manque une occasion de crever ces deux ballons gonflés.
Ses *Chroniques* offrent, à ce sujet, de nombreux passages
où il fait preuve d'une incontestable sagacité. Beaucoup
valent d'être cités. « J'ai dit, écrivait-il en 1840, que
Scribe est le seul auteur comique du temps ; mais il y a
d'autres comiques encore, et d'un genre plus élevé : Cousin, par exemple, qui est un perpétuel Phédon de haute
comédie ou même de comédie italienne, un Phédon-Sca-
pin (1). » « Cousin porte dans tout ce qu'il écrit une personnalité qui vraiment serait parfois outrageuse, si elle
n'était toujours un peu plaisante ; *veni, vidi, vici*, il court, il
triomphe, il monte au Capitole. » « Ce qui manque à Cousin, c'est l'entière franchise. Grand chef d'école et de parti,
ce n'est pas un philosophe. »

Ailleurs, appréciant un article de Saisset dans la *Revue
des deux mondes* du 1er mai 1844, il s'exprime ainsi :
« Vous n'êtes pas philosophe et votre philosophie n'en est
pas une véritablement, car elle vous est commandée, car

---

(1) Voir les *Cahiers de Sainte-Beuve*, piquante publication de
Jules Troubat, in-16. Alphonse Lemerre.

elle part d'un point d'avance déterminé, le doute méthodique, et elle arrive à des résultats d'avance assignés ; or, est-ce là une philosophie véritable, celle qui n'est pas libre de choisir son point de départ et d'aboutir aux résultats *quelconques* où sa recherche la conduira? Les esprits vraiment libres ne trouvent donc pas plus leur compte à l'éclectisme universitaire que les catholiques orthodoxes. » Cousin, dans son *Introduction à Vanini* (décembre 1843), cherche à établir nettement la position qu'il prétend faire à sa philosophie : « Il y a eu tour à tour, dans le monde, des philosophies d'essai, de destruction, et des *philosophies régulières et de fondation ;* » ce sont ces dernières qu'il entend continuer. Au platonisme des Pères, à l'aristotélisme catholique, il veut substituer un cartésianisme de bon goût, qui les concilie et qui s'accommode « à la religion encore dominante aujourd'hui ». Et le dix-huitième siècle? demande Sainte-Beuve. Il est non avenu. Mais que peut être un cartésianisme après Voltaire, Diderot, d'Holbach? Une sorte de scepticisme déguisé, « le seul enseignable », vide de fond, avec une foi de commande à la liberté humaine et à la spiritualité de l'âme. Quant aux sciences naturelles, à la physiologie comparée, etc., l'éclectisme n'en tient compte.

Rien de plus ridicule que les perpétuelles avances de Cousin à la religion. «Voir, dans les *Débats* du 24 mai 1843, dit à ce propos Sainte-Beuve, l'allocution de Cousin à l'Académie des sciences morales, sur le *Spinoza* de Saisset (ami de Simon), et la phrase sur la *divine Providence*, avec force inclinaisons de tête. C'est cette *religion officielle* de l'éclectisme et du charlatanisme qui est un peu impatientante ! Là où d'autres disent les *saintes Écritures*, Cousin dit les *très saintes* Écritures ! » Mais voici le comble : « On se souvient encore et l'on raconte que, dans son zèle pour la christianisation, au moins apparente et officielle, de

24

l'Université, Cousin avait, il y a quelques années, rédigé, oui, rédigé de sa propre et belle plume, un catéchisme ; cet édifiant catéchisme était achevé, imprimé déjà et allait se lancer dans tous les rayons de la sphère universitaire, quand on s'est aperçu tout d'un coup, avec effroi, qu'on n'y avait oublié que d'y parler d'une chose, d'une seule petite chose, assez essentielle chez les catholiques ; quoi donc? du *purgatoire*. Il fallut vite tout arrêter, détruire toute l'édition (1). Les philosophes, en fait de théologie, ne pensent pas à tout. » Après celle-là, il faut tirer l'échelle.

Et qu'est-il résulté de toutes ces pantalonnades? Tout d'abord, l'Eglise, qui se méfie, n'eut garde de s'y laisser prendre ; elle sait bien que « la force des choses l'emporte, qu'après le dix-huitième siècle accompli, il n'y a plus de philosophie possible, si mitigée et si méthodique qu'elle soit, qui, au fond et en résultat, ne se trouve hostile au catholicisme ». Secondement, l'Université, quoi qu'on ait fait, est demeurée tiède et sceptique, bien que prudente, en face du cléricalisme ; mais elle a pour longtemps pris le pli de la servitude et oublié la liberté philosophique, elle s'est habituée à n'enseigner que de prétendues vérités moyennes et des banalités vides de sens. Quant au public de tout ordre, il s'est, ou rallié aux religions positives, ou

(1) Il en existe encore quelques exemplaires. M. T. Colani, pour sa part, en connaît trois, dont deux à la bibliothèque de l'Université. Ce burlesque opuscule (in-12, xv-260 p., F.-G. Levrault ; Paris-Strasbourg, 1834 ; *deuxième édition* fictive) a pour titre : *Livre d'instruction morale et religieuse,* à l'usage des écoles primaires catholiques, élémentaires et supérieures, des écoles normales et des commissions d'examen. Autorisé par le conseil royal de l'instruction publique. » Voir le piquant article de M. T. Colani (*République française* du 26 août 1879). Une note du lendemain (même journal) signale encore un certain nombre d'exemplaires échappés au pilon.

égaré dans les mysticismes humanitaires, ou jeté dans une dédaigneuse indifférence. Quelques élèves de Condillac et de Laromiguière (Armand Marrast et le *National*) ont persévéré dans leur *Sensualisme* rationnel et superficiel ; d'autres, fins sceptiques, Mérimée, par exemple, et Libri (dont la monomanie bibliokleptique ne s'était pas encore déclarée), se contentaient de railler hardiment, sans conviction et sans but : aussi n'ont-ils guère honoré, malgré tout leur talent, la cause qu'ils auraient pu défendre. Seul, le petit groupe positiviste, obscur et ignoré, à ce point que le nom d'Auguste Comte n'apparaît pas une fois dans nos *Chroniques*, concevait une philosophie fondée sur les faits observés et sur les conclusions des sciences. Quelle reconnaissance ne lui doit-on pas (toute divergence à part) pour avoir contribué à restaurer la méthode expérimentale! La libre-pensée marche aujourd'hui et le précède dans la voie qu'il a rouverte. Mais combien nous souffrons encore de la déviation éclectique! Les parlementaires décemment sceptiques, dont l'Eglise se méfiait, ne se sont pas méfiés de l'Eglise. Accoutumés par Cousin aux transactions morales, dès que leur intérêt apparent et mal entendu le leur a commandé, ils ont fait alliance, eux les libéraux, avec les défenseurs de la théocratie et du *Syllabus*, et par là, donné la main à toutes les réactions coalisées, dont ils partageront la fortune. Plusieurs méritaient mieux. Les avertissements ne leur ont pas manqué. Mais ils n'ont pu triompher de leur éducation doctrinaire et éclectique ; qu'ils s'en prennent à leurs docteurs, à Guizot et à Victor Cousin.

La grande entreprise cléricale, cette menaçante campagne contre l'esprit moderne, qui aboutissait l'an dernier à la loi sur l'enseignement supérieur, et à laquelle nous ne désespérons pas de mettre fin, était déjà commencée lorsque Sainte-Beuve correspondait avec Juste Olivier. Ou plu-

tôt, interrompue violemment par la révolution de 1830,
elle reprenait de plus belle vers 1840, forte du scepticisme
du roi, de la dévotion de la reine, de l'impopularité du
régime, de l'aveuglement des parlementaires et de l'indifférence générale. Les catholiques n'avaient pourtant, alors
comme aujourd'hui, (tout au fond) « ni le peuple ni la
classe moyenne » ; mais, déjà maîtres des femmes, qu'ils ont
encore, hélas ! ils aspiraient déjà à s'emparer des enfants,
qu'il faut aujourd'hui leur disputer, sous peine d'une décadence intellectuelle irrémédiable. Au nom de la Charte
et des libertés garanties par la Constitution, ils réclamaient
leur part de l'éducation nationale ; ils attaquaient la tiédeur
religieuse de l'Université ; ils vantaient la morale chrétienne ; ils invoquaient l'autorité du père de famille. Nous
connaissons tous ces sophismes. Mais alors que pouvait-
on leur répondre ? L'éclectisme régnant et les classes dirigeantes, tous les penseurs et les utopistes eux-mêmes ac-
ceptaient les principes religieux et chrétiens comme la
base de la civilisation. La liberté de l'enseignement sédui-
sait, séduit encore de bons esprits. La foule indifférente
regardait la lutte sans en soupçonner l'importance ; elle se
pressait, comme à un spectacle, aux conférences des Ravignan et des Lacordaire.

L'impression de Sainte-Beuve est ici bien précieuse, et
nous devons la rapporter. On dirait cela écrit d'hier : « Décidément (avril 1843), toutes les réactions sont complètes et
triomphantes. La foule, à Notre-Dame (dans toutes les
églises, mais à Notre-Dame particulièrement), était prodigieuse. M. de Ravignan prêchait trois fois par jour... On
s'y pressait, on s'y foulait, on y pleurait... Le clergé est
organisé, actif et zélé, la société indifférente, mais avide
d'émotions et de *quelque chose*. Personne ne lui offre rien.
La philosophie n'existe pas, ou elle se proclame l'amie de
la religion et de l'orthodoxie quand même. Dans cet état,

incertitude, curiosité, engouement, on se pousse dans un sens, et, si l'on n'y prend garde, cela devient sérieux : l'entraînement suit. Les vieux peuples, comme les vieilles gens, sont tentés de revenir à leurs patenôtres et de n'en plus sortir. Se pourrait-il que la France, finalement, fût catholique comme Bénarès est hindoue, par impuissance d'être autre chose? » La société civile avait, bien entendu, ses défenseurs écoutés et populaires. Michelet, Quinet, au premier rang, attaqués dans leurs chaires du Collège de France, ripostaient avec vigueur par la parole et par la plume; ils frappaient à coups redoublés sur l'ultramontanisme et sur les jésuites. Dans la *Revue des deux mondes*, dans le *Siècle*, dans les *Débats*, Libri, Saint-Marc, de Sacy lui-même, entretenaient une polémique acharnée. Veuillot, déjà converti, Dupanloup, qui débutait, Affre, Ravignan (*De l'existence et de l'institut des Jésuites*), Montalembert, leur répondaient. Mais cette querelle si sérieuse semblait dégénérer en petite guerre, et finissait par « déplaire au monde ». Sainte-Beuve, à chaque instant, répète à Michelet, à Quinet, aux *Débats*, qu'on en a assez et trop. Déjà naissaient les sottes expressions : *manger du prêtre, mauvais esprit*, etc., dont les dupes et les crédules ont tant abusé. Il était à moitié ridicule de lutter pour la vie contre un parti envahissant; car, de fait, l'Eglise était cela. Sainte-Beuve le dit bien : « Le jésuitisme et le catholicisme, en France, ne sont guère plus distincts et le seront de moins en moins. » Sans doute, c'est ici le gallican platonique qui parle, mais le fait n'en est pas moins constant. La papauté, qui résiste aux impatiences des évêques avides du rite romain, se sent débordée par le jésuitisme et va s'y résorber. Toute l'armée cléricale va s'élancer, comme un seul homme, au dernier assaut.

Dans les sphères gouvernementales, Villemain était presque seul à comprendre toute l'importance de ce mouvement.

Mais il était mal soutenu par Louis-Philippe. « Querelle
de cuistres et de bedeaux ! » disait le roi ; « laissons faire,
moyennant un bon petit article de police qui suffira. » Guizot, gêné, patientait. M. Thiers, Rémusat, Cousin lui-même,
sentaient bien que « le triomphe du clergé serait fatal à la
France. » Il paraît qu'à la Chambre des pairs la discussion
de la loi organique sur l'enseignement secondaire, rédigée
et présentée par Villemain, fut très brillante, très digne
d'une grande assemblée. Cousin, plaidant pour l'Université, déploya une merveilleuse éloquence ; mais il ne pouvait attaquer les doctrines catholiques sans se contredire
lui-même. Vivement poussé par Montalembert, peu appuyé
par Villemain, qui était un peu son ennemi intime (à ce
que dit Sainte-Beuve), il succomba dans une juste cause ;
et le duc de Broglie fit passer un amendement qui concé-
dait aux séminaires, aux établissements religieux et aux
congrégations *reconnues par l'Etat*, le droit d'instituer des
cours d'études complets. L'Université perdait son privilège,
le monopole du baccalauréat. La même question revint
l'année suivante à la Chambre des députés ; Berryer, Du-
pin, Lamartine, M. Thiers parlèrent tour à tour ; mais les
Chroniques s'arrêtent ici et nous ne savons si, cette fois,
le clergé l'emporta ; mais on connaît sa ténacité, et, du
plus loin qu'il nous souvienne, nous avons toujours vu,
depuis 1847, ses collèges envoyer directement des candidats aux examens de la Faculté des lettres. Il était loin encore des jurys mixtes, mais il était en marche. 1848,
en lui donnant à bénir les arbres de liberté, en l'associant
aux cérémonies publiques, lui prépara d'autres victoires.
L'empire fit le reste, ou du moins disposa les esprits réactionnaires, coalisés avec les semi-libéraux, aux dernières
concessions. Les choses vont changer, le tour est venu de
la société civile, parfaitement tolérante et indifférente aux
croyances et aux opinions individuelles, mais maîtresse

d'elle-même et protectrice de la liberté future des enfants, qui seront des citoyens. Mais que de temps perdu! que de fautes accumulées !

Nous pensons avoir établi que l'éclectisme politique et l'éclectisme philosophique, considérés comme buts défini- tifs et non comme transitions parfois utiles, sont les pro- moteurs principaux et connexes des difficultés qui nous assiègent. C'est d'eux que procède la réaction sociale, religieuse et intellectuelle qui retarde le relèvement na- tional.

XXIII.

LES ORIGINES DU PARTI CLÉRICAL.

Le catholicisme romain est une théorie de direction sociale greffée sur une doctrine de renoncement individuel. L'alliance, au premier abord, semble hétérogène ; elle entraîne des contradictions d'autant plus frappantes qu'elles se rencontrent souvent réunies dans une seule et même personne ; en effet, les prêtres du christianisme sont aussi les soldats du catholicisme ; individus, ils enseignent l'un et peuvent en pratiquer les maximes ; membres d'une hiérarchie, ils appartiennent tout entiers à l'autre. Ce double rôle ne va pas sans d'étranges compromis. Et comment concilier l'amour exclusif du ciel et l'exploitation de la terre, le dédain absolu des biens périssables et la soif inextinguible des richesses, l'extase et l'activité, la simplicité du cœur et l'intrigue, l'humilité et l'orgueil ? Aussi quelques âmes pieuses ou naïves, plus rares de jour en jour, ont de tout temps, pour sauvegarder l'esprit chrétien, répudié le système catholique. De cette famille, à des degrés et à des titres divers, ont été ou sont encore les Wycliffe, les Huss, les Luther, les Jansénius, les Strauss (première manière), et combien d'autres !

Cependant, tout bien considéré, la doctrine politique et la doctrine morale ne se contredisent point. L'une est la contre-partie, le complément de l'autre. Obéissance passive implique autorité. Le christianisme est précisément l'engin le plus précieux, l'instrument le mieux approprié que pût désirer le catholicisme. En détournant l'homme

des choses de la terre, en brisant par le renoncement et la
résignation toute énergie collective, il livrait le monde
pieds et poings liés à la domination de l'Eglise. Toute
l'œuvre de la papauté a été fondée sur ce calcul très
logique. C'est grâce à la foi générale dans l'excellence des
préceptes chrétiens que le Saint-Siége a pu prétendre à la
suprématie absolue. Le Nouveau Testament étant la loi
de Dieu, il suffisait, pour se faire obéir de la chrétienté,
de parler au nom de Dieu. « Tu es Pierre, et sur cette
pierre je bâtirai mon église... Ce que vous aurez lié sur la
terre sera lié dans le ciel. » Ces passages de l'Evangile, et
quelques autres, fournissaient aux prétentions des pontifes romains une base solide et que les fidèles pouvaient
difficilement contester. La théocratie, d'ailleurs, n'est-
elle pas l'objet terrestre de toute religion? On en retrouve
l'instinct chez le moindre hiérophante, et jusque chez le
faiseur de pluie des tribus sauvages. Combien plus clair et
plus voisin ce but ne devait-il pas apparaître au prétendu
successeur de Pierre, au vicaire de Jésus ! Tout favorisait
son ambition : l'appui des Césars, la dissolution rapide de
l'empire, l'ignorance crédule des peuples barbares, et,
bien plus encore, cette puissante hiérarchie, constituée à
l'image de l'administration impériale, et qui, pareille à un
réseau artériel aux mailles serrées, transmettait l'impulsion du centre jusqu'aux extrémités du corps social.

Longtemps, d'un pas ferme, la papauté a marché vers
le gouvernement universel ; jamais elle ne l'a perdu de
vue, jamais elle n'en a abandonné la poursuite. Plus d'une
fois elle a cru l'atteindre. Aujourd'hui encore, en pleine
civilisation laïque, alors que ses armes temporelles lui ont
été ravies et que l'indifférence et la raison ont émoussé
ses armes spirituelles, quand les intérêts religieux ont été
partout subordonnés aux intérêts humains, elle étend encore vers le mirage ses mains défaillantes. On peut, au

point de vue de l'art, admirer cette indomptable persévé-
rance. On peut vanter le génie de quelques papes, la supériorité morale momentanée des institutions chrétiennes,
la médiation parfois efficace des légats et des évèques entre
les vainqueurs et les vaincus, la sécurité des cloîtres ou-
verts à tous les déshérités, enfin et surtout la cohésion de
l'Europe catholique en face du fanatisme musulman. Mais
que sont ces circonstances atténuantes au prix de dix siècles, peut-être, arrachés à la raison humaine ? Quel optimisme historique palliera jamais tant d'intrigues, de rapacités, de vils trafics, le viol des consciences, la fumée
exécrable des bûchers, les guerres civiles, et cette mer de
sang à couvrir le globe, à faire envie aux Attila et aux
Timour, à tous les conquérants ensemble ?

Dans son audacieuse entreprise contre la nature humaine, individuelle et sociale, le catholicisme romain s'est
heurté à bien des obstacles simultanés ou successifs ; il a
triomphé des uns, il en a tourné d'autres ; il en est contre
lesquels il a, malgré les apparences, définitivement échoué.
Les uns se sont produits dans l'ordre religieux, au sein
même de l'Eglise ; ils ont été vaincus, mais non sans pertes cruelles ; les autres sont venus du monde laïque et
temporel, et, bien qu'entamés plus d'une fois au grand
dommage des peuples, ils ont en somme résisté à l'assaut
et brisé l'effort clérical.

Parmi les premiers, il faut signaler l'opposition générale des évèques, qui se considéraient volontiers comme
les égaux de l'évèque de Rome. La division de l'empire et
la destinée diverse de ses deux tronçons, en ralliant autour
du Saint-Siége l'épiscopat d'Occident, ne firent qu'encou-
rager à la résistance les prélats orientaux. Dès le neuvième siècle, le futur empire catholique était, par le grand
schisme, diminué de moitié. Les hérésies ne furent pas
une moindre pierre d'achoppement ; après en avoir noyé

des milliers dans le sang, l'Eglise, simoniaque et marchande d'indulgences, se trouva, par sa faute, en présence de la Réforme, et le protestantisme lui prit la moitié de ce que lui avait laissé le schisme. Elle eut à lutter encore contre l'esprit d'indépendance du clergé, et contre les intérêts mondains et personnels de ses propres ministres ; elle coupa court à ceux-ci par l'obligation du célibat, loi contre nature et féconde en scandales, en crimes ou en hypocrisies (Origène seul était dans le vrai), mais qui du moins lui assura le concours zélé d'une armée permanente toujours renouvelée et toujours la même ; quant au clergé, elle en subit à contre-cœur le contrôle ; elle accepta bon gré mal gré l'autorité des conciles, souverains en fait de foi et de discipline, qui n'hésitaient point à déposer des papes. C'est seulement en 1870 que le dernier concile, — car à quoi serviraient maintenant ces réunions ? — abdiqua les droits de la chrétienté. Mais on peut bien dire que la proclamation du dogme de l'infaillibilité est un triomphe posthume. Qu'importe au monde moderne ?

Toutefois l'Eglise, après quinze siècles d'efforts, est parvenue à discipliner ses forces ; elle peut se dire maîtresse de son propre corps. Au contraire, le monde laïque, investi d'abord de toutes parts, a fini par lui échapper. Ses chances pourtant étaient grandes. Dispensatrice du pardon et du salut, elle s'empara aisément des âmes qu'elle avait façonnées ; elle présidait à toutes les circonstances, à tous les évènements de la vie, à la naissance, au mariage, à la mort. Les écarts mêmes de la nature humaine travaillaient à accroître sa puissance. Le dogme si commode de l'expiation et du repentir ramenait dans son giron les passionnés, les vicieux, les criminels, et lui procurait gratuitement d'innombrables richesses, des biens de toute sorte, terres, revenus, privilèges.

Mais le mauvais emploi de ces tributs arrachés à la peur

et à la crédule espérance lui devint funeste ; la vente des
indulgences eut sa bonne part dans le mouvement de révolte qui aboutit au protestantisme. Le moyen âge avait
pris fin. La raison, l'activité intellectuelle, longtemps condamnées, se soulevèrent. Le doute de Montaigne, le large
esprit de Rabelais, les recherches des historiens, des philosophes, tout en laissant à l'influence religieuse une carrière vaste encore, en limitèrent le domaine. L'Eglise cessa
de dominer et d'embrasser toute la sphère de l'intelligence.
Bien plus, la science pied à pied l'en élimina. Copernic,
sans le savoir, porta le premier coup aux fictions bibliques.
Képler, Galilée suivirent. Les géomètres et les physiciens
bannirent le miracle de l'univers ; c'était démontrer im-
plicitement la vanité de la prière et des intercessions coû-
teuses. Enfin, tandis que la critique, très pénétrante et
très suffisante, des Voltaire et des Diderot convainquait
d'imperfection humaine les livres sacrés, les sciences naturelles se préparaient à remplacer par des connaissances
positives ces conceptions métaphysiques où toute religion
s'appuie. Sans doute, l'action de la science et de la raison
ne s'est d'abord étendue qu'aux cercles cultivés ; mais
déjà elle gagne les masses ; elle entraînera la conviction
de l'ignorance elle-même. Qu'adviendra-t-il alors de la foi
et de la politique romaines ? Les inventeurs de Lourdes et
de la Salette en savent là-dessus autant que nous. Leur
factice enthousiasme voile plus qu'il ne retarde une défaite
inévitable.

Dans le temps où elle était maîtresse des peuples, l'Eglise
se faisait aisément écouter, quelquefois obéir, des grands
et des chefs d'Etats. Elle était entrée dans l'organisme ou
mieux dans le chaos féodal, afin de le diriger. Ses dignitaires, ses évêques guerriers, ses moines hardis, avaient su
joindre aux immunités ecclésiastiques les privilèges politiques. Ils siégeaient comme pairs, comme ministres, comme

juges, dans les conseils des rois et des grands vassaux ; ils
les aidaient à pressurer le serf, à contenir le bourgeois ;
et leur utilité était fort appréciée. N'enseignaient-ils pas
l'obéissance ? En retour, ils obtenaient le secours du bras
séculier contre les hérétiques, et une forte part des dé-
pouilles enlevées à l'ennemi commun. Quant à eux, ils
se lavaient les mains du sang versé. Mais les massacres
d'Albigeois, les Saint-Barthélemy, les dragonnades ne leur
suffisaient pas. Ce qu'ils voulaient avant tout, c'était l'autorité publique tout entière. Là encore, après de nombreuses victoires et des vicissitudes étranges, ils échouèrent. On
les vit bien régenter le ménage des rois, excommunier, déposer, recevoir à merci des souverains humiliés. Un Robert
Guiscard, un Jean sans Terre acceptèrent de leurs mains
la couronne et consacrèrent leurs royaumes à la chaire de
saint Pierre. Mais ces hommages et ces soumissions
n'étaient qu'apparents. Au fond, et tout en acceptant
l'appui de l'Eglise, les rois ne reconnaissaient pas sa
suprématie. Ces fils aînés de l'Eglise, ces majestés catholiques, apostoliques, très fidèles, ces défenseurs de la foi
n'entendaient pas céder un pouce de leur autorité civile ;
bien plus, ils réclamaient une part dans l'autorité religieuse, dans l'institution des évêchés, des abbayes, dans la
collation des bénéfices ecclésiastiques. Les uns, comme les
Hohenstauffen, engagent contre le fameux Grégoire VII
la grande querelle des investitures ; les autres, comme
Henri VIII, sortent hardiment du giron de l'Eglise. Philippe-Auguste, Louis IX, le saint roi lui-même, repoussent
avec énergie les prétentions du Saint-Siége. Philippe le
Bel répond aux avertissements de Boniface VIII par un
soufflet ganté de fer, et, s'emparant de la papauté, prélude,
par le transfert des papes à Avignon, au scandaleux
schisme d'Occident. Nulle part plus qu'en France, l'autorité royale ne se montra jalouse de ses droits. Le sacre

n'est pour elle qu'une cérémonie, un accessoire. Même les princes qui massacrent le plus volontiers les ennemis de l'Eglise, parce qu'ils les regardent comme les leurs, même ceux qui signent l'acte de la Ligue ou la révocation de l'édit de Nantes, tous tiennent à distance l'ambition théocratique : rois par la grâce de Dieu, mais non de son vicaire, ils sont maîtres chez eux, maîtres absolus de leur royaume et, dans une certaine mesure, de leur Eglise. Les droits du pape, comme chef de l'Eglise universelle, sont fixés de gré à gré par divers concordats et pragmatiques. Ses bulles sont soumises à l'examen des cours et des parlements. L'Eglise de France demeure libre à côté de l'Eglise romaine, et soumise, comme celle-ci, à l'autorité supérieure des conciles. Louis XIV, roi très chrétien, mais très soucieux de la dignité de son trône et même de son pays, fait rédiger par Bossuet une déclaration célèbre (1682), qui proclame les libertés de l'Eglise gallicane et les met à l'abri de toute ingérence ultramontaine.

Il semble que tout soit dit et qu'à la fin du dix-septième siècle, au moins en France, la papauté ait définitivement perdu la partie. La sagesse lui fait une loi de renoncer à sa chimère favorite ; le gouvernement est fort et décidé ; le clergé a de quoi être satisfait de son sort ; premier ordre de l'Etat, possesseur du dixième des revenus territoriaux, exempt de tout impôt, astreint seulement à des dons volontaires auxquels il subvient par des emprunts à long terme, il est le privilégié par excellence ; pourquoi soutiendrait-il les prétentions du Vatican ? Les compensations, d'ailleurs, ne manquent pas au Saint-Siège : il a l'institution ou confirmation canonique, il a les annates et, plus encore, l'appui moral du plus puissant Etat catholique. Il a donc tout intérêt à se contenter d'une situation honorée et lucrative.

Eh bien ! l'œuvre que n'ont pu accomplir ni un Gré-

goire VII, ni un Innocent III, ni un Boniface VIII, ni un
Pie V, une puissance occulte va la reprendre en sous-
œuvre. A côté de la papauté, en dehors d'elle et contre elle
jusqu'à ce qu'il la domine, un ordre ténébreux, continuateur intrigant de Hildebrand, va poursuivre le rêve théocratique de la domination universelle. Son objet immédiat et
permanent sera la destruction de l'Eglise gallicane, l'abro-
gation des articles de 1682.

Un écrivain très compétent, M. Jean Wallon, s'est
donné la tâche d'exposer en détail les sourdes menées des
jésuites durant tout le dix-huitième siècle. Des deux thèses
qu'il soutient dans son livre (1), l'une est exagérée, celle
qui place dans les querelles religieuses la cause unique de
la Révolution française ; mais l'autre est d'une parfaite
évidence : à savoir que la Compagnie de Jésus est le champion des doctrines ultramontaines et qu'elle mène la campagne cléricale et réactionnaire contre l'ordre civil et le
monde laïque. M. Jean Wallon est gallican, ce qui n'est
pas d'une grande utilité pour la saine appréciation des
tendances et des destinées modernes, mais ce qui, en revanche, est une garantie de clairvoyance toute spéciale
dans la question qui nous occupe. Un gallican se pas-
sionne pour des chinoiseries qui ont peine à intéresser
notre époque, foncièrement indifférente et sceptique en fait
de théologie ; un gallican connaît à fond des ennemis intimes que nous couvrons trop souvent d'un imprudent
oubli ; il suit pas à pas ces illustrations obscures ; il sait
jusqu'à leur vie privée ; il a noté leurs paroles, leurs mé-
faits ; il les relie, les soude en un tout. Lilliput à ses yeux
se change en Brobdingnac. La passion est un verre gros-

(1) *Le Clergé de* 89, par Jean Wallon. (*Le pape, le roi, la nation. Fin de l'ancien Régime.* Nombreuses pièces justificatives.)
In-18 de XXII-582 pages. Paris, Charpentier, 1876.

sissant. Mais ici, combien le grossissement est opportun !
Comment, sans microscope, découvrir ces infiniment
petits qui sapent les fondements de notre ordre social encore inachevé? M. Jean Wallon est donc ici le guide qu'il
nous faut.

La déclaration de 1682 n'a point découragé les fils
d'Ignace ; ils assiègent la Maintenon, la reine interlope, et
montent avec elle sur le trône ; ils donnent des confesseurs
à Louis XIV, lui imposent la désastreuse révocation de
l'édit de Nantes (1685), la suppression de Port-Royal
(1709), l'acceptation de la bulle *Unigenitus* (1713), pâle
ébauche du *Syllabus*, lancée en apparence contre le jan-
sénisme, en fait contre l'Eglise gallicane. Entre temps, ils
obtenaient la canonisation de Pie V, l'instigateur de la
Saint-Barthélemy (1712), et, plus tard (1728), l'insertion
au bréviaire romain de l'office de Grégoire VII.

Cette bulle ou constitution *Unigenitus*, minutée et en-
voyée à Rome par le P. Letellier, confesseur de Louis XIV,
a fait, selon M. Jean Wallon, « plus de mal que Voltaire,
Rousseau, d'Holbach, Diderot et l'*Encyclopédie* ». Saint-
Simon l'a qualifiée de « pot au noir pour barbouiller tout
le monde ». Non seulement, « demandée par Louis XIV pour
prévenir un schisme, elle fut sur le point d'en causer un »
(Voltaire), mais encore elle jeta le trouble dans toutes les
classes de la société, envenima la rivalité des parlements,
des Etats provinciaux et des ministères, bouleversa les
couvents, brouilla le haut et le bas clergé, ajouta la haine
publique à la déconsidération qui, depuis longtemps déjà,
atteignait les fastueuses sinécures ecclésiastiques. Parmi
tant de ferments de dissolution, elle fut un des plus actifs,
un des plus *drastiques* assurément. Les spirituelles allusions des *Lettres persanes* ne donnent pas une idée du
mouvement désordonné, de la longue agitation que sou-
leva ce produit de l'officine jésuite. Tout d'abord, beau-

25

coup de diocèses rejetèrent la bulle ; Noailles, l'archevêque de Paris, chef de la résistance, ne céda qu'à la
dernière extrémité ; les Parlements refusèrent d'enre-
gistrer. La conspiration de Cellamare ne disposait guère
le régent en faveur des jésuites. Il fallut, pour faire léga-
liser cette élucubration, vendre la pourpre à Dubois,
odieux marché qui coûta cher à la France. On a trop oublié la persécution acharnée dont la complaisance de
Dubois fut le signal. Pendant la longue domination du
cardinal Fleury, cinquante mille lettres de cachet tombèrent, dru comme grêle, sur les laïques et sur les clercs,
séculiers et réguliers ; et la lettre de cachet, c'était la
détention indéfinie dans une bastille, la confiscation, la
mort. Les lamentables folies des convulsionnaires, le culte
du diacre Pâris, furent la réponse de l'exaltation janséniste à l'inertie volontaire du gouvernement. Le refus des
billets de confession aux tièdes et aux suspects entraîna
dans d'inextricables conflits la Sorbonne, les Parlements,
l'Eglise et l'Etat. Huit cents docteurs de Sorbonne furent
expulsés. Le Parlement de Paris, ce corps aux attributions
multiples et indéfinies, judiciaires, administratives et politiques, prit parti le plus souvent contre la bulle ; il se fit
l'arbitre de l'orthodoxie, condamnant les curés, sous peine
d'amende, à accorder les billets de confession, à administrer les malades, envoyant de sa pleine autorité « le
bon Dieu » aux mourants, entre deux huissiers. Les Parlements de province suivirent son exemple ; les jésuites
suscitèrent contre eux la ligue des Etats provinciaux ; il en
résulta des procès ridicules, les affaires La Chalotais et
d'Aiguillon. Les évêques, les abbés mitrés, les prélats sans
résidence s'étaient ralliés à la bulle. L'archevêque Beau-
mont, connu par la lettre de Rousseau, se signalait par
son intolérance. Le gouvernement ne savait auquel entendre, et tantôt soutenait les arrêts gallicans, tantôt en-

courageait les résistances ultramontaines. Tout cela finit
par l'exil et la dislocation du Parlement, par l'invention
des cours plénières, et par le Parlement Maupeou, formé
de créatures des jésuites.

Cependant la redoutable compagnie avait lassé, excédé
l'opinion. Après avoir soufflé la tempête, elle faillit y sombrer. Le complot avorté des jésuites de Portugal, la fail-
lite scandaleuse du P. Lavallette, la fureur de Louis XV
quand il crut, à tort ou à raison, découvrir dans l'attentat
de Damiens la main ou les conseils des révérends Pères,
la défiance tardive du Saint-Siège, le cri public, tout plai-
dait contre les fils de Loyola. Aussi l'arrêt du 6 août 1762,
qui fermait leurs cent cinquante maisons et renvoyait, chacun dans son diocèse, les trois mille cinq cent quarante-huit
membres de la Compagnie (dont la moitié étaient laïques),
excita-t-il l'applaudissement universel. Mais « cette joie de
la terre entière », dont Voltaire se fit l'écho, était bien
prématurée. Dès 1764, les jésuites purent quitter leurs
diocèses. Accueillis dans les familles, conservés comme
confesseurs par le roi, le Dauphin et la reine, ils purent
instituer, sous les auspices de la reine, du Dauphin, du
duc de Lavauguyon et de leurs amis de la cour, cette *congrégation politique* qui ne cessa d'exister depuis lors et
de préparer leur rétablissement. Supprimés par Clément XIV après un complot contre la famille royale d'Espagne, ils n'en réussirent pas moins à imposer au Saint-
Siège leur Marie Alacoque et leur Sacré-Cœur, qu'ils
avaient inventés pour balancer les miracles jansénistes. Et
aujourd'hui, sans existence légale, ils ont repris leur nom,
malgré la loi, et ils gouvernent la France catholique. Mais
nous anticipons.

Si l'on met de côté ces tiraillements perpétuels entre le
gallicanisme et le jésuitisme ultramontain, l'Eglise de
France, à la fin du dix-huitième siècle, présentait le spec-

tacle le plus scandaleux. Aux vices qui lui appartenaient en propre, elle avait joint, depuis de longs siècles, tous ceux de cette féodalité dont elle s'était faite la complice. Et tous ces éléments de corruption s'étaient amalgamés en un chaos si complexe, qu'il est malaisé d'en classer les produits par familles et variétés. La licence des mœurs régnait du haut en bas de la hiérarchie. Les revenus énormes des hautes fonctions et des gros bénéfices étaient dévolus aux cadets de familles nobles. Les Marbeuf, les Brienne, les Jarente, les Dillon distribuaient les bonnes places moyennant finance et ne s'excluaient pas du partage, comme bien on pense. Autour de ces hauts seigneurs pullulait l'engeance des petits abbés damerets et faméliques.

Plus bas, les couvents dépeuplés nourrissaient à grands frais la paresse des moines et la vanité des abbés. Enfin, le clergé des campagnes, serf de l'évêque ou du commendataire, privé de ses dîmes, réduit à la portion congrue 700 livres , végétait dans la misère parmi les populations écrasées d'impôts.

Bien avant que le déficit contraignît les Calonne, les Brienne, à convoquer des notables triés, puis des états généraux, la richesse des parasites cléricaux, bien des pauvres détourné de son emploi, était convoitée par l'Etat, considérée comme une dernière ressource contre la banqueroute. Tôt ou tard, les dignitaires ecclésiastiques et les ordres religieux auraient payé en une fois toutes les contributions dont leurs privilèges iniques les exemptaient. L'égalité de l'impôt était pour ainsi dire décidée avant 89, on ne cherchait qu'une occasion et des formes. Le haut clergé savait tout cela. C'est ce qui explique son attitude devant la Révolution, et pourquoi, faisant cause commune avec la noblesse, à laquelle il tenait par tant d'attaches, il refusa de se réunir au tiers. Les sentiments et

la conduite du bas clergé furent différents ; par petits
groupes, puis par cent, les prêtres députés rentrèrent dans
l'Assemblée nationale. On sait avec quel enthousiasme ils
furent accueillis, et comment la Constituante, après l'abolition de tous les privilèges féodaux et la suppression de
la dîme, accorda aux membres du clergé un traitement
fixe. C'était une erreur. Mais la séparation de l'Eglise et
de l'Etat n'était point dans l'air. Trois ans plus tard, il est
vrai, elle fut prononcée, et même acceptée par le Saint-
Siège ; mais la malheureuse constitution civile avait porté
ses fruits. Les évêques ultramontains en tirèrent l'insurrection vendéenne, et Bonaparte l'idée du concordat.
Désormais, l'Eglise redevenait un Etat dans l'Etat ; bien
plus, elle était inféodée à l'Etat. Le prêtre était fonctionnaire. La Révolution n'avait anéanti de l'Eglise que le
caractère féodal, elle avait laissé subsister la personne
civile, la caste cléricale ; la Restauration rendit la main à
la Congrégation, c'est-à-dire aux jésuites ; le gouvernement
de Juillet les négligea, nia leur existence. Profitant du re-
gain de faveur que la naïve République de 48 accorda aux
bénisseurs d'arbres de liberté, ils se glissèrent dans les
familles, catéchisant les belles dames et les admiratrices
de Marie-Antoinette, s'emparant des enfants, préparant de
jeunes Eliacins aux écoles spéciales, gagnant les états-
majors des partis, ralliant toutes les ambitions déchues.
Dès 1849, à Gaëte, ils avaient investi le faible esprit de
Pie IX. Depuis lors, on peut inscrire à leur acquit les lois
Falloux, le dogme de l'Immaculée-Conception (1854), l'affirmation de la nécessité quasi-divine du pouvoir temporel,
le *Syllabus* (1864), la proclamation puérile de l'infaillibilité papale (1870), les élections de 1871, l'essai d'une
restauration monarchique sous l'égide de l'ultramontanisme (1873), combinaison inconnue même au moyen âge,
la consécration ridicule de la France au Sacré Cœur,

les pèlerinages, les miracles hystériques, les aumôneries militaires, les universités catholiques, enfin le rejet de la loi sur la collation des grades, et le coup d'Etat du 16 mai.

Toutes les réactions, même sceptiques et voltairiennes, se sont groupées autour de l'Eglise catholique romaine, parce que ce noyau de résistance est le seul qui ait échappé au niveau égalitaire. Elles croient se servir d'elle, c'est elle qui les tient. Mais à qui cette alliance profitera-t-elle? A la monarchie légitime ou à la monarchie constitutionnelle? au césarisme? au christianisme? Nullement. A l'ordre laïque et à la libre pensée. Si l'Eglise n'était pas possédée plus que jamais de sa marotte théocratique, elle aurait compris qu'on ne gagne rien à soutenir ce qui tombe en poussière. Elle le sent peut-être aujourd'hui, trop tard. Les réactions crouleront ensemble.

TABLE DES MATIÈRES

28

OUVRAGES DE CH. DARWIN

L'Origine des Espèces au moyen de la sélection naturelle ou la lutte pour l'existence dans la nature, traduit sur la 6e édition anglaise par Edmond Barbier. 1 vol. in-8°. Prix, cartonné à l'anglaise.. 8 fr.

De la Variation des Animaux et des Plantes sous l'action de la domestication, traduit de l'anglais par J.-J. Moulinié, préface par Carl Vogt. 2 vol. in-8°, avec 43 gravures sur bois. Prix, cartonné à l'anglaise.................... .... 20 fr.

La Descendance de l'Homme et la Sélection sexuelle. Traduit de l'anglais par J.-J. Moulinié, préface de Carl Vogt, 2e édition, revue par M. Edmond Barbier. 2 vol. in-8° avec gravures sur bois. Prix, cartonné à l'anglaise .... 16 fr.

De la Fécondation des Orchidées par les insectes et du bon résultat du croisement. Traduit de l'anglais par L. Rérolle. 1 vol. in-8° avec 34 gravures sur bois. Prix, cartonné à l'anglaise........ ... . 8 fr.

L'Expression des Emotions chez l'homme et les animaux. Traduit par Samuel Pozzi et René Benoit. 2e édition, revue. 1 vol. in-8° avec 21 gravures sur bois et 7 photographies. Prix, cartonné à l'anglaise. .... 10 fr.

Voyage d'un Naturaliste autour du Monde, fait à bord du navire *Beagle*, de 1831 à 1836. Traduit de l'anglais par Edmond Barbier. 1 vol. in-8° avec gravures sur bois. Prix, cartonné à l'anglaise............... .... 10 fr.

Les Mouvements et les Habitudes des Plantes grimpantes. Ouvrage traduit de l'anglais sur la 2e édition par le docteur Richard Gordon. 1 vol. in-8° avec 13 figures dans le texte. Prix, cartonné à l'anglaise .... 6 fr.

Les Plantes insectivores, ouvrage traduit de l'anglais par Edmond Barbier, précédé d'une introduction biographique et augmenté de notes complémentaires par le professeur Charles Martins. 1 vol. in-8° avec 30 figures dans le texte. Prix, cartonné à l'anglaise.................................... .... 10 fr.

Des Effets de la Fécondation croisée et directe dans le règne végétal. Traduit de l'anglais par le docteur Heckel, professeur à la Faculté des sciences de Marseille. 1 vol. in-8°. Prix, cartonné à l'anglaise.................... .... 10 fr.

Des différentes Formes de Fleurs dans les plantes de la même espèce. Ouvrage traduit de l'anglais avec l'autorisation de l'auteur et annoté par le docteur Ed. Heckel, précédé d'une préface analytique du professeur Coutance. 1 vol. in-8° avec 15 gravures dans le texte. Prix, cartonné à l'anglaise............... ...... 8 fr.

BIBLIOTHÈQUE

DES

SCIENCES CONTEMPORAINES

PUBLIÉE AVEC LE CONCOURS

DES SAVANTS ET DES LITTÉRATEURS LES PLUS DISTINGUÉS

PAR LA LIBRAIRIE

C. REINWALD

15, rue des Saints-Pères, Paris.

CONDITIONS DE LA SOUSCRIPTION

Cette collection paraît par volumes in-12 format anglais, aussi agréable pour la lecture que pour la bibliothèque; chaque volume a de 10 à 15 feuilles, ou de 350 à 500 pages. Les prix varient suivant la nécessité, de 3 à 5 francs.

EN VENTE

I. **La Biologie**, par le docteur Letourneau. 2e édition. 1 vol. de 518 pages avec 112 gravures sur bois. Prix, broché, 4 fr. 50; relié, toile anglaise............................... 5 fr.

II. **La Linguistique**, par Abel Hovelacque. 2e édition. 1 vol. de 454 pages. Prix, broché, 4 fr.; relié, toile anglaise... 4 fr. 50

III. **L'Anthropologie**, par le docteur Topinard, avec préface du professeur Paul Broca. 3e édition. 1 vol. de 576 pages avec 52 gravures sur bois. Prix, broché, 5 fr.; relié, toile angl. 5 fr. 75

IV. **L'Esthétique**, par M. Eugène Véron, directeur du journal *l'Art*. — Origine des Arts. — Le Goût et le Génie. — Définition de l'Art et de l'Esthétique. — Le Style. — L'Architecture. — La Sculpture. — La Peinture. — La Danse. — La Musique. — La Poésie. — Volume de 506 pages. Prix, broché, 4 fr.; relié, toile anglaise .... 4 fr. 50

V. **La Philosophie**, par M. André Lefèvre. 1 vol. de 612 pages. Prix, broché, 5 fr.; relié, toile anglaise........... 5 fr. 75

PARIS. — TYPOGRAPHIE A. HENNUYER, RUE DARCET, 7.

BIBLIOTHÈQUE

DES

SCIENCES CONTEMPORAINES

PUBLIÉE AVEC LE CONCOURS

DES SAVANTS ET DES LITTÉRATEURS LES PLUS DISTINGUÉS

PAR LA LIBRAIRIE

C. REINWALD

15, rue des Saints-Pères, Paris.

CONDITIONS DE LA SOUSCRIPTION

Cette collection paraît par volumes in-12 format anglais, aussi agréable pour la lecture que pour la bibliothèque; chaque volume a de 10 à 15 feuilles, ou de 350 à 500 pages. Les prix varient suivant la nécessité, de 3 à 5 francs.

EN VENTE

PARIS. — TYPOGRAPHIE A. HENNUYER, RUE D'ARCET, 7.

Imprimé en France
FROC032105121120
25698FR00017B/435

9 782329 493022